L'ÉCONOMIE RURALE
ET LA VIE DES CAMPAGNES
DANS L'OCCIDENT MÉDIÉVAL

I

GEORGES DUBY

L'ÉCONOMIE RURALE
ET
LA VIE DES CAMPAGNES
DANS L'OCCIDENT MÉDIÉVAL

(France, Angleterre, Empire,
IXe-XVe siècles)

Essai de synthèse et perspectives de recherches

I

FLAMMARION

© Éditions Montaigne, 1962.

(Collection historique sous la direction de Paul Lemerle)

© Flammarion, 1977.

ISBN 2-08-081026 — X

AVERTISSEMENT

De toutes les civilisations du monde, aucune peut-être n'apparaît plus foncièrement rustique que ne le fut en réalité la civilisation médiévale. On la voit se former lorsque s'effondre le décor urbain que Rome avait un moment planté sur le fond de campagnes, de pâtures et de forêts, qui le cerna, le mina peu à peu et finit par le dissoudre. Pour qu'elle grandît, il fallut que les divers éléments de la société et de la culture citadines se fussent tout à fait ruralisés. Enfin, elle se désintégra à mesure que ses villes et ses bourgeoisies prirent de la vigueur, se dégagèrent de leur environnement champêtre et parvinrent à se l'assujettir. Il paraît, dans ces conditions, paradoxal que l'on connaisse fort bien ses moines et ses prêtres, que l'on discerne la silhouette de ses guerriers et de ses marchands, tandis que le monde des campagnes, et spécialement ses structures économiques, demeurent plongés dans l'ombre. En fait, le paysan du Moyen Age, trop souvent, n'a pas d'histoire. Non point, comme l'entendait Spengler, que les cadres de son existence fussent restés immobiles, à l'écart des mouvements et des progrès qui entraînaient les civilisations courtoises, cléricales ou citadines. Il est certain qu'ils suivirent. Beaucoup plus lentement certes et non sans de longs retards, ils changèrent aussi. Si ces transformations sont, au premier coup d'œil, indiscernables, cela tient aux sources qui permettent de les observer. Extrêmement sèches et clairsemées, elles proviennent à peu près toutes de milieux extérieurs au monde rural. Ce qui déforme et brouille l'image qu'elles en procurent. L'historien se sent désarmé, il tâtonne ; il détourne son attention vers les cloîtres, les princes, les chantiers, les ateliers, les entrepôts urbains. Mal éclairé par les documents d'archives, le passé de la campagne européenne attend encore, en bien des points, les équipes de chercheurs qui viendront l'interroger.

A vrai dire, nous savons aujourd'hui que l'histoire ne se fait pas seulement avec des textes. Celle des paysans et des seigneurs médiévaux doit s'appuyer plus que toute autre sur les vestiges du passé qui complètent les sources écrites. Elle requiert le concours assidu d'investigations auxiliaires, de l'archéologie et de la géographie agraires, voire de la botanique et de la pédologie. Il n'est guère possible de parler de l'archéologie de la vie matérielle, sinon pour déplorer le fâcheux retard qu'elle accuse dans les pays d'Europe occidentale. Rappelons du moins qu'en France les géographes ont apporté à la connaissance de la vie rurale au temps de Charlemagne ou de saint Louis, une contribution plus riche peut-être que celle des historiens *stricto sensu*. En tout cas, de cette déficience relative des documents écrits, il résulte que les progrès, dans l'histoire agraire médiévale, dépendent en grande partie de recherches conduites, si j'ose dire, au ras du sol. Choisir un pays de dimensions restreintes, où l'on sait que les fonds d'archives ne sont pas tout à fait vides ; commencer par l'observation minutieuse des paysages actuels et des conditions naturelles qui gouvernent les travaux paysans, de l'allure de son climat, de la fertilité de ses terres ; parcourir la campagne et pénétrer ainsi peu à peu dans son intime familiarité, jusqu'à déceler, sous les traits extérieurs de sa physionomie, ceux plus profonds mais souvent fort nets qu'imprima jadis le travail des hommes ; aborder alors les textes médiévaux, en poursuivre le dépouillement exhaustif, reconstituer par eux la société dans l'ensemble de ses liaisons, s'efforcer de saisir les rapports qu'entretenaient alors les villages et les hameaux avec les bourgs, les maisons paysannes avec la demeure du seigneur : cette méthode présente le décisif avantage de ne négliger aucune des relations qui unissent entre eux, pour former un paysage, la nature et les hommes, et de considérer ensemble tous les groupes sociaux qui, de près ou de loin, participèrent à l'exploitation de la terre. Comme à la phase maîtresse de toute recherche efficace, il paraît nécessaire de revenir toujours à de telles monographies régionales.

* *
*

Ce livre-ci procède, en vérité, d'un tout autre esprit, d'une volonté délibérée de très ample synthèse. Confronter les résultats des investigations locales les plus fécondes, tenter d'en dégager des enseignements moins circonscrits, telle est son intention première. Il prétend aussi s'évader des cadres nationaux qui ont longtemps emprisonné la recherche historique en Europe et qui la gardent encore souvent, qu'on le veuille ou non, captive. Il y a maintenant trente ans, Marc Bloch publiait un admirable livre qui, par un recours constant à l'histoire comparée, parvenait à dégager magistralement les caractères originaux de l'histoire rurale française [1]. On doit à cet essai l'intérêt fort vif qui se porta aussitôt en France vers l'histoire agraire, et qui n'a pas faibli. Et l'on ne saurait trop déplorer l'absence, pour les divers autres pays d'Occident, d'ouvrages semblablement conçus. Toutefois, pour qui veut comprendre l'économie des campagnes médiévales et leur vie profonde, les frontières actuelles des États européens ne signifient rien. Elles risquent au contraire de barrer les véritables perspectives historiques. On ne peut douter, en effet, que des contingences, nées au XIXe siècle des divisions politiques, une organisation particulière des dépôts d'archives, des traditions érudites et universitaires dissemblables, l'influence surtout de chefs d'école qui ouvrirent certaines voies d'approche et engagèrent ensuite les chercheurs dans des itinéraires divergents, ont introduit, dans l'image que chaque nation se fait du passé de ses campagnes, de fortes disparités, dont beaucoup paraissent artificielles. Il convient de réduire celles-ci,

1. J'exprime ici ma reconnaissance à l'Association Marc Bloch et à Robert Mandrou, directeur à la VIe section de l'École pratique des Hautes Études, qui m'ont permis de consulter les fiches accumulées par Marc Bloch pour préparer cet ouvrage.

pour mieux discerner les autres. Pour cela, l'horizon doit s'élargir. Et si l'on veut jalonner les limites vraies, celles qui commandaient dans la chrétienté médiévale les usages agraires et toute l'économie rurale, il faut briser d'abord les frontières arbitraires. Ce fut en dominant les histoires provinciales que Marc Bloch put esquisser les grandes lignes d'une géographie historique de la campagne française. On doit maintenant regarder plus loin encore, et étendre d'autant le champ d'observation.

Il faut attendre de cette vue plus large, non seulement qu'elle rectifie l'image, mais encore qu'elle fasse apparaître les régions favorisées, profondément pénétrées par le travail historique et, par contraste, les secteurs retardataires. C'est-à-dire qu'elle propose des explorations nouvelles et qu'elle en prépare, par comparaison, l'itinéraire. Elle doit permettre aussi aux médiévistes de chaque nation de modifier leur plan d'enquête en fonction des résultats acquis ailleurs et des méthodes qui permirent de les atteindre. Montrer aux chercheurs français comment leurs confrères d'Angleterre sont parvenus à mettre en lumière les aspects topographiques, économiques, démographiques de la seigneurie du XIIIe siècle, attirer leur attention sur la manière dont les historiens allemands ont récemment abordé l'étude des terroirs de la fin du Moyen Age, du retrait de l'espace cultivé qui s'y observe alors et des mutations économiques qu'il exprimait, n'est-ce pas orienter leur curiosité et leurs efforts dans des directions jusqu'ici peu suivies dans leur pays ? Tandis qu'inversement, l'exposé succinct de ce qu'ils ont eux-mêmes apporté à la connaissance des défrichements, par exemple, ou de l'exploitation par les seigneurs de leur pouvoir sur les hommes, peut inciter hors de France à renouveler certaines hypothèses de travail. L'espoir de stimuler de nouvelles recherches monographiques et de les rendre plus profitables peut seul justifier cet essai de synthèse.

***

On pourra s'étonner alors qu'il néglige certains des pays rassemblés dans la chrétienté latine, qui participèrent à la civilisation médiévale. Mon ignorance des langues slaves et, partant, la difficulté de prendre un contact suffisant avec la littérature scientifique de ces pays, m'a contraint d'exclure la Pologne et la Bohême. Non sans un regret très vif. On sait que des conditions particulières — la rareté des sources écrites, mais aussi l'ardeur patriotique et la volonté tenace d'atteindre, jusque dans leurs racines, les antiquités nationales, enfin l'incitation du marxisme conviant à une observation plus minutieuse des conditions matérielles de l'existence quotidienne et des instruments de la production — ont promu depuis quinze ans dans ces pays le progrès rapide d'enquêtes archéologiques, attentives à exhumer non seulement les monuments de l'art, mais les plus humbles objets. Utile exemple pour ceux des historiens français qui s'intéressent à l'organisation des terroirs, aux villages et à leurs maisons, aux outils médiévaux. Il faudrait tout un autre livre pour le développer à leur usage.

Des pays scandinaves, l'obstacle linguistique m'a de même détourné. J'ajoute que les systèmes agraires médiévaux, et les structures rurales conjointes, présentèrent sur ces franges périphériques du monde civilisé des traits fort singuliers, ce qui explique que cette étude ait aussi laissé de côté, avec l'Écosse, les pays celtes des îles ou du continent. Quant aux deux péninsules méditerranéennes, l'ibérique et l'italienne, on sent bien que leurs aptitudes naturelles, les vicissitudes de leur histoire, le climat économique et social qui les baignait, les situaient alors dans un monde très étranger à ceux des pays d'Occident qui subirent peu ou prou l'emprise carolingienne. Il paraît préférable de mener séparément, au moins dans ses prospections préliminaires, l'histoire de leurs milieux ruraux, encore à peine esquissée.

Restaient donc la France, l'Angleterre et les pays d'Empire : un champ immense. Le survoler d'un seul regard, réunir et comparer les principales études consacrées à l'histoire économique de ces campagnes alors si cloisonnées et si diverses, exige un rude effort, dont la témérité ne m'a point échappé. On ne se libère pas sans peine, comme il le faudrait pourtant dans une entreprise de cette sorte, de ses expériences antérieures, des habitudes de vision contractées en observant de près quelques-uns des secteurs qu'il devient nécessaire d'intégrer à leur juste place dans une vue d'ensemble. Nul ne s'étonnera de trouver dans ces pages des références plus nombreuses et plus précises aux paysans et aux seigneurs de France, aux provinces surtout dont le passé m'est plus familier, la Bourgogne, l'Ile-de-France, la Provence. Ce regard porté sur l'Europe médiévale vient d'un Français, qui écrit d'abord pour des lecteurs français. Ceci dit pour parer d'avance les critiques que justifient les imperfections de cet essai, où l'on découvrira sans peine tel résultat local mal interprété, tel autre situé dans d'inexactes perspectives, et qui sans doute n'accorde pas toute l'attention qu'elles méritent à beaucoup d'études régionales.

J'ajoute que ce domaine de la recherche historique m'a paru l'objet de prospections encore trop superficielles et clairsemées pour que j'ose tenter mieux que de disposer les lignes de départ d'enquêtes futures. C'est ainsi que le cadre chronologique dans lequel l'exposé s'ordonne, s'ajuste moins bien peut-être à l'allure vraie de l'évolution économique qu'à l'état de la documentation, à la position des controverses en cours et aux phases entre lesquelles on s'accorde à diviser l'histoire générale de la civilisation européenne. Prudemment, il se répartit en trois compartiments, l'un pour l'époque carolingienne, l'autre pour les XIᵉ, XIIᵉ et XIIIᵉ siècles, le dernier correspondant à la période apparemment plus troublée comprise entre 1330 et le début du XVᵉ siècle. Cadre commode, mais qui se veut provisoire — comme d'ailleurs toutes les conclusions d'un livre appelant, à chaque page, rectifications et dépassements, et qui souhaite en susciter. Je voudrais qu'on le considère comme le plan directeur d'un vaste chantier, utile à la découverte, mais que le travail, à mesure qu'il progresse, rend caduc. Le caractère de cet ouvrage imposait donc de lui adjoindre un guide bibliographique assez ample (on verra qu'il ménage, lui aussi, aux travaux français une place privilégiée) et de nombreux documents, cartes, tableaux, textes surtout, dont la plupart sont rapidement commentés. Il a semblé, en effet, qu'un contact direct avec les matériaux de cette histoire en pleine construction pourrait provoquer des réflexions, faire lever des questions, inviter à leur chercher de nouvelles réponses. Il eût fallu, aux pages qui suivent, des marges immenses, offertes aux corrections, aux additifs. Tout comme les inventaires des seigneuries médiévales, l'une des bases les moins fragiles de l'histoire économique des campagnes, et qu'à peine rédigés l'on couvrait de ratures, ce livre, s'il atteint son but, devrait être en peu de temps détruit par ceux mêmes qui s'en serviront.

Plateau de Valensole, juillet 1961.

BIBLIOGRAPHIE

I. — GÉNÉRALITÉS

A. *Vues d'ensemble et exposés de méthode.*

1. ABEL (W.) : *Agrarkrisen und Agrarkonjonktur in Mittel-europa vom 13. bis zum 19. Jahrhundert*, Berlin, 1935.
2. BELOW (G. von) : *Geschichte der deutschen Landwirt-schaft des Mittelalters in ihren Grundzügen*, Iéna, 1937.
3. BLOCH (M.) : *Les caractères originaux de l'histoire rurale française*, 2e éd., Paris, tome I, 1952 ; tome II (supplément établi par R. DAUVERGNE, d'après les travaux de l'auteur), 1956.
4. BOUTRUCHE (R.) : « Histoire des institutions : Moyen Age », *IXe Congrès international des Sciences historiques, I : Rapports*, Paris, 1950.
5. *Cambridge Economic History*, I. *The agrarian life of the middle ages* (éd. J. H. Clapham and Eileen Power), Cambridge, 1941.
6. CAROSELLI (R.) : « Saggio di una bibliografia di storia economica italiana », dans *Economia e storia*, 1958.
7. CARSTEN (F. L.) : *The origins of Prussia*, Oxford, 1954.
8. DOREN : *Italienische Wirtschaftsgeschichte*, Iéna, 1934.
9. FOREVILLE (R.) et MOLLAT (M.) : « Bibliographie pour servir à l'histoire de la société féodale et du régime seigneurial en France, du IXe au XIIIe siècle », dans *Revue d'histoire de la philosophie et d'histoire générale de la civilisation* (Faculté des Lettres de Lille), 1946.

N. B. — Cette liste ne prétend pas être exhaustive. Elle comprend l'essentiel des études parues pendant les vingt dernières années. De la production scientifique antérieure, seuls ont été retenus les livres fondamentaux de l'histoire rurale, ainsi que quelques ouvrages dont l'usage demeure indispensable en l'absence de travaux plus récents.

10. FOURASTIÉ (J.) : « Histoire, Science et Action », dans *Hommage à Lucien Febvre*, I, Paris, 1953.

10 *a*. FRANZ (G.) : *Bücherkunde zur Geschichte des deutschen Bauerntums*, 1938.

11. GEORLETTE (R.) : « Apports français à l'histoire rurale et aux questions agraires », dans *Annales de Gembloux*, 1955.

12. GEORLETTE (R.) : « L'agriculture et la vie rurale en France au Moyen Age », dans *Annales de Gembloux*, 1956.

13. GEORLETTE (R.) : « Les sources de l'histoire de l'agriculture et des campagnes françaises au Moyen Age », dans *Annales de Gembloux*, 1956.

14. HILTON (R. H.) : « The Content and Sources of English Agrarian History before 1500 », dans *Agricultural History Review*, III, 1955.

15. KUŁA (W.) : « Histoire et économie : la longue durée », dans *Annales, E.S.C.*, 1960.

15 *a*. KRZYMOWSKI (R.) : *Geschichte der deutschen Landwirtschaft*, 2ᵉ éd., 1951.

16. KULISCHER (J.) : *Allgemeine Wirtschaftgeschichte des Mittelalters und der Neuzeit*, dernière édition, Berlin, 1954.

17. LAMPRECHT (K.) : *Deutsches Wirtschaftsleben im Mittelalter. Untersuchungen über die Entwicklung der materiellen Kultur des platten Landes auf Grund der Quellen, zunächst des Mosellandes*, 3 vol., Leipzig, 1885-1886.

18. LÜTGE (F.) : *Deutsche Sozial- und Wirtschaftsgeschichte*, Berlin, 2ᵉ éd., 1960.

19. LUZZATTO (G.) : *Storia economica d'Italia. I. L'antichità e il Medio Evo*, Rome, 1949.

20. LUZZATTO (G.) : *Breve storia economica d'Italia dalla caduta dell' Impero romano al principio del cinquecento*, Turin, 1958.

21. PIRENNE (H.) : *Histoire économique de l'Occident médiéval*, Bruxelles, 1951.

22. POSTAN (M.) : « Histoire économique : Moyen Age », *IXᵉ Congrès international des Sciences historiques*, t. I : *Rapports*, Paris, 1950.

23. POSTAN (M.) : « Die wirtschaftlichen Grundlagen der mittelalterlichen Gesellschaft », dans *Jahrbuch für Nationalökonomie und Statistik*, 1954.

24. ROUPNEL (G.) : *Histoire de la campagne française*, Paris, 1932.

24. *a*. SAALFELD (D.) : *Bauernwirtschaft und Gutsbetrieb in der vorindustrielle Zeit (Quellen und Forschungen zur Agrargeschichte*, VI *)*, Stuttgart, 1960.

25. SAPORI (A.) : « Problemi di Storia economica e sociale », dans *Nuova Rivista Storica*, 1958.

26. SAPORI (G.) : *Le condizione giuridiche e soziale in cui si e sviluppata l'agricoltura italiana*, Rome, 1955.

27. SLICHER VAN BATH (B. H.) : *De agrarische geschiedenis van West-Europa (500-1850)*, Utrecht-Anvers, 1960.
28. TROW-SMITH (R.) : *A history of british livestock husbandry to 1700*, Londres, 1957.
29. TYMINIECKI (K.) : « Quelques parallèles de l'histoire agraire au Moyen Age », dans *Acta poloniae historica*, 1958.
30. WOLFF (Ph.) : « Le Moyen Age », dans *Histoire générale du travail*. Tome II, Paris, 1960.
31. WOLFF (Ph.) : « L'étude des économies et des sociétés avant l'ère statistique », dans *L'histoire et ses méthodes* (Encyclopédie de la Pléiade), Paris, 1961.

B. *Les conditions naturelles et les structures agraires.*

32. ALLIX (A.) : *L'Oisans au Moyen Age. Étude de géographie historique en haute montagne*, Paris, 1929.
33. *An Historical Geography of England*. Éd. H. DARBY, Cambridge, 1936.
34. BADER (K.) : « Gartenrecht », dans *Zeitschrift der Savigny Stiftung. Germanische Abteilung*, 1958.
35. BEAUJOUAN (G.) : « Le temps historique », dans *L'histoire et ses méthodes* (Encyclopédie de la Pléiade), Paris, 1961.
36. BERESFORD (M. W.) et SAINT-JOSEPH (J. K. S.) : *Medieval England. An aerial survey*, Cambridge, 1958.
37. BLOCH (M.) : « Champs et villages », dans *Annales d'Histoire économique et sociale*, 1934.
38. BONENFANT (P.) : « A propos des limites médiévales », dans *Hommage à Lucien Febvre*, tome I, Paris, 1953.
39. BRUNET (P.) : « Problèmes relatifs aux structures agraires de la Basse Normandie », dans *Annales de Normandie*, 1955.
40. BRUNET (P.) : *Structure agraire et économie rurale des plateaux tertiaires entre la Seine et l'Oise*, Caen, 1960.
41. CHAMPIER (L.) : « La structure des terroirs bourguignons », dans *Annales de Bourgogne*, 1955.
42. CHAUMEIL (L.) : « L'origine du bocage en Bretagne », dans *Hommage à Lucien Febvre*, I, Paris, 1953.
43. DARBY (H. C.) : *The Domesday geography of Eastern England*, 1952.
44. DARBY (H. C.) and TERRETT (B.) : *The Domesday geography of Midland England*, 1954.
45. DEFFONTAINES (P.) : *Les hommes et leurs travaux dans les pays de la moyenne Garonne*, Lille, 1932.
46. DERRUAU (M.) : *La grande Limagne auvergnate et bourbonnaise*, Paris, 1949.
47. DION (R.) : *Le Val de Loire*, Tours, 1934.
48. DION (R.) : « La part de la géographie et celle de l'histoire dans l'explication de l'habitat rural du Bassin

Parisien », dans *Publications de la société de géographie de Lille*, 1946.

49. AMERIJCKX (J.) et VERHULST (A.) : *Enkele historisch-geographische Problemen in verband met de oudste geschiedenis van de vlaamse Kustvlakte*, Gand, 1958.

50. FEL (A.) : « Réflexions sur les paysages agraires des hautes terres du Massif Central », dans *Annales de l'Est, Mémoire n⁰ 21*, Nancy, 1959.

51. FÉNELON : « Structure des finages périgourdins », dans *Annales de l'Est, Mémoire n⁰ 21*, Nancy, 1959.

52. FIRBAS (F.) : *Spät- und nacheiszeitliche waldgeschichte Mittel- europas nördlich der Alpen*, 2 vol., Iéna, 1949-1952.

53. FLATRÈS (P.) : « La structure agraire ancienne du Devon et du Cornwall et les enclôtures du XIIIᵉ et XIVᵉ siècles », dans *Annales de Bretagne*, 1949.

54. FOUGÈRES (M.) : « Les régimes agraires : recherches convergentes », dans *Annales d'histoire sociale*, 1941.

55. *Géographie et Histoire agraire, Annales de l'Est (publiées par la Faculté des Lettres et des Sciences humaines de l'Université de Nancy), Mémoire n⁰ 21*, 1959.

56. HIGOUNET (C.) : « Observations sur la seigneurie rurale et l'habitat en Rouergue, du IXᵉ au XIVᵉ siècle », dans *Annales du Midi*, 1950.

57. HIGOUNET (C.) : « L'occupation du sol du pays entre Tarn et Garonne », dans *Annales du Midi*, 1953.

58. HIGOUNET (C.) : « La géohistoire », dans *L'histoire et ses méthodes* (Encyclopédie de la Pléiade), Paris, 1961.

58 a. HÖMBERG (A.) : *Siedlungsgeschichte des oberen Sauerlandes*, Berlin, 1938.

59. HOSKINS (W. G.) : « The English landscape », dans *Medieval England*, Oxford, 1958.

60. JUILLARD (E.) et MEYNIER (A.) : « Die Agrarlandschaft in Frankreich. Forschungsergebnisse der letzten zwanzig Jahre », dans *Münchner Geographische Hefte*, IX, 1955.

61. JUILLARD (E.), MEYNIER (A.), DE PLANHOL (X.), SAUTER (G.) : *Structures agraires et paysages ruraux. Un quart de siècle de recherches françaises. Annales de l'Est, Mémoire n⁰ 17*, Nancy, 1957.

61 a. JUILLARD (E.) : « La genèse des paysages agraires », dans *Annales E.S.C.*, 1951.

61 b. KEUNING (H. I.) : « Siedlungsform und Siedlungsvorgang. Einige Gedanken über die Entwicklung der ländlichen Siedlungen in den niederländischen Sandgebieten », dans *Zeitschrift für Agrargeschichte und Agrarsoziologie*, 1961.

62. KÖTSZSCHKE (R.) : *Salhof und Siedelhof in älteren deutschen Agrarwesen*, Berlin, 1953.

63. LE ROY LADURIE (E.) : « Histoire et climat », dans *Annales E.S.C.*, 1959.

64. LE ROY LADURIE (E.) : « Aspects historiques de la nouvelle climatologie », dans *Revue Historique*, 1961.

65. LIZERAND (G.) : *Le régime rural de l'ancienne France*, Paris, 1942.

66. MAAS (W.) : *Les moines défricheurs. Études sur les transformations du paysage au Moyen Age aux confins de la Champagne et de la Lorraine*, Moulins, 1954.

67. MEYNIER (A.) : « La commune rurale française », dans *Annales de Géographie*, 1945.

68. MEYNIER (A.) : « Problèmes de structure agraire », dans *Annales E.S.C.*, 1955.

69. MORTENSEN (H.) : « Zur Entstehung der Gewannflur », dans *Zeitschrift für Agrargeschichte und Agrarsoziologie*, 1955.

70. MORTENSEN (H.) : « Die mittelalterliche deutsche Kulturlandschaft und ihr Verhältnis zur Gegenwart », dans *Vierteljahrschrift für Sozial- und Wirtschaftsgeschichte*, 1958.

71. PÉDELABORDE (P.) : *Le climat du Bassin parisien ; essai d'une méthode rationnelle de climatologie physique*, Paris, 1957.

72. PLANHOL (X. de) : « Essai sur la genèse du paysage rural en champs ouverts », dans *Annales de l'Est, Mémoire n° 21*, Nancy, 1959.

73. RODERICK (A. J.) : « Openfield Agriculture in Herefordshire in the Middle Ages », dans *Trans. Woolhope Nat. Field Club*, XXXIII, 1949.

74. SAINT-JACOB (P. de) : « Les enclosures anglaises », dans *Information historique*, 1955.

75. SCHOVE (J.) et LOWTER (A. W. G.) : « Tree rings and Medieval Archaeology », dans *Medieval Archaeology*, 1957.

76. SCLAFERT (T.) : *Cultures en Haute-Provence. Déboisements et pâturages au Moyen Age* (coll. « Les hommes et la terre », IV), Paris, 1959.

76 a. SERENI (E.) : *Storia del paesaggio agrario italiano*, Bari, 1961.

77. STEENSBERG (A.) : « Plough and field shape », dans *Selected papers of the fifth international congress of anthrop. and ethnol. Sciences*, Philadelphie, 1956.

78. TITOW (J.) : « Evidence of weather in the account rolls of the Bishopric of Winchester. 1206-1350 », dans *Economic History review*, 2ᵉ série, XII, 1960.

79. TIMM (A.) : *Studien zur Siedlungs- und Agrargeschichte Mittel- deutschlands*, Cologne-Graz, 1956.

80. TULIPPE (O.) : *L'habitat rural en Seine-et-Oise. Essai de géographie du peuplement*, Liège, 1934.

81. UTTERSTRÖM (G.) : « Climatic fluctuations and population problems in early modern history », dans *The scandinavian economic history review*, 1955.

82. VERHULST (A.) : « Probleme der mittelalterlichen Agrar-

landschaft in Flandern », dans *Zeitschrift für Agrargeschichte und Agrarsoziologie*, 1961.

83. WREDE (G.) : « Die mittelalterliche Ausbausiedlung in Nord West Deutschland », dans *Blätter für deutsche Landesgeschichte*, 1956.

C. *Démographie.*

84. BARATIER (E.) : *La démographie provençale du XIIIe au XVIe siècle, avec chiffres de comparaison pour le XVIIIe siècle* (coll. « Démographie et société »), Paris, 1961.

85. BOUTRUCHE (R.) : « Les courants de peuplement dans l'Entre-Deux-Mers », dans *Annales d'Histoire économique et sociale*, 1935.

86. CIPOLLA (C.), DHONDT (J.), POSTAN (M.), WOLFF (Ph.) : « Anthropologie et démographie. Moyen Age. » *IXe Congrès international des Sciences historiques : Rapports*, t. I, Paris, 1950.

87. DELATOUCHE (R.) : « Agriculture médiévale et population », dans *Les Études sociales*, 1955.

87 a. REINHARD (M.) et ARMENGAUD (A.), *Histoire générale de la population mondiale*, Paris, 1961.

88. ROBINSON (W. C.) : « Money, population and economic change in late medieval Europe », dans *Economic history review*, 2e série, XII, 1959 (suivi d'une note de M. POSTAN).

89. RUSSELL (J. C.) : *British medieval Population*, Albuquerque, 1948.

90. RUSSELL (J. C.) : *Late ancient and medieval population* (Transactions of the American Philosophical Society, New serie, vol. 48), Philadelphie, 1958.

D. *Le travail et les techniques.*

91. BARATIER (E.) : « Production et exportation du vin du terroir de Marseille du XIIIe au XVIe siècle », dans *Bulletin philologique et historique*, 1959.

92. BENOIT (F.) : *Histoire de l'outillage rural et artisanal*, Paris, 1947.

93. BOUVIER-AJAM (M.) : *Histoire du travail en France des origines à la révolution*, Paris, 1957.

94. BRENTJES : « Der Pflug. Ein Forschungsbericht », dans *Zeitschrift für Agrargeschichte und Agrarsoziologie*, 1955.

95. DELATOUCHE (R.) : « Élites intellectuelles et agriculture au Moyen Age », dans *Recueil d'études sociales à la mémoire de Frédéric Le Play*, Paris, 1956.

96. DION (R.) : *Histoire de la vigne et du vin en France, des origines au XIXᵉ siècle*, Paris, 1959.

97. FAUCHER (D.) : « A propos de l'araire », dans *Pallas*, IV.

98. FRANKLIN (T. B.) : *History of Agriculture*, Londres, 1948.

99. GABOTTO (F.) : *L'agricoltura nella regione saluzzese dal secolo XI al XV*, Pignerole, 1901.

100. GEORLETTE (R.) : « Les coutumes et les usages agricoles des pays de l'Ancienne France », dans *Revue des Sciences économiques*, 1956.

101. GILLE (B.) : « Le moulin à eau, une révolution technique médiévale », dans *Technique et civilisation*, 1954.

102. GILLE (B.) : « Les développements technologiques en Europe, de 1150 à 1400 », dans *Cahiers d'Histoire mondiale*, III, 1956.

103. GRAND (R.) et DELATOUCHE (R.) : *L'agriculture au Moyen Age, de la fin de l'Empire romain au XVIᵉ siècle*, Paris, 1950.

104. GRAS (N. S. B.) : *A history of Agriculture in Europa and America*, New York, 1925.

105. HARVEY (W.) : « Walter of Henley and the old Farming », dans *Agriculture*, LIX, 1952-1953.

106. HAUDRICOURT (A.-G.) : « Contribution à la géographie humaine et à l'ethnologie de la voiture », dans *Revue de géographie et d'ethnologie*, 1948.

107. HAUDRICOURT (A.-G.) et HÉDIN (L.) : *L'homme et les plantes cultivées*, Paris, 1944.

108. HAUDRICOURT (A.-G.) et JEAN-BRUHNES-DELA-MARE (M.) : *L'homme et la charrue*, Paris, 1955.

109. *Historia Agriculturae*, 2 vol., Groningue, 1954-1955.

110. HODGEN (M. T.) : *Change and History. A study of dated distribution of technological innovations in England*, New York, 1952.

111. LEE (N. E.) : *Harvests and Harvesting through the ages*, Cambridge, 1959.

112. LENNARD (R.) : « Statistics of corn-yields in mediaeval England », dans *Economic history review*, 2ᵉ série, III, 1937.

113. LESER (P.) : *Entstehung und Verbreitung des Pfluges*, Münster, 1931.

114. LINDEMANS (P.) : *Geschiedenis van de landbouw in België*, 2 vol., Anvers, 1952.

115. MEUVRET (J.) : « Agronomie et jardinage aux XVIᵉ et XVIIᵉ siècles », dans *Hommage à Lucien Febvre*, tome II, Paris, 1953.

116. OLSON (L.) : « Pietro de Crescenzi : the founder of modern agronomy », dans *Agricultural history review*, 1944.

117. OSCHINSKY (D.) : « Medieval Treatises on estate accounting », dans *Economic History Review*, XVII, 1947.

118. OSCHINSKY (D.) : « Medieval Treatises on estate Management », dans *Economic History Review*, 2ᵉ série, VIII, 1956.

119. PAYNE (F. G.) : " The British plough : some stages in its development ", dans *The agricultural history review*, 1957.

120. SAMARAN (C.) : " L'agriculture française au Moyen Age ", dans *Journal des Savants*, 1951.

121. SCHRÖDER-LEMBKE (G.) : " Entstehung und Verbreitung der Mehrfeldwirtschaft in Nordöst Deutschland ", dans *Zeitschrift für Agrargeschichte und Agrarsoziologie*, 1954.

122. SCLAFERT (Th.) : " Usages agraires dans les régions provençales avant le XVIII⁰ siècle. Les assolements ", dans *Revue de Géographie Alpine*, 1941.

123. SINGER (Ch.) : *A history of technology*, tome II, 1956.

124. SÜDHOF (S.) : " Das deutsche Pelzbuch des Mittelalters und seine Einflüsse auf der europäische, Gartenlitteratur der Neuzeit ", dans *Zeitschrift für Agrargeschichte und Agrarsoziologie*, 1954.

125. SÜDHOF (S.) : " Die Stellung der Landwirtschaft im System der mittelalterlichen Künste ", dans *Zeitschrift für Agrargeschichte und Agrarsoziologie*, 1956.

126. TIMM (A.) : " Zur Geschichte der Erntegeräte ", dans *Zeitschrift für Agrargeschichte und Agrarsoziologie*, 1956.

127. USHER (A. P.) : *A history of mechanical inventions*, 2⁰ édition, 1954.

128. VERHULST (A.) : " Bijdragen tot de studie van de agrarische structuur in het Vlaamse land. Het probleem van de verdwijning van de braak in de Vlaamse landbouw (XIII⁰-XVII⁰ eeuw) ", dans *Naturwetenschappelijk tijdschrift*, 1956.

129. WHITE (Lynn) : " Technology and invention in the Middle Ages ", dans *Speculum*, 1940.

E. *Les prix et les échanges.*

130. BEVERIDGE (sir W.) : *Prices and Wages in England. XIIth.-XIXth. centuries*, Londres, 1939.

131. DUPRÉ DE SAINT-MAUR : *Recherches sur la valeur des monnaies et sur le prix des grains avant et après le concile de Francfort*, Paris, 1762.

132. FIUMI : " Fioritura e decadenza dell'economia fiorentina ", dans *Archivio storico italiano*, 1958.

133. RENOUARD (Y.) : " Le grand commerce du vin au Moyen Age ", dans *Information historique*, 1958.

134. RENOUARD (Y.) : " Le grand commerce des vins de Gascogne au Moyen Age ", dans *Revue historique*, tome CCXXI, 1959.

135. SUHLE (A.) : *Deutsche Münz- und Geldgeschichte von den Anfängen bis zum 15. Jahrhundert*, Berlin, 1955.

136. THOROLD-ROGERS (J. E.) : *A history of agriculture and prices in England*, Oxford, 1866.

137. USHER (A. P.) : *History of the grain trade in France*, Cambridge (Mass.), 1913.

138. VIGNERON (B.) : « La vente dans le Mâconnais du IXᵉ au XIIIᵉ siècle », dans *Revue historique de droit français et étranger*, 1959.

F. Les structures sociales.

139. BENNETT (H. S.) : *Life on the English Manor. A study of Peasant condition, 1150-1400*, Cambridge, 1937.

140. BLOCH (M.) : « Village et Seigneurie : quelques observations de méthode à propos d'une étude sur la Bourgogne », dans *Annales d'Histoire économique et sociale*, 1937.

141. BLOCH (M.) : « L'esclavage dans l'Europe médiévale », dans *Annales d'Histoire économique et sociale*, 1939.

142. BLOCH (M.) : *La Société féodale*, 2 vol. in-8°, Paris, 2ᵉ éd., 1949.

143. BOEREN (P. C.) : *Étude sur les tributaires d'Église dans le comté de Flandre du IXᵉ au XIVᵉ siècle*, Amsterdam, 1936.

144. BOGNETTI (G. P.) : « Sulle origini dei communi rurali nel medio evo », dans *Studi nelle scienze giuridiche e sociali*, XI, Pavie, 1927.

145. BOUTRUCHE (R.) : *Seigneurie et féodalité :* I. *Le premier âge des liens d'homme à homme*, Paris, 1959.

146. CAGGESE (R.) : *Classi e communi rurali nel medio evo italiano*, Florence, 1903.

147. CAM (H. M.) : *Liberties and Communities in Medieval England (Collected studies in local administration and topography)*, Cambridge, 1944.

148. COULTON (G. C.) : *The medieval village*, Cambridge, 1925.

149. DOLLINGER (Ph.) : *L'évolution des classes rurales en Bavière depuis la fin de l'époque carolingienne jusqu'au milieu du XIIIᵉ siècle*, Strasbourg, 1949.

150. GIBBS (M.) : *Feudal Order. A Study of the Origins and Development of English Feudal Society* (coll. « Past and Present. Studies in the History of Civilization »), Londres, 1949.

151. HILTON (R.) : *Social structure of rural Warwickshire in the middle ages*, Oxford, 1950.

152. HOMANS (G. C.) : « The rural sociology of medieval England », dans *Past and Present*, 1953.

153. JOUON DES LONGRAIS : « Le vilainage anglais et le servage réel et personnel. Quelques remarques sur la période 1066-1485 », dans *Recueil de la Société Jean Bodin*, II : *Le servage*, Bruxelles, 1937.

154. LEICHT (P. S.) : *Operai, artigiani, agricoltori in Italia dal secolo VI al XVI*, Milan, 1946.

155. LUZZATTO (G.) : *I servi nelle grande proprietà ecclesiastiche italiane*, Pise, 1910.

156. LUZZATO (G.) : « La servitù in Italia nell'età feudale in confronto ai paesi d'oltralpo », *Xe Congresso di Scienze storiche, Roma, 1955, III*, Florence, 1955.

157. LYON (B.) : « Medieval real estate developments and freedom », dans *American history review*, 1957-1958.

158. MAITLAND (E. W.) : *Domesday Book and beyond. Three essays in the early history of England*, Cambridge, 1897.

158 a. MARTINI (F.) : « Das Bauerntum im deutschen Schriftum von den Anfängen bis zum 16. Jahrhundert », dans *Vierteljahrschrift für Litteraturwissenschaft und Geistesgeschichte*, 1944.

158 b. MAYER (T.) : « Bemerkungen und Nachträge zum Problem der freien Bauern », dans *Zeitschrift für württemberg. Landesgesch.*, 1954.

159. PERRIN (Ch. E.) : « Le servage en France et en Allemagne », *Xe Congresso Internazionale di Scienze storiche, Roma, 1955. Relazioni, III*, Florence, 1955.

160. PERRIN (Ch. E.) : « Les classes rurales en Bavière au Moyen Age (à propos du livre de Ph. DOLLINGER) », dans *Revue historique*, 1952.

161. SAINT-JACOB (P. de) : « Études sur l'ancienne communauté rurale en Bourgogne », dans *Annales de Bourgogne*, 1941, 1943, 1946, 1953.

162. STEPHENSON (C.) : « The problem of the common man in early medieval Europe », dans *American historical review*, 1946.

163. VERLINDEN (C.) : *L'esclavage dans l'Europe médiévale. I : Péninsule ibérique, France*, Bruges, 1955.

164. VERRIEST (L.) : « Les faits et la terminologie en matière de condition juridique des personnes au Moyen Age : serfs, nobles, vilains, sainteurs », dans *Revue du Nord*, 1939.

165. VERRIEST (L.) : « Le servage en Flandre, particulièrement au pays d'Alost », dans *Revue historique de droit français et étranger*, 1950.

166. WINMILL (J. M.) : « The Story of an Essex Village from the Confessor to the Reformation », dans *Essex Review*, 1952.

G. La seigneurie.

167. ASHTON (T. H.) : « The English Manor », dans *Past and Present*, 1956.

168. BALON (J.) : « La structure du domaine », dans *Tijdschrift voor Rechtsgeschiedenis*, 1958.

169. BALON (J.) : *Jus medii aevi. I, La structure et la gestion du domaine de l'Église au Moyen Age dans l'Europe des Francs. II, Lex juridictio. Recherches sur les assemblées judiciaires et législatives, sur les droits et sur les obligations communautaires dans l'Europe des Francs*, Namur, 1959-1960.

170. BLOCH (M.) : La genèse de la seigneurie : idée d'une recherche comparée », dans *Annales d'histoire économique et sociale*, 1937.

171. BLOCH (M.) : « La seigneurie anglaise du Moyen Age », dans *Annales d'histoire économique et sociale*, 1938.

172. BLOCH (M.) : *Seigneurie française et manoir anglais (Cahiers des Annales 16)*, Paris, 1960.

173. BOUTRUCHE (R.) : *Une société provinciale en lutte contre le régime féodal : l'alleu en Bordelais et en Bazadais, du XIe au XVIIIe siècle* (Publications de la Faculté des Lettres de l'Université de Strasbourg, vol. 100), Rodez, 1943.

174. BRUNNER (O.) : *Land und Herrschaft. Grundfragen der territorialen Verfassungsgechichte Osterreichs in Mittelalter*, Vienne, 1959.

175. DAVENPORT (F. G.) : *The economic development of a Norfolk manor, 1086-1565*, 1906.

176. FINBERG (H. P. R.) : *Tavistock Abbey. A study in the social and economic history of Devon (Cambridge studies in Medieval Life and Thought*, pub. sous la direction de M. D. KNOWLES, New Serie, vol. II), Cambridge, 1951.

177. FLEMING (L.) : *History of Pagham in Sussex, illustrating the administration of an archiepiscopal hundred, the decay of manorial organization and the rise of sea-side resort*, 3 vol., Ditchling, 1949-1950.

178. GÉNICOT (L.) : *L'économie rurale namuroise au bas Moyen Age (1199-1429). I : La seigneurie foncière*, Namur, 1943.

179. GÉNICOT (L.) : *L'économie rurale namuroise au bas Moyen Age. II : Les hommes ; la noblesse*, Louvain, 1960.

180. JONES (P.-J.) : « An Italien estate, 900-1200 », dans *Economic History review*, 2e série, VII, 1956-1957.

181. KONOPKINE (A. V.) : « Quelques particularités du régime foncier en France au Moyen Age (en russe) », dans *Ucenye zapiski Ivanovskoyo pedagogicesko istituta*, II, 1957.

182. LEICHT (P. S.) : *Studi sulla proprietà fondiaria in Italia. I : Curtis e feudo*, Padoue, 1903.

183. *Les dîmes en Forez (Chartes du Forez*, XV), Mâcon, 1957.

184. LOT (F.) : « L'alleu en Bordelais et en Bazadais (à propos de la thèse de R. BOUTRUCHE), dans *Journal des savants*, 1947.

185. LOT (F.) et FAWTIER (R.) : *Histoire des institutions fran-*

çaises au Moyen Age. I : Les institutions seigneuriales, Paris, 1957.

186. LUZZATO (G.) : « Contributo alla storia della mezzadria nel medio evo », dans Nuova rivista storica, 1948.

187. MILLER (E.) : The abbey and Bishopric of Ely. The Social History of an Ecclesiastical Estate from the 10th. century to the early 14th. century (Cambridge Studies in Medieval Life and Thought, publ. sous la direction de M. D. KNOWLES, New Serie, vol. I), Cambridge, 1951.

188. OURLIAC (P.) : « Tenures et contrats agraires », dans Atti del primo Convegno internazionale di diritto agrario di Firenze, Milan, 1954.

189. PERRIN (Ch. E.) : Recherches sur la seigneurie rurale en Lorraine d'après les plus anciens censiers (IXᵉ-XIIᵉ siècles) (publications de la Faculté des lettres de Strasbourg), Strasbourg, 1935.

190. RAFTIS (J.-A.) : The estates of Ramsey Abbey. A study in economic growth and organization (Pontifical Institute of Mediaeval Studies : Studies and Textes, 3), Toronto, 1957.

191. Recueils de la société Jean Bodin, III : La tenure, Bruxelles, 1938.

192. Recueils de la société Jean Bodin, IV : Le domaine, Bruxelles, 1949.

193. RICHTERING (H. W.) : Bäuerliche Leistungen im mittelalterlichen Westfalen mit besonderer Berücksichtigung der Naturdlabgaben und ihrer Verbreitung, Münster, 1949.

194. SLOET (L.) : Oorkondenboek van Gelre en Zutfen.

195. TABACCO (G.) : « La dissoluzione medievale dello stato nella recente storiografia », dans Studi Medievali, 1960.

196. TENANT DE LA TOUR (G.) : L'homme de la terre, et Charlemagne à saint Louis, Bruxelles, 1943.

197. VERHULST (A. E.) : De sint-Baafs-abdij te Gent en haar grondbezit (Académie royale flamande des sciences, lettres et beaux-arts de Belgique, mémoire nᵒ 30), Bruxelles, 1958.

198. VERRIEST (L.) : Institutions médiévales. Introduction au Corpus des records de coutumes et des lois de chefs-lieux de l'ancien comté de Hainaut, Mons et Frameries, I, 1946.

199. WITTICH (W.) : Die Grundherrschaft in Nordwest Deutschland, Leipzig, 1896.

II. — IXᵉ-Xᵉ SIÈCLES

A. Conditions générales.

200. BERGENGRUEN (A.) : « Adel und Grundherrschaft im Merowingerreich », dans *Vierteljahaschrift für Sozial- und Wirtschaftsgeschichte*, Beihefte 41, 1958.

201. BLOCH (M.) : « The rise of dependant cultivation and seignorial institutions », dans *The Cambridge Economic History*, I, 1942.

202. BLOCH (M.) : « Les invasions : A) Deux structures économiques ; B) Occupation du sol et peuplement », dans *Annales d'histoire sociale*, 1945.

203. BLOCH (M.) : « Comment et pourquoi finit l'esclavage antique », dans *Annales E.S.C.*, 1947.

204. CIPOLLA (C. M.) : « Encore Mahomet et Charlemagne », dans *Annales E.S.C.*, 1949.

205. CIPPOLLA (C. M.) : « Questioni aperte sul sistema econo-mico dell'alto medio evo », dans *Rivista storica ita-liana*, 1951.

206. DAVID (M.) : « Les *laboratores* jusqu'au renouveau économique des XIᵉ et XIIᵉ siècles », dans *Études d'histoire du Droit privé offertes à Pierre Petot*, Paris, 1959.

207. DÉLÉAGE (A.) : *La vie rurale en Bourgogne jusqu'au début du XIᵉ siècle*, 2 vol., Mâcon, 1941.

208. DOEHAERD (R.) : « Ce qu'on vendait et comment on le vendait dans le Bassin parisien au temps de Charle-magne et des Normands », dans *Annales E.S.C.*, 1947.

209. DUBLED (H.) : « *Allodium* dans les textes latins du Moyen Age », dans *Le Moyen Age*, 1951.

210. DUPONT (A.) : « Quelques aspects de la vie rurale en Septimanie carolingienne (fin VIIIᵉ-IXᵉ siècles) », dans *Annales de l'Institut d'Études occitanes*, 1954.

211. DUPONT (A.) : « Considérations sur la colonisation et la vie rurale dans le Roussillon et la Marche d'Espagne au IXᵉ siècle » dans *Annales du Midi*, 1955.

212. FOUGÈRES (M.) : « Aux origines de notre société rurale (à propos de la thèse de A. DÉLÉAGE) » dans *Mélanges d'histoire sociale*, 1942.

213. FOURNIER (G.) : « Les transformations du parcellaire en Basse Auvergne au cours du haut Moyen Age », dans *Annales de l'Est*, mémoire nᵒ 21, Nancy, 1959.

214. HARTMANN : *Zur Wirtschaftsgeschichte Italiens in frühen Mittelalter*, Gotha, 1904.

215. HERLIHY (D.) : « The agrarian revolution in Southern France and Italy. 801-1150 », dans *Speculum*, 1958.

216. LATOUCHE (R.) : *Les origines de l'économie occidentale, IVᵉ-XIᵉ siècles* (Coll. « Évolution de l'Humanité », 43), Paris, 1956.

216 a. LENTACKER (F.) : « Débats entre historiens et géographes à propos de l'évolution de la plaine maritime flamande au cours du haut Moyen Age », dans *Revue du Nord*, 1960.

217. LUZZATO (G.) : Mutamenti nell'economia agraria italiana dalla caduta dei carolingi al principio del secolo XI » dans *Settimane di studio sull'alto medio evo*, II, Spolète, 1955.

218. SAINT-JACOB (P. de) : « La Bourgogne rurale au haut Moyen Age. A propos d'un ouvrage récent (la thèse de A. DÉLÉAGE) », dans *Revue historique*, t. 195, 1945.

218 a. SCHRÖDER-LEMBKE (G.) : « Zur Flurform der Karolingerzeit », dans *Zeitschrift für Agrargeschichte und Agrarsoziologie*.

219. STENTON (F. M.) : *Anglo-saxon England (The Oxford history of England, II)*, 2ᵉ édition, Oxford, 1950.

220. VERHULST (A.) : « Types de structure agraire et domaniale en Belgique », dans *Annales, E.S.C.*, 1956.

221. WERVEKE (H. van) : « La densité de la population du IXᵉ siècle. Essai d'une estimation », dans *Annales du XXXᵉ Congrès de la Fédération archéologique et historique de Belgique*, 1936.

B. *La seigneurie.*

222. CONSTABLE (G.) : « *Nona et decima*. An aspect of carolingian economy », dans *Speculum*, 1960.

223. DUBLED (H.) : « Encore la question du manse », dans *Revue du Moyen Age latin*, 1949.

224. DUBLED (H.) : « *Mancipium* », dans *Revue du Moyen Age latin*, 1949.

225. DUBLED (H.) : « Quelques observations sur le sens du mot *villa* », dans *Le Moyen Age*, 1953.

226. ENDRES (R.) : « Das Kirchengut im Bistum Lucca vom VIII. bis X. Jahrundert », dans *Vierteljahrschrift für Sozial- und Wirtschaftsgeschichte*, 1916-1918.

227. FOURNIER (G.) : « La propriété foncière en Basse Auvergne aux époques mérovingiennes et carolingiennes », dans *Bulletin historique et scientifique de l'Auvergne*, 1957.

228. GANSHOF (F. L.) : « Le domaine gantois de l'abbaye de Saint-Pierre-au-Mont-Blandin à l'époque carolingienne », dans *Revue belge de philologie et d'histoire*, 1948.

229. GANSHOF (F. L.) : « Manorial organization in the Low Countries in the 7th., 8th. and 9th. centuries », dans *Transactions of the Royal Society*, 4ᵉ série, XXXI, 1949.

230. GANSHOF (F. L.) : « Les avatars d'un domaine de l'église de Marseille à la fin du VIIᵉ siècle », dans *Studi in onore di Gino Luzzatto*, Milan, 1949.

231. GANSHOF (F. L.) : « Grondbezit en Gronduitbating tijdens de vroege Middeleeuwen », dans *Brabants Heem*, 1954.

232. GANSHOF (F. L.) : « Observations sur le manse à l'époque mérovingienne », dans *Revue historique de droit français et étranger*, 1955.

233. GRAND (R.) : « Note d'économie agraire médiévale : *mansus vestitus* et *mansus absus* », dans *Études d'Histoire du Droit privé offertes à Pierre Petot*, Paris, 1959.

234. GRIERSON (P.) : « The identity of the unnamed fiscs in the *Brevium exempla ad describendas res ecclesiasticas et fiscales* », dans *Revue belge de philologie et d'histoire*, 1939.

235. HERLIHY (D.) : « The carolingian *mansus* », dans *Economic History Review*, 2ᵉ série, XIII, 1960.

235 a. HERLIHY (D.) : « Church property on the European continent, 701-1208 », dans *Speculum*, 1961.

236. LATOUCHE (R.) : « L'exploitation agricole dans le Maine », dans *Annales de Bretagne*, 1944.

237. METZ (W.) : *Das Karolingische Reichsgut. Eine Verfassungs- und Verwaltungsgeschichtliche Untersuchung*, Berlin, 1960.

238. MOTTE-COLAS (M. de la) : « Les possessions territoriales de l'abbaye de Saint-Germain-des-Prés du début du IXᵉ au début du XIIᵉ siècle », dans *Mémorial du XIVᵉ centenaire de l'abbaye de Saint-Germain-des-Prés*, Paris, 1960.

239. MUSSET (L.) : « Notes pour servir d'introduction à l'histoire foncière de la Normandie. Les grands domaines de l'époque franque et les destinées du régime domanial, du IXᵉ au XIᵉ siècle », dans *Bulletin de la Société des Antiquaires de Normandie*, 1942-1945.

240. PERRIN (Ch.-E.) : « Observations sur le manse dans la région parisienne au début du IXᵉ siècle », dans *Annales d'Histoire sociale*, 1945.

241. PERRIN (Ch.-E.) : « A propos d'une redevance en *fossoirs* inscrite au polyptyque d'Irminon », dans *Études d'Histoire du Droit privé offertes à Pierre Petot*, Paris, 1959.

242. PERRIN (Ch.-E.) : « Le manse dans le polyptyque de l'abbaye de Prüm à la fin du IXᵉ siècle, » dans *Études historiques à la mémoire de Noël Didier*, Paris, 1960.

243. PIVANO (S.) : *I contratti agrari in Italia nell-alto medio evo*, Turin, 1904.

244. SAINT-JACOB (P. de) : « Recherches sur la structure terrienne de la seigneurie », dans *Annales de l'Est*, Mémoire nᵒ 21, Nancy, 1959.

245. VERHEIN (K.) : « Studien zu den Quellen zum Reichsgut der Karolingerzeit », dans *Deutsches Archiv für Erforschung des Mittelalters*, 1953-1955.

III. — XIᵉ-XIIIᵉ SIÈCLES

A. Généralités.

246. DANNENBAUER (H.) : « Politik und *Wirtschaft in der altdeutschen Kaiserzeit* », dans *Grundlagen der mittelalterlichen Welt*, Stuttgart, 1958.

247. DUBY (G.) : *La société aux XIᵉ et XIIᵉ siècles dans la région mâconnaise* (Bibliothèque générale de l'École des Hautes Études, VIᵉ section), Paris, 1953.

247 a. DUBY (G.) : « Considérations sur l'économie rurale en France au milieu du XIIIᵉ siècle » (en polonais), dans *Kwartalnik Historyczny*, 1960.

248. HALPERIN (J.) : « Les transformations économiques aux XIIᵉ et XIIIᵉ siècles », dans *Revue d'histoire économique et sociale*, 1950.

249. GANSHOF (F. L.) : « Medieval agrarian society in its prime. France, the Low Countries, and western Germany », dans *The Cambridge Economic history*, I, 1942.

250. GRATSIANSKI (F.) : *Les campagnes bourguignonnes du Xᵉ au XIIᵉ siècle* (en russe), Moscou-Leningrad, 1935.

251. HILTON (R. H.) : « Life in the Medieval Manor (with a short glossary of Manorial Terms) », dans *Amateur Historian*, I (1952-1953).

252. HOSKINS (W. G.) (éd.) : *Studies in Leicestershire Agrarian History* (Leicestershire Archaeological Society), 1949.

253. LENNARD (R.) : *Rural England. 1086-1135. A study of social and agrarian conditions*, Oxford, 1959.

254. NEILSON (N.) : « Medieval agrarian society in its prime. England », dans *The Cambridge economic history of Europe*, I, 1942.

255. PERROY (E.) : *La terre et les paysans en France aux XIIᵉ et XIIIᵉ siècles*. Explications de texte (les cours de Sorbonne), Paris, 1953.

256. POOLE (A. L.) : *Obligations of Society in the Twelfth and Thirteenth Centuries*, Londres, 1946.

257. SABATA (T.) : « Sur la formation de la société féodale d'Europe occidentale » (en japonais), dans *Rekishigakukenju*, 1960.

258. SABATA (T.) : « Seigneur et village dans la société féodale » (en japonais), dans *Shirin*, 1960.

259. SABBE (F.) : De Cisterciänser economie », dans *Cîteaux in de Nederlanden*, 1952.

260. STENTON (D. M.) : *English society in the early middle ages. 1066-1037 (The pellican history of England. 3.),* Londres, 1952.

261. STRAYER (J. R.) : « Economic conditions in the County of Beaumont-le-Roger, 1261-1313 », dans *Speculum,* 1951.

262. VINOGRADOFF (P.) : *English society in the XIth century. Essays in english medieval history,* Oxford, 1908.

B. L'essor de la production rurale.

263. BISHOP (T. A. M.) : « The rotation of crops at Westerham, 1297-1350 », dans *Economic history review,* 2ᵉ série, IX, 1958-1959.

264. BOUSSARD (J.) : « Hypothèses sur la formation des bourgs et des communes de Normandie », dans *Annales de Normandie,* 1958.

264 *a.* CHÉDEVILLE (A.) : « Mise en valeur et peuplement du Maine au XIᵉ siècle, d'après les chartes de l'abbaye Saint-Vincent du Mans », dans *Annales de Bretagne,* 1960.

265. DARBY (H. C.) : « Domesday Woodland », dans *Economic history review,* 2ᵉ série, III, 1950.

266. DE SMET (A.) : « De l'utilité de recueillir les mentions d'arpenteurs cités dans les documents d'archives du Moyen Age », dans *Fédération archéologique et historique de Belgique, 33ᵉ Congrès,* tome III, 1951.

267. DONKIN (R. A) : « The Marshland Holdings of the English cistercians before c. 1350 », dans *Citeaux in de Nederland,* 1958.

268. DONKIN (R. A.) : « *Bercaria and Landria* », dans *Yorkshire Archeological Journal,* 1958.

269. DONKIN (R. A.) : « Settlement and depopulation on Cistercian estates during the twelfth and thirteenth centuries, especially in Yorkshire », dans *Bulletin of the institute of Historical research,* 1960.

270. DUBY (G.) : « Techniques et rendements agricoles dans les Alpes du Sud en 1338 », dans *Annales du Midi,* 1958.

272. FEUCHÈRE (L.) : « Le défrichement des forêts en Artois du IXᵉ au XIIIᵉ siècle », dans *Revue d'Histoire économique et sociale,* 1950.

272. FINBERG (H. P. R.) : « The Domesday plough-team », dans *English historical review,* 1951.

273. FINDERG (H. P. R.) : *Gloucester Studies,* Leicester, 1957.

274. FOCKEMA ANDREAE (J. S.) : « Embanking and drainage authorities in the Netherlands during the middle ages », dans *Speculum,* 1952.

275. Fockema Andreae (J. S.) : « L'eau et les hommes dans la Flandre maritime », dans *Tijdschrift voor Rechtsgeschiedenis*, 1960.

276. Fournier (G.) : « La vie pastorale au Moyen Age dans les monts Dore », dans *Mélanges Philippe Arbos*, Clermont-Ferrand, 1953.

277. Gaussin (P.) : « La terre de Saint-Oyen et le peuplement du Haut-Jura au Moyen Age », dans *Cahiers d'histoire*, 1957.

278. Genicot (L.) : « Sur les témoignages d'accroissement de la population en Occident, du XIe au XIIIe siècle », dans *Cahiers d'histoire mondiale*, I, 1953.

279. Grimm (P.) : *Hohenrode, eine mittelalterliche Siedlung im Südharz*, Halle, 1939.

280. Gstirner (A.) : « Die Schwaighöfe im ehemaligen Herzogtum Steiermark », dans *Zeitschrift des Historisches Vereins für Steiermark*, 1937.

281. Hallam (H. E.) : *The New Lands of Elloe : a study of early reclamation in Lincolnshire* (Department of English Local History, Occasional Papers, no 6), Leicester, 1954.

282. Hallam (H. E.) : « Some thirteenth century censuses », dans *Economic History Review*, 2e série, X, 1958.

282 a. Hallam (H. E.) : « Population density in medieval Fenland », dans *Economic history review*, 2e série, XIV, 1961.

283. Harley (J. B.) : « Population Trends and Agricultural Developments from the Warwickshire Hundred Rolls of 1279 », dans *Economic History Review*, 2e série, XI, 1958.

284. Hausmann (O.) : « Die bergbäuerliche Produktion im Raum von Staffler im 13-14. und im 20. Jahrhundert », dans *Zeitschrift für Agrargeschichte und Agrarsoziologie*, 1957.

285. Higounet (Ch.) : « Chemins de Saint-Jacques et Sauvetés de Gascogne », dans *Annales du Midi*, 1951.

286. Higounet (Ch.). : « L'expansion de la vie rurale au XIIe et au XIIIe siècle », dans *Information historique*, 1953.

287. Higounet (Ch.) : « L'assolement triennal dans la plaine de France au XIIIe siècle », dans *Comptes rendus des séances de l'Académie des Inscriptions et Belles-Lettres*, 1956.

288. Higounet (Ch.) : « La plus ancienne sauveté de l'abbaye de Moissac : la Salvetat de Belmont », dans *Xe Congrès de la Fédération Languedoc-Pyrénées-Gascogne*, Montauban, 1956.

289. Higounet (Ch.) : « Le Moyen Age derrière la géographie. Un village d'hôtes royaux du XIIe siècle. Torfou », dans *Information historique*, 1957.

290. Higounet (Ch.) : « Une carte agricole de l'Albigeois vers 1260 », dans *Annales du Midi*, 1958.

291. HIGOUNET (Ch.) : « Les types d'exploitations cisterciennes et prémontrées du XIIIe siècle, et leur rôle dans la formation de l'habitat et des paysages ruraux », dans *Annales de l'Est, Mémoire n° 21,* 1959.

292. HUBERT (J.) : « La frontière du comté de Champagne du XIe au XIIIe siècle », dans *Mélanges Clovis Brunel,* tome II, Paris, 1955.

293. ILG (K.) : « Die Walser und die Bedeutung ihrer Wirtschaft in den Alpen », dans *Vierteljahrschrift für Sozial- und Wirtschaftsgeschichte,* 1950.

294. LATOUCHE (R.) : « Un aspect de la vie rurale dans le Maine au XIe et au XIIe siècle : l'établissement des bourgs », dans *Le Moyen Age,* 1937.

295. LATOUCHE (R.) : « Défrichement et peuplement rural dans le Maine, du IXe au XIIe siècle », dans *Le Moyen Age,* 1948.

296. LENNARD (R.) : « Domesday plough teams : the southwestern evidence », dans *The english History Review,* 1945.

297. LENNARD (R.) : « The composition of demesne plough teams, in XIIth century England », dans *English Historical Review,* 1959.

298. LENNARD (R.) : « Statistics of sheep in medieval England », dans *Agricultural History Review,* 1959.

299. MARTEL (H.) : « Le défrichement en Artois du IXe au XIIIe siècle », dans *Bulletin de la Société des Antiquaires de Morinie,* 1956.

300. MARTIN-DEMEZIL (J.) : « Recherches sur les origines et la formation de l'*aireau* blésois », dans *Recueil de travaux offert à Cl. Brunel,* II, Paris, 1955.

300 *a.* MOLITOR (E.) : *Die Pfleghaften des Sachsenspiegels und das Siedlungsrecht im sächsischen Stammesgebiet,* Weimar, 1941.

301. MOLLAT (M.) : « Les hôtes de l'abbaye de Bourbourg », dans *Mélanges Louis Halphen,* Paris, 1951.

302. OURLIAC (P.) : « Les sauvetés de Comminges. Étude et documents sur les villages fondés par les Hospitaliers dans la région des coteaux commingeois », dans *Revue de l'Académie de législation,* 1947.

303. OURLIAC (P.) : « Les villages de la région toulousaine au XIIe siècle », dans *Annales E.S.C.,* 1949.

304. QUIRING (K.) : *Die deutsche Ostsiedlung im Mittelalter,* 1954.

305. RICHARDSON (H. G.) : « The medieval plough team », dans *History,* 1941-1942.

306. SCLAFERT (Th.) : « A propos du déboisement dans les Alpes du Sud », dans *Annales de Géographie,* 1933.

307. STOLZ (O.) : *Die Schwaighöfe in Tirol,* 1930.

308. STOLZ (O.) : « Beiträge zur Geschichte der alpinen Schaighöfe », dans *Vierteljahrschrift für Sozial- und Wirtschaftsgeschichte,* 1932.

309. Tucoo-Chala : " Forêts et landes en Béarn ", dans *Annales du Midi*, 1955.

310. Van der Linden (H.) : *De Cope*, Assen, 1955.

311. Verhulst (A.) : " Historische geografie van de Vlaamse Kustvlakte tot omstreeks 1200 ", dans *Bijdragen voor de geschiedenis der Nederlanden*, 1959.

312. Winter (J. M. van) : " Vlaams en Hollands recht bij de Kolonisatie van Duitsland in de XII⁰ en XIII⁰ eeuw ", dans *Tijdschrift voor rechtsgeschiedenis*, 1953.

C. Le commerce.

313. Aubenas (R.) : " Commerce du drap et vie économique à Grasse en 1308-1309 ", dans *Provence Historique*, 1959.

314. Caggese (R.) : " La Repubblica di Siena e il suo contado nel secolo XIII ", dans *Bollettino senese di storia patria*, 1906.

315. Donkin (R. A.) : " The disposal of Cistercian wool in England and Wales during the XIIth and XIIIth centuries ", dans *Citeaux in de Nederland*, 1957.

316. Donkin (R. A.) : " Cistercian sheep-farming and wool-sales in the thirteenth century ", dans *The Agricultural history review*, 1948.

317. Emery (R. W.) : *The jews of Perpignan in the XIIIth century*, New York, 1959.

318. Engelmann (E.) : *Zur städtischen Volksbewegung in Südfrankreich. Kommunefreiheit und Gesellschaft. Arles 1200-1250*, Berlin, 1959.

319. Farmer (D. L.) : " Some price fluctuations in Angevin England ", dans *Economic History Review*, 2ᵉ série, IX, 1956.

320. Farmer (D. L.) : " Some grain price movements in thirteenth century England ", dans *Economic History Review*, 2ᵉ série, X, 1957.

321. Fontette (F.) : *Recherches sur la pratique de la vente immobilière dans la région parisienne au Moyen Age (fin Xᵉ début XIVᵉ siècle)*, Paris, 1957.

322. Fontete (F.) : " La vie économique dans la région parisienne d'après les actes de vente immobilière au XIII⁰ siècle ", dans *Revue historique de Droit français et étranger*, 1959.

323. Herlihy (D.) : " Treasure hoards in the italian economy, 960-1139 ", dans *Economic History Review*, 1957.

324. Higounet (Ch.) : " L'arrière-pays de Bordeaux au XIII⁰ siècle (esquisse cartographique) ", dans *Revue historique de Bordeaux et du département de la Gironde*, 1955.

325. Higounet (Ch.) : " Les Alaman, seigneurs bastidors et péagers du XIII⁰ siècle ", dans *Annales du Midi*, 1956.

326. JORIS (A.) : « Les moulins à guède dans le comté de Namur pendant la seconde moitié du XIIIe siècle », dans *Le Moyen Age*, 1959.

327. MIRA (G.) : « Il fabbisogno di cereali in Perugia nei secoli XIII-XIV », dans *Studi in onore di Armando Sapori*, I, Milan 1957.

328. MUNDY (J.-H.) : « Un usurier malheureux », dans *Annales du Midi*, 1956.

329. MUSSET (L.) : « A-t-il existé en Normandie au XIe siècle une aristocratie d'argent? », dans *Annales de Normandie*, 1959.

330. PERROY (E.) : « Les Chambon, bouchers à Montbrison, circa 1220-1314 », dans *Annales du Midi*, 1955.

331. PERROY (E.) : « Le décrochage des monnaies en temps de mutation. Le cas du viennois faible 1304-1308 », dans *Le Moyen Age*, 1958.

332. POSTAN (M.) : « The rise of a money economy », dans *Economic history review*, XIV, 1944.

333. SCHNEIDER (J.) : *La ville de Metz aux XIIIe et XIVe Economic history review*, XIV, 1944.

333. SCHNEIDER (J.) : *La ville de Metz aux XIIIe et XIVe siècles*, Nancy, 1950.

333 a. TIHON (C.) : « Aperçus sur l'établissement des Lombards dans les Pays-Bas aux XIIIe et XIVe siècles », dans *Revue belge de Philologie et d'Histoire*, 1961.

334. ZANONI (L.) : *Gli Umiliati nei loro rapporti con l'eresia, l'industria della lana ed i communi nei secoli XII e XIII*, Milan, 1911.

D. La seigneurie.

1. — ALLEMAGNE

334 a. DARAPSKY (E.) : *Die ländliche Grundbesitzverhältnisse des Kölnischen Stifts St-Gereon bis zum Jahre 1500*, Cologne, 1943.

335. DOLLINGER (Ph.) : « Les transformations du régime domanial en Bavière au XIIIe siècle d'après deux censiers de l'abbaye de Baumburg », dans *Le Moyen Age*, 1950.

336. DOPSCH (A.) : *Herrschaft und Bauer in der deutschen Kaiserzeit*, Iéna, 1939.

336 a. GENSICKE (H.) : *Landesgeschichte des Westerwaldes*, Wiesbaden, 1958.

336 b. HILLEBRAND (W.) : *Die Besitzverhältnisse des Osnabrücker Adels bis 1300*, Kiel, 1955.

336 a. GENSICKE (H.) : *Landesgeschichte des Westerwaldes*, Wiesbaden, 1951.

337. KUUJO (E. O.) : *Das Zehntwesen in der Erzdiözese Hamburg-Bremen bis zu seiner Privatisierung*, Helsinki, 1949.

338. LÜTGE (F.) : *Die mitteldeutsche Grundherrschaft*, Iéna, 1934.

339. LÜTGE (F.) : *Die Agrarverfassung des frühen Mittelalters im mitteldeutschen Raum*, Iéna, 1937.

339 a. MAGER (F.) : *Geschichte des Bauerntums und der Boden-kultur im Lande Mecklemburg*, Berlin 1953.

340. MAYER (T.) : *Adel und Bauer im deutschen Staat des Mittelalters*, Leipzig, 1943.

340 a. MOEREN (E.) : *Zur sozialen und Wirtschaftlichen Lage des Bauerntums vom 12. bis 14. Jahrhundert. Studien über die Ländlichen Lehen auf Grund von Mainzer und Xantoner Quellen*, Francfort, 1939.

341. PERRIN (Ch. Ed.) : « La société rurale allemande du Xe au XIIIe siècle d'après un ouvrage récent », dans *Revue historique de droit français et étranger*, 1945.

341 a. RODEN (G. von) : « Wirtschaftliche Entwicklung und bäuerliches Rechts des Stifes Fröndenberg an der Ruhr », dans *Münstersche Beiträge zur Geschichts-forschung*, 1936.

341. b. RULAND (H.) : *Die Entwicklung des Grundeigentums der Abtei Camp am Niederrhein im Bezirk des jetzigen Kreises Bergheim*, Cologne, 1936.

341 c. SCHAFER (A.) : « Zur Besitzgeschichte des Klosters Hirsau von 11. bis 16. Jahrhundert », dans *Zeitschrift für württemb. Landesgeschichte*, 1960.

341 d. SCHOEMBERGER (F.) : *Geschichte des Kurkölnischen Amtes und der Dörfer Zeltingen und Rachtig an der Mosel*, Bonn, 1940.

341 e. SCHÖNING (A.) : *Der Grundbesitz des Klosters Corvey im ehemaligen Landes lippe*, Detmold, 1958-1959.

341 f. STOLZ (O.) : *Rechtsgeschichte des Bauernstandes und der Land-Wirtschaft in Tirol und Voralberg*, 1949.

341 g. WEIBELS (F.) : *Die Grossgrundherrschaft Xanten im Mittelalter. Studien und Quellen zur Vernaltung eines mittelalterlichen stift am unteren Niederrhein*, Krefeld, 1959.

342. WIESSNER (H.) : *Sachinhalt und wirtschaftliche Bedeutung der Weistümer im deutschen Kulturgebiet*, Vienne, 1934.

342. a. WITTE (B.) : *Herrschaft und Land im Rheingau*, Meisen-heim, 1959.

343. WITTICH (W.) . « Die Entstehung des Meierrechts und die Auflösung der Villikationsverfassung in Nieder-sachen und Westfalen », dans *Zeitschrift für Sozial-und Wirtschaftsgeschichte*, 1904.

2. — ANGLETERRE

344. ASHTON (T. H.) : « The origins of the manor in England »,
     dans *Transactions of the Royal Historical Society*,
     5e série, t. VIII, 1958.

345. BARG (M. A.) : « La conquête normande et l'organi-
     sation de la dépendance paysanne en Angleterre »
     (en russe), dans *Vosprosij Istorij*, VII, 1957.

346. BEVERIDGE (sir W.) : « Wages in the Winchester manors »,
     dans *Economic History Review*, 2e série, vol. VII, 1956.

347. BEVERIDGE (sir W.) : « Westminster Wages in the Mano-
     rial Era », dans *Economic History Review*, 2e série,
     VIII, 1956).

348. BLAKE : « Norfolk Manorial Lords in 1316 », dans
     Norfolk Archeological Papers, 1952.

349. *Court roll of Chalgrave manor. 1272-1312* (éd. M. K.
     DALE), Streatby, 1950.

350. DAVIS (R. H.) : *The Kalendar of abbot Samson of Bury
     St. Edmunds and related documents*, Londres, 1954.

351. DENHOLM-YOUNG (N.) : Seignorial administration in
     England, Oxford, 1937.

352. DREW (J. S.) : « Early Accounts Rolls of Portland, Wyke
     and Elewell), dans *Proceeding of Dorset Natural
     History and Archeological Society*, LXVII, 1947.

353. ERIC JOHN : *Land tenure in early England*, Leicester, 1960.

353 a. FAULKNER (P. A.) : « Domestic planning from the
     twelfth to the fourteenth century », dans *Archeological
     journal*, 1958.

354. FINN (R. W.) : « The Assessment of Wiltshire in 1083
     and 1086 », dans *Wiltshire Archeology and Natural
     History magazine*, 1944.

355. GRAVES (C. V.) : « The economic activities of the Cister-
     cians in medieval England 1128-1307 », dans *Analecta
     sancti ordinis Cisterciensis*, 1957.

356. GRIFFITHS (W. A.) : « Some notes on the Earlier Records
     of the Manor of Deythur », dans *Montgomeryshire
     Collects*, LI (1949).

357. GUTNOVA (E. V.) : « Le problème de l'immunité dans
     l'Angleterre du XIIIe siècle (en russe) », dans *Sreknie
     Veka*, t. III, 1951.

358. HALCROW (E. M.) : « The Decline of Demesne farming
     on the Estates of Durham Cathedral Priory », dans
     Economic History Review, 2e série, VII, 1955.

359. HILTON (R. H.) : « Gloucester Abbey Leases of the Late
     Thirteenth century », dans *University of Birmingham
     Historical Journal*, t. IV, 1953.

360. HILTON (R. H.) : « Wichcombe Abbey and the Manor of
     Sherborne », dans *University of Birmingham Historical
     Journal*, III, 1949.

361. HOMANS (C. G.) : « The Frisians in East Anglia », dans *Economic History Review*, 2ᵉ série, IX, 1957.

362. HOYT (R. S.) : « The nature and origins of the ancient demesne », dans *English Historical Review*, 1950.

363. JONES-PIERCE (R.) : « A Caernarvonshire Manorial Borough », dans *Transaction of Caernarvon Historical Society*, 1941.

364. JONES-PIERCE (R.) : « Growth of Commutation in Guynedd during the Thirteenth century », dans *Bulletin of Celtic Studies*, X, 4.

365. KOSMINSKY (E. A.) : « Services and money rents in the XIIIth century », dans *Economic History Review*, 1935.

366. KOSMINSKY E. A.) : « Les petites seigneuries dans l'Angleterre médiévale » (en russe), dans *Izv. Akad. Nauk., seriya Ist I filos-fi I*, nᵒ 4, 1944.

367. KOSMINSKY (E. A.) : « Le travail dans les manoirs anglais au XIIIᵉ siècle » (en russe), dans *Voprosy Istorii*, 1945.

368. KOSMINSKY (E. A.) : « The evolution of feudal rent in England from the XIth to the XVth centuries », dans *Past and Present*, 1955.

369. KOSMINSKY (E. A.) : *Studies in the Agrarian History of England in the XIIIth century* (éd. R. H. HILTON), Oxford, 1956.

370. LAWSON-TANCRED (T.) : *Records of a Yorkshire Manor (Aldborough)*, Londres, 1937.

371. LENNARD (R.) : « The Hidations of « demesne » in some Domesday entries », dans *Economic History Review*, 2ᵉ série, VII, 1954.

372. LENNARD (R.) : « The Demesne of Glastonbury Abbey in the XIth and XIIth centuries », dans *Economic History Review*, 2ᵉ série, VIII, 1956.

373. LEVETT (A. E.) : *Studies in Manorial History*, Oxford, 1938.

374. MORGAN (M.) : *The English lands of the Abbey of Bec (Oxford Historical Studies)*, Londres, 1946.

375. OSCHINSKY (D.) : « Notes on the Lancaster Estates in the Thirteenth and Fourteenth centuries », dans *Transactions of Lancashire and Cheshire Historical Society*, 1949.

376. PAGE (F. M.) (éd.) : « Wellingborough Manorial accounts, 1258-1323 », dans *Northamptonshire Record Society*, 1936.

377. PLUCKNETT (T. F. T.) : *The Medieval Bailiff (The Creighton Lecture in History)*, Londres, 1954.

378. POSTAN (M.) : « Chronology of Labour Services », dans *Transactions of the Royal Historical society*, 4ᵉ série, XX, 1937.

379. POSTAN (M.) : « The Manor in the Hundred Rolls », dans *Economic History Review*, 2ᵉ série, III, 1950.

380. POSTAN (M.) : *The « Famulus », the estate labourer in the XIIth and XIIIth centuries* (*The Economic History Review Supplement*, nᵒ 2), Cambridge, 1954.

381. POSTAN (M.) : « Glastonbury Estates in the Twelfth Century : a reply », dans *Economic History Review*, 2ᵉ série, IX, 1956.

382. PUGH (R. B.) : « The Early History of the Manors in Amesbury », dans *Wiltshire Archeology and Natural History magazine*, 1947.

383. SAWYER (P. H.) : « The « Original Returns » and Domesday Book », dans *English Historical Review*, LXX, 1955.

384. SIMPSON (J.) : *Church, Manor, and Plough. The History of south Warnborough in Hampshire*, t. I, Winchester, 1946.

385. TAYLOR (E. G. R.) : « The Surveyor », dans *Economic History Review*, 2ᵉ série, XVII, 1947.

386. *The red book of Worcester* (éd. M. Hollings), IV, Londres, 1950.

3. FRANCE

387. BARATIER (E.) : « Maillane et ses seigneurs à l'époque médiévale », dans *Provence historique*, 1956.

388. BERTHET (B.) : « Abbayes et exploitations », dans *Annales E.S.C.*, 1950.

389. BLOCH (M.) : « Sous saint Louis : le roi, ses seigneuries et ses champs », dans *Annales d'histoire économique et sociale*, 1938.

390. BOUSSARD (J.) : « La seigneurie de Bellême aux Xᵉ et XIᵉ siècles », dans *Mélanges Louis Halphen*, Paris, 1951.

391. BOUSSARD (J.) : *Le comté d'Anjou sous Henri Plantagenet et ses fils, 1151-1204*, Paris, 1958.

392. CAILLET (L.) : « Le contrat, dit de facherie », dans *Nouvelle revue historique de droit*, 1911.

393. CARABIE (R.) : *La propriété foncière dans le très ancien droit normand (XIᵉ-XIIIᵉ siècles). I : La propriété domaniale* (Bibliothèque d'histoire du droit normand, 2ᵉ série, études, V), Caen, 1943.

394. CASTAING-SICARD (M.) : « Contrat de travail et louage d'ouvrage dans la vie toulousaine des XIIᵉ et XIIIᵉ siècles », dans *Recueil de la société d'histoire du droit écrit*, 1958.

395. CHANTEUX (H.) : « Quelques notes sur les vavasseurs », dans *Revue historique de droit français et étranger*, 1958.

396. CHÉDEVILLE (A.) : « Les restitutions d'églises en faveur de l'abbaye de Saint-Vincent du Mans », dans *Cahiers de civilisation médiévale*, 1960.

397. COOPLAND (G. W.) : *The abbey of S. Bertin and its neighbourhood, 900-1350*, 1914.

397. *a.* CONSTABLE (G.) : « Cluniac tithe and the controversy between Gigny and Le Miroir », dans *Revue Bénédictine*, 1960.

398. DAVID (M.) : *Le patrimoine foncier de l'église de Lyon de 984 à 1267. Contribution à l'étude de la féodalité dans le Lyonnais*, Lyon, 1942.

399. DIDIER (N.) : « Les censiers du prieuré de Domène », dans *Cahiers d'Histoire*, 1957-1958.

400. DUBAR (L.) : *Recherches sur les offices du monastère de Corbie jusqu'à la fin du XIIIe siècle* (Bibliothèque de la Société d'histoire du droit des pays flamands, picards et wallons, XXII), Paris, 1951.

401. DUBLED (H.) : « Seigneurs et paysans en Languedoc », dans *Mémoire de la Société d'histoire du droit écrit*, 1958.

401 *a.* DUBLED (H.) : « Aspects de l'économie cistercienne en Alsace au XIIe siècle », dans *Revue d'Histoire ecclésiastique*, 1959.

402. DUBLED (H.) : « La justice au sein de la seigneurie foncière en Alsace du XIe au XIIIe siècle », dans *Le Moyen Age*, 1960.

403. DUBLED (H.) : « Administration et exploitation des terres de la seigneurie rurale en Alsace aux XIe et XIIe siècles », dans *Vierteljahrschrift für Sozial- und Wirtschaftsgeschichte*, 1960.

404. DUBLED (H.) : « Taille et « Umgeld » en Alsace au XIIIe siècle », dans *Vierteljahrschrift für Sozial- und Wirtschaftsgeschichte*, 1960.

405. DUBLED (H). : « La notion de ban en Alsace au Moyen Age », dans *Revue historique de droit français et étranger*, 1961.

406. DUBY (G.) : « Economie domaniale et économie monétaire ; le budget de l'abbaye de Cluny entre 1080 et 1155 », dans *Annales E.S.C.*, 1952.

407. DUBY (G.) : « Un inventaire des profits de la seigneurie clunisienne à la mort de Pierre le Vénérable, » dans *Studia Anselmiana, 40, Petrus Venerabilis*, 1956.

408. DUBY (G.) : « La structure d'une grande seigneurie flamande à la fin du XIIIe siècle), dans *Bibliothèque de l'École des chartes*, 1956.

409. DUBY (G.) : « Note sur les corvées dans les Alpes du Sud en 1338 », dans *Études d'histoire du droit privé offertes à Pierre Petot*, Paris, 1959.

409 *a.* DUBY (G.) : « La seigneurie et l'économie paysanne. Alpes du Sud, 1338 », dans *Études rurales*, 1961.

410. ÉPINOIS (H. de l') : « Comptes relatifs à la fondation de l'abbaye de Maubuisson », dans *Bibliothèque de l'École des chartes*, 1857-1858.

411. FEBVRE (L.) : « Deux contributions à l'histoire seigneuriale ; I : la seigneurie au pays de Namur ; II : alleu contre féodalité », dans *Annales E.S.C.*, 1948.

412. FEUCHÈRES (P.) : « Un obstacle au réseau de subordination : alleux et alleutiers en Artois, Boulonnais et Flandre wallonne », dans *Études publiées par la section belge de la Comm. intern. pour l'Hist. des assemblées d'États*, t. IX, 1955.

413. FOSSIER (R.) : « Les granges de Clairvaux et la règle cistercienne », dans *Cîteaux in de Nederlanden*, 1955.

414. FOURNIER (G.) : « La création de la grange de Gergovie, par les Prémontrés de Saint-André », dans *Le Moyen Age*, 1950.

415. FOURNIER (G.) : « La seigneurie en Basse-Auvergne aux XIe et XIIe siècles, d'après les censiers du cartulaire de Sauxillanges », dans *Mélanges Louis Halphen*, Paris, 1951.

416. FOURNIER (G.) : « Cartulaire de Saint-Martin-des-Aloches », dans *Revue d'Auvergne*, 1951.

417. FOURNIER (G.) : « Les origines du terrier en Basse-Auvergne, XIe-XIVe siècles », dans *Revue d'Auvergne*, 1955.

418. GAUSSIN (R.) : « De la seigneurie rurale à la baronnie : l'abbaye de Savigny en Lyonnais », dans *Le Moyen Age*, 1955.

419. GRAND (R.) : « Une curieuse appellation de certaines corvées au Moyen Age : le « biau », « biain » ou « bien ». Son origine, sa nature », dans *Mélanges dédiés à la mémoire de Félix Gret*, I, Paris, 1946.

420. HIGOUNET (Ch.) : « Cartulaires des templiers de Montsaunès », dans *Bulletin philologique et historique* 1957.

421. HIGOUNET-NADAL (A.) : « L'inventaire des biens de la Commanderie du temple de Sainte-Eulalie du Larzac en 1308 », dans *Annales du Midi*, 1956.

422. KIEFT (C. van de) : *Étude sur le chartrier et la seigneurie du prieuré de la Chapelle-Aude (XIe-XIIIe siècles)*, Amsterdam, 1960.

423. LAPORTE (Dom J.) : « L'état des biens de l'abbaye de Jumièges en 1338 », dans *Annales de Normandie*, 1959.

424. LAURENT (H.) : « Deux documents d'un type unique pour servir à l'histoire du régime seigneurial et de la vie rurale : le Terrier de l'évêque de Cambrai et le Rentier du seigneur d'Audenarde », dans *Bulletin de la Commission royale d'histoire de Belgique*, 1939.

425. LEMARIGNIER (J. F.) : « La dislocation du *Pagus* et le problème des *consuetudines*, X^e-XIe siècles », dans *Mélanges Louis Halphen*, Paris, 1951.

426. LEMARIGNIER (J. F.) : « Le domaine de Villeberfol et le patrimoine de Marmoutier (XIe siècle) », dans *Études d'histoire du droit privé offertes à Pierre Petot*, Paris, 1959.

427. MUSSET (L.) : « Autour de l'abbaye de Saint-André-en-Gouffern (Calvados). Notes d'histoire sociale »,

dans *Bulletin de la Société des antiquaires de Normandie*, 1946.

428. MUSSET (L.) : " Un type de tenure rurale d'origine scandinave en Normandie. Le mansloth ", dans *Mémoires de l'Académie des Sciences et Belles-Lettres de Caen*, 1952.

429. MUSSET (L.) : " La vie économique de l'abbaye de Fécamp sous l'abbatiat de Jean de Ravenne, 1028-1078 ", dans *L'abbaye bénédictine de Fécamp. XIIIᵉ centenaire*, Fécamp, 1958.

430. MUSSET (L.) : " Les censiers du Mont-Saint-Michel. Essai de restitution d'une source perdue ", dans *Revue du département de la Manche*, 1960.

431. PETOT (P.) : " La constitution de rente aux XIIᵉ et XIIIᵉ siècles dans les pays coutumiers ", dans *Publications de l'Université de Dijon*, 1928.

432. PERRENET (P.) : " Les droits de seigneurie en Bourgogne ", dans *Mémoires de la Société pour l'histoire du droit et des institutions des anciens pays bourguignons...*, VII, 1940-1941.

433. PERRIN (Ch. Ed.) : *Essai sur la fortune immobilière de l'abbaye alsacienne de Marmoutier aux Xᵉ et XIᵉ siècles*, dans *Histoire du droit et des institutions de l'Alsace*, fasc. 10, Strasbourg, 1935.

434. PERRIN (Ch. Ed.) : " Esquisse d'une histoire de la tenure en Lorraine au Moyen Age ", dans *Recueils de la Société Jean Bodin, III : La tenure*, Bruxelles, 1938.

435. PICOT (J.) : *La Seigneurie de l'abbaye de l'Ile-Barbe*, Lyon, 1953.

436. REYNAUD (F.) : " L'organisation et le domaine de la commanderie de Manosque ", dans *Provence historique*, 1957.

437. RICHARD (J. M.) : " Thierry d'Hireçon, agriculteur artésien ", dans *Bibliothèque de l'École des chartes*, 1892.

438. SCHNAPPER (B.) : " Les baux à vie ", dans *Revue historique de droit français et étranger*, 1957.

439. STRAYER (J. R.) : *The Royal Domain in the Baillage of Rouen*, Princeton, 1936.

440. VIARD (P.) : " La dîme ecclésiastique dans le royaume d'Arles et de Vienne aux XIIᵉ et XIIIᵉ siècles ", dans *Zeitschrift der Savigny Stiftung, Germanische Abteilung*, 1911.

4. — ITALIE

441. GUKOVSKIJ (M. A.) : *Italianskoe vozrozdenij*, I, Leningrad, 1947.

442. IMBERCIADORI (I.) : *Mezzadria classica toscana con documentazione inedita dal IX al XIV secolo* (Academia economico agraria dei Georgofili), Florence, 1951.

443. NASALI-ROCCA (E.) : « La gestione dei beni del monas-
tero cistercense di Chiaravalle della Colomba »,
dans *Economia e storia*, 1956.

444. ROMEO (R.) : « La signoria dell'abate di sant Ambrogio
di Milano sul commune rurale di Origgio nel secolo
XIII », dans *Rivista storica italiana*, 1957.

5. — PAYS-BAS

445. BRUWIER : « Note sur l'exploitation des bois de Mirwart
par le comte de Hainaut en 1333 », dans *Mélanges
Félix Rousseau*, Liège, 1958.

446. DERVEEGHDE (D. van) : *Le domaine du val Saint-Lambert
de 1202 à 1387. Contribution à l'histoire rurale et
industrielle du pays de Liège* (Bibliothèque de la Faculté
de Philosophie et Lettres de l'Université de Liège,
130), Paris, 1955.

447. GODDING-GANSHOF (F.) : « Le prieuré de Grand-
Bigard depuis sa fondation jusqu'en 1381 », dans
Annales de la société royale d'Archéologie de Bruxelles,
1948-1955.

448. *Oorkondenboek van het sticht Utrecht tot 1301* (éd.
S. MULLER), 4 vol., 1920-1954.

449. SMET (J. de) : *Het memoriaal van Simon de Rikelike,
Vrijlaat te St Pieters-op-den-Dijk, 1323-1336*, 1933.

450. STIENNON (J.) : *Étude sur le chartier et le domaine de
l'abbaye Saint-Jacques à Liège, 1015-1209* (Bibliothèque de la Faculté de Philosophie et Lettres de
l'Université de Liège, 124). Paris, 1951.

E. *La dépendance personnelle et la ministérialité.*

451. BORNE (L.) : « Notes pour servir à l'histoire de la mainmorte dans le comté de Bourgogne », dans *Mémoires
de la société pour l'histoire du droit... des anciens pays
bourguignons...*, 1950-1951.

452. BOSL (K.) : « Freiheit und Unfreiheit » dans *Vierteljahrschrift für Sozial- und Wirtschaftsgeschichte*,
1957.

453. BOUSSARD (J.) : « Serfs et *colliberti* (XIᵉ-XIIᵉ siècles) »,
dans *Bibliothèque de l'École des chartes*, 1947-1948.

454. BRELOT (J.) : « La mainmorte dans la région de Dole »,
dans *Mémoires de la Société pour l'histoire du droit...
des anciens pays bourguignons...*, 1950-1951.

455. DIDIER (N.) : « Les plus anciens textes sur le servage
dans la région dauphinoise », dans *Études d'Histoire
du Droit privé offertes à Pierre Petot*, Paris, 1959.

456. DODWELL (B.) : « The Sokeman of the Southern Danelaw in the Eleventh century », dans *Bull. Inst. Hist. Research*, 1938.

457. DUBAR (L.) : « Les mairies rurales du monastère de Saint-Riquier », dans *Revue du Nord*, 1958.

458. DUBY (G.) : « Géographie ou chronologie du servage ? Note sur les *servi* en Forez et en Mâconnais du Xᵉ au XIIᵉ siècle », dans *Hommage à Lucien Febvre*, I, Paris, 1953.

459. GÉNICOT (L.) : « *Nobiles, milites, villici* au XIᵉ siècle », dans *Namurcum*, 1957.

460. IMBERT (J.) : « Quelques aspects juridiques de la mainmorte seigneuriale en Lorraine », dans *Mémoires de la Société pour l'Histoire du droit... des pays bourguignons...*, 1950-1951.

461. LEBON (M.) : « Textes sur le formariage en Lorraine, des origines au début du XIIIᵉ siècle », dans *Annales de l'Est*, 1951.

462. OURLIAC (P.) : « L'hommage servile dans la région toulousaine », dans *Mélanges Louis Halphen*, Paris, 1951.

463. OURLIAC (P.) : « Le servage dans la région toulousaine », Xᵉ *Congresso Internazionale di Scienze storiche, Roma*, 1955. *Relazioni III*, Florence, 1955.

464. PETOT (P.) : L'évolution du servage dans la France coutumière du XIᵉ au XIVᵉ siècle », dans *Recueils de la Société Jean Bodin, II : le servage*, Bruxelles, 1937.

465. PETOT (P.) : « L'origine de la mainmorte servile », dans *Revue historique de droit français et étranger*, 1940-1941.

466. PETOT (P.) : « Licence de mariage et formariage des serfs dans les coutumes françaises du Moyen Age », dans *Czasopismo Prawno Historyczny*, II, 1949.

467. PETOT (P.) : « Servage et tonsure cléricale dans la pratique française du Moyen Age », dans *Revue d'histoire de l'Église de France*, 1954.

468. TITS-DIEUAIDE (M. J.) : « Un exemple de passage de la ministérialité à la noblesse : la famille de Wesemael (1166-1250) » dans *Revue belge de philosophie et d'histoire*, 1958.

469. VACCARI (P.) : *L'affrancazione dei servi nell'Emilia e nella Toscana*, Bologne, 1926.

470. VACCARI (P.) : *Le affrancazioni collettive dei servi della gleba*, Milan, 1940.

471. VINOGRADOFF (P.) : *Villainage in England*, Oxford, 1892.

F. Les paysans et la communauté villageoise.

472. AUBENAS (R.) : *Chartes de franchises et actes d'habitation* (textes et mémoires pour servir à l'histoire de Cannes et de sa région), t. I, fasc. 1, Cannes, 1943.

473. AULT (W. O.) : « Village By-Laws by Common Consent », dans *Speculum*, 1954.

474. AULT (W. O.) : *The Self-Directing Activities of village communities in Medieval England*, Boston, 1952.

475. BADER (K.) : *Das mittelalterliche Dorf als Friedens- und Rechtsbereich*, I, Weimar, 1957.

476. BERNI (G.) : « *Cives* e *rusticii* alla fine del 12, secolo ed. all' inizio del 13. secondo il *Liber consuetudinum mediolani* », dans *Rivista storica Italiana*, 1957.

478 a. BOGNETTI (G. P.) : *Sulle origini dei communi rurali del medioevo con speziali osservazioni dei territorii milanese e comasco*, Pavie, 1927.

477. BOG (I.) : *Dorfgemeinde, Freiheit und Unfreiheit in Franken*, Stuttgart, 1956.

477 a. BOSL (K.) : « Eine Geschichte der deutschen Landgemeinde », dans *Zeitschrift für Agrargeschichte und Agrarsoziologie*, 1961.

478. BRELOT (J.) : « Caractères originaux du mouvement communal dans le comté de Bourgogne », dans *Mémoires de la société pour l'histoire du droit... bourguignon, comtois et romand*, 1954.

479. CIPOLLA (C. M.) : « Populazione e proprietari delle campagne attraverso un ruolo di contribuenti del secolo XII », dans *Bolletino della societa pavese di storia patria*, 1946.

479 a. DAVID (M.) : « Les *laboratores* du renouveau économique du XIIe siècle à la fin du XIVe », dans *Revue historique de Droit français et étranger*, 1959.

480. DODWELL (B.) : « The Free Peasantry of East Anglia in Domesday », dans *Norfolk Archaeol.*, XLVI, 1940.

481. DODWELL (B.) : « The Free Tenantry of the Hundred Rolls », dans *Economic History Review*, XIV, 1944.

482. DOPSCH (A.) : *Die ältere Wirtschafts-und Sozialgeschichte der Bauern in den Alpenländern Osterreichs*, Oslo, 1930.

483. DOUGLAS (D. C.) : *The social structure of medieval East-Anglia*, 1927.

484. DOVRING (F.) : « Contribution à l'étude de l'organisation des villages normands au Moyen Age », dans *Annales de Normandie*, 1952.

485. ENNEN (E.) : « Ein Teilungsvertrag der trierer Simeonstiftes, der Herren von Berg, von Lister und des Ritters von Südlingen », dans *Rheinische Vierteljahrsblätter*, 1956.

486. EPPERLEIN (S.) : *Bauernbedrückung und Bauernwiderstand im hohen Mittelalter*, Berlin, 1960.

487. HOMANS (G. C.) : « Partible inheritance of villagers holdings », dans *Economic History Review*, VIII, 1937.

488. HOMANS (G. C.) : *English villagers in the Thirteenth century*, Harvard, 1942.

489. HOYT (R. S.) : « Farm of the manor and Community of the Vill in Domesday Book », dans *Speculum*, 1955.

490. KONOTKINE (A. V.) : « La lutte des paysans en vue de l'autonomie et de la commune dans le nord de la France aux XIIᵉ-XIVᵉ siècles » (en russe), dans *Voprosy Istorii*, 1948.

491. KOSMINSKY (E. A.) : *Le village anglais au XIIIᵉ siècle* (en russe), Leningrad, 1935.

492. LENNARD (R.) : « The economic position of the Domesday Villains », dans *The Economic Journal*, 1946 et 1947.

493. LENNARD (R.) : « The economic position of the bordars and cottars of Domesday Book », dans *The economic Journal*, 1951.

494. LENNARD (R.) : « Peasant tithe Collectors in Norman England », dans *English Historical Review*, LXIX, 1954.

495. LUZZATTO (G.) : « L'inurbamento delle popolazioni rurali in Italia nei secoli XII et XIII », dans *Studi di storia e di diritto in onore di E. Besta*, Milan, 1938.

496. MAAS (W.) : « Loi de Beaumont und Jus Theutonicum », dans *Vierteljahrschrift für Sozial- und Wirtschaftsgeschichte*, 1939.

497. MARTIN-LORBER (O.) : « Une communauté d'habitants dans une seigneurie de Cîteaux aux XIIIᵉ et XIVᵉ siècles », dans *Annales de Bourgogne*, 1958.

498. PERRIN (Ch.-Ed.) : « Chartes de franchise et rapports de droit en Lorraine », dans *Le Moyen Age*, 1946.

499. PLESNER (J.) : *L'émigration de la campagne à la ville libre de Florence au XIIIᵉ siècle*, Copenhague, 1934.

500. POSTAN (M.) et TITOW (J.) : « Heriots and prices on Winchester Manors », dans *Economic History Review*, 2ᵉ série, XI, 1959, suivi de LONGDEN (G.) : « Statistical Notes on Winchester Heriots ».

501. SCHNEIDER (F.) : *Die Entstehung von Burg- und Landgemeinde in Italien*, Berlin, 1946.

502. STEINBACH (F.) : *Ursprung und Wesen der Landgemeinde nach rheinischen Quellen* (Arbeitsgemeinschaft für Forschung des Landes Nordrhein-Westfalen, 87), Cologne, 1960.

503. STEPHENSON (C.) : « Commendation and related problems in Domesday », dans *English historical Review*, LIX, 1944.

504. WALREAT (M.) : « Les chartes-lois de Prisches (1158) et de Beaumont-en-Argonne (1282). Contribution à l'étude de l'affranchissement des classes rurales au XIIᵉ siècle », dans *Revue belge de philologie et d'histoire*, 1944.

505. WIESSNER (H.) : *Beiträge zur Geschichte des Dorfes und der Dorfgemeinde in Österreich*, Klagenfurt, 1946.

IV. — XIVᵉ-XVᵉ SIÈCLES

A. *Le climat économique*.

1. — Considérations générales

506. ABEL (W.) : *Die Wüstungen des ausgehenden Mittelalters. Ein Beitrag zur Siedlungs- und Agrargeschichte Deutschlands* (Quellen und Forschungen zur Agrargeschichte, I), Iéna, 1943.

507. BOUTRUCHE (R.) : « Aux origines d'une crise nobiliaire : donations pieuses et pratiques successorales en Bordelais, du XIIIᵉ au XIVᵉ siècle », dans *Annales d'histoire sociale*, 1939.

508. BOUTRUCHE (R.) : *La crise d'une société : seigneurs et paysans du Bordelais pendant la guerre de Cent Ans* (publications de la Faculté des Lettres de l'Université de Strasbourg, 110), Strasbourg, 1947.

508 a. CIPOLLA (C. M.) : « Revisions in economic history : the trends in italian economic history in the later middle ages », dans *Economic history review*, 2ᵉ série, II, 1949.

509. CIPOLLA (C. M.) : « L'economia milanese. I movimenti economici generali 1350-1500 », dans *Storia di Milano*, Milan, 1957.

510. FAWTIER (R.) : « La crise d'une société durant la guerre de Cent Ans : à propos d'un livre récent », dans *Revue historique*, t. CCIII, 1950.

510 a. FOURQUIN (G.) : *Les campagnes de la région parisienne à la fin du Moyen Age (du milieu du XIIIᵉ siècle au début du XVIᵉ)*, thèse encore inédite, soutenue à la Sorbonne en 1959 (résumé dans *Information historique*, 1961).

511. GRAUS (F.) : *Die erste Krise des Feudalismus. 14. Jahrhundert* (Ceskoslovenska Akademie Ved-Historicky Ustav), Prague, 1955.

512. GUERIN (I.) : *La vie rurale en Sologne aux XIVᵉ et XVᵉ siècles* (coll. « Les hommes et la terre »). Paris 1960.

513. HILTON (R. H.) : « Y eut-il une crise générale de la féodalité ? », dans *Annales E.S.C.*, 1951.

514. HILTON (R. H.) : « L'Angleterre économique et sociale des XIVᵉ et XVᵉ siècles », dans *Annales E.S.C.*, 1958.

515. JONES-PIERCE (T.) : « Some tendancies in the agrarian History of Caernarvonshire during the later Middle Ages », dans *Trans. Caern. Hist. Soc.*, 1939.

516. KOSMINSKY (E. A.) : « Peut-on considérer le XIVe et le
     XVe siècle comme l'époque de la décadence de l'écono-
     mie européenne ? », dans *Studi in onore di Armando
     Sapori*, I, Milan, 1957.

517. KOSMINSKY (E. A.) : « Les problèmes de base du féoda-
     lisme d'Europe occidentale dans la recherche histo-
     rique soviétique », Xe *Congresso internazionale di
     science storiche*, Roma, *1955*, *Atti*, Florence, 1955.

518. LÜTGE (F.) : « Das 14. und 15. Jahrhundert in der
     Sozial- und Wirtschaftsgeschichte », dans *Jahrbuch
     für Nationalökonomie und Statistik*, 1950.

519. LUZZATTO (G.) : « Per la storia dell'economia rurale in
     Italia nel secolo XIV », dans *Hommage à Lucien Febvre*,
     II, Paris, 1953.

520. MALOWIST (M.) : « La crise du système féodal aux XIVe
     et XVe siècles » (en polonais), dans *Kwartalnik Histo-
     ryczny*, 1953.

521. MOLLAT (M.), JOHANSEN (P.), POSTAN (M.), SAPORI (A.),
     VERLINDEN (C.) : « L'économie européenne aux deux
     derniers siècles du Moyen Age », Xe *Congresso inter-
     nazionale di scienze storiche*, Roma, *1955*, *Relazioni*, VI,
     Florence, 1955.

522. PERROY (E.) : « La crise économique du XIVe siècle
     d'après les terriers foréziens » dans *Bulletin de la
     Diana*, 1945-1946.

523. PERROY (E.) : « A l'origine d'une économie contractée :
     les crises du XIVe siècle », dans *Annales E.S.C.*, 1949.

524. POSTAN (M.) : « The fifteenth century », dans *Economic
     History Review*, IX, 1938-1939.

524 a. SALTMARSH (J.) : « Plague and economic decline in
     England in the later middle ages », dans *Cambridge
     historical journal*, 1941.

525. SCHREINER (J.) : *Pest of prisfall i sen middel alderen*,
     Oslo, 1948.

526. SCHREINER (J.) : « Wages and prices in England in the
     later middle ages », dans *The scandinavian Economic
     History Review*, 1954.

527. STEENSBERG (A.) : « Archeological dating of the climatic
     change in North Europe about A. D. 1300 », dans
     Natura, 1951.

528. TIMM (A.) : *Die Waldnutzung in Nordwestdeutschland
     im Spiegel der Weistumer Einleitende Untersuchungen
     über die Umgestallung des Stadt-Land-Verhältnisses im
     Spätmittelalter*, Cologne-Graz, 1960.

2. — LA POPULATION

529. ARNOULD (M. A.) : *Les dénombrements de foyers dans le
     comté de Hainaut (XIVe-XVe siècles)* (Comm. roy.
     d'Hist.), Bruxelles, 1956.

530. DUBLED (H.) : « Conséquences économiques et sociales des mortalités du xive siècle, essentiellement en Alsace », dans Revue d'histoire économique et sociale, 1959.

531. FÉVRIER (P.-A.) : « La population de la Provence à la fin du xve siècle, d'après l'enquête de 1471 », dans Provence historique, 1956.

532. FUJIWARA (H.) : « La population et les manoirs en Angleterre au xive siècle » (en japonais), dans Shigaku Zasshi, t. LIX, 1950.

533. FOURQUIN (G.) : « La population dans la région parisienne aux environs de 1328 », dans Le Moyen Age, 1956.

534. GEREMEK (B.) : « Le problème de la main-d'œuvre en Prusse dans la première moitié du xve siècle » (en polonais), dans Przeglad Historyczny, 1957.

535. GLENISSON (J.) : « Essai de recensement et d'interprétation des sources de l'histoire démographique en France au xive siècle », XIe Congrès international des sciences historiques, Stockholm, 1960. Résumés des communications, Stockholm, 1960.

535 a. GUENÉE (B.) : « La géographie administrative de la France à la fin du Moyen Age : élections et bailliages », dans Le Moyen Age, 1961.

536. HELLEINER (K.) : « Europas Bevölkerung und Wirtschaft im späteren Mittelalter », dans Mitteilungen des Instituts für Oesterreichische Geschichtsforschung, 1954.

537. HELLEINER (K.) : « Population Movements and Agrarian Depression in the Later Middle Ages », dans Canad. Journ. Econ. and Pol. Sc., XV, 1959.

538. MEINSMA (K. O.) : De Zwarte Dood. 1347-1352, 1924.

539. POSTAN (M.) : « Some economic evidence of declining population in the later middle ages », dans Economic History Review, 2e série, II, 1950.

540. RENOUARD (Y.) : « Conséquences et intérêt démographique de la peste noire de 1348 », dans Population, 1948.

541. WERVEKE (H. van) : « De Zwarte Dood in de Zuidelijke Nederlanden. 1349-1351 », dans Meded. Kon. Vlaamse Akademie voor Wetensch. (Lettres), 1950.

3. — LE RETRAIT DES CULTURES

542. ABEL (W.) : « Wüstungen und Preisfall im spätmittelalterlichen Europa », dans Jahrbuch für Nationalökonomie und Statistik, 1953.

543. BERESFORD (M. W.) : « The lost villages of Medieval England », dans Geographical Journal, 1951.

544. BERESFORD (M. W.) : The lost villages of England, New York, 1954.

545. BOUTRUCHE (R.) : *La dévastation des campagnes pendant la guerre de Cent Ans et la reconstruction agricole de la France* (publ. de la Faculté des Lettres de l'Université de Strasbourg, vol. 106 : Mélanges, II), Strasbourg, 1945.

546. FROLICH (K.) : « Rechtsgeschichte und Wüstungskunde », dans *Zeitschrift für Rechtsgeschichte*, 1944.

547. HILTON (R. H.) : « Old enclosure in the West Midlands : a hypothesis about their late medieval developments », dans *Annales de l'Est, Mémoire n° 21*, Nancy, 1959.

548. HURST (J. G.) : « Deserted Medieval Villages », dans *Amateur Historian*, II, 1955.

549. JAEGER (H.) : « Zur Entstehung der heutigen Forsten in Deutschland », dans *Bericht zur deutschen Landeskunde*, 1954.

550. JAEGER (H.) : « Die Ausdehnung der Wälder in Mitteleuropa über offenes Siedlungsland », dans *Annales de l'Est, Mémoire n° 21*, Nancy, 1959.

551. KELTER (E.) : « Das deutsche Wirtschaftsleben des 14. und 15. Jahrhunderts im Schatten der Pestepidemie », dans *Jahrbuch für Nationalökonomie und Statistik*, 1953.

552. KLEIN (H.) : « Das Grosse Sterben von 1348-1349 und seine Auswirkung auf die Besiedlung der Ostalpenländer », dans *Mitteilungen der Gesellschaft für Salzburger Landeskunde*, 1960.

553. KRENZLIN (A.) : « Das Wüstungsproblem im Lichte ostdeutscher Siedlungsforschung », dans *Zeitschrift für Agrargeschichte und Agrarsoziologie*, 1959.

554. MORTENSEN (H.) : *Zur deutschen Wüstungsforschung*, Göttingen, 1944.

555. MORTENSEN (H.) : « Neue Beobachtungen über Wüstungsbandfluren und ihre Bedeutung für die mittelalterlichen Kulturlandschaft », dans *Berichte zur deutschen Landeskunde*, 1951.

556. MORTENSEN (H.) : « Die mittelalterliche deutsche Kulturlandschaft und ihre Verhältnis zur Gegenwart », dans *Vierteljahrschrift für Sozial- und Wirtschaftsgeschichte*, 1958.

557. MORTENSEN (H.) : « Probleme der mittelalterlichen Kulturlandschaft », dans *Berichte zur deutschen Landeskunde*, 1958.

558. POHLENDT (H.) : *Die Verbreitung der mittelalterlichen Wüstungen in Deutschland* (Göttinger geographischen Abhandlungen, 3), Göttingen, 1950.

558. a. RICHTER (G.) : « Klimaschwangungen und Wüstungsvorgange in Mittelalter », dans *Petermanns Mitteilungen*, 1952.

559. SCHARLAU (K.) : « Neue Probleme der Wüstungsforschung », dans *Berichte zur deutschen Landeskunde*, 1956.

559. *a.* ZIENTARA (B.) : *La crise agraire dans l'Uckermark au XIVᵉ siècle* (en polonais), Varsovie, 1961.

4. — LES FAMINES

560. CAPRA (P.) : « Au sujet des famines en Aquitaine au XIVᵉ siècle », dans *Revue historique de Bordeaux*, 1955.
561. CURSCHMANN (F.) : *Hungersnöte im Mittelalter*, Leipzig, 1900.
562. FOSSIER (R.) et (L.) : « Aspects de la crise frumentaire en Artois et en Flandre gallicante au XIVᵉ siècle », dans *Recueil de travaux offert à Cl. Brunel*, I, Paris, 1955.
563. LARENAUDIE (M.-J.) : « Les famines en Languedoc aux XIVᵉ et XVᵉ siècles », dans *Annales du Midi*, 1952.
564. LUCAS (H. S.) : « The great european famine of 1315, 1316 and 1317 », dans *Speculum*, 1930.
565. WERVEKE (H. van) : « La famine de l'an 1316 en Flandre et dans les régions voisines », dans *Revue du Nord*, 1959.

5. — LA PRODUCTION RURALE

566. CIPOLLA (C. M.) : « Per la storia delle terre della « bassa » Lombarda », dans *Studi in onore di Armando Sapori*, I, Milan, 1957.
567. DEBIEN (G.) : *En haut-Poitou. Défricheurs au travail, XVᵉ-XVIIIᵉ siècles* (Cahiers des Annales, nᵒ 7), Paris, 1952.
568. FÉVRIER (P.A.) : « Quelques aspects de la vie agricole en Basse-Provence à la fin du Moyen Age », dans *Bulletin philologique et historique*, 1959.
569. FÉVRIER (P.-A.) : « La basse vallée de l'Argens. Quelques aspects de la vie économique de la Provence orientale aux XVᵉ et XVIᵉ siècles », dans *Provence historique*, 1959.
570. LATOUCHE (R.) : *La vie en Bas-Quercy du XIVᵉ au XVIIIᵉ siècle*, Toulouse, 1923.
571. PAYNE (R. C.) : « Agrarian conditions on the Wiltshire Estates of the Duchy of Lancaster, the lords Hungerford and bishopric of Winchester in the thirteenth, fourteenth and fifteenth centuries », dans *Bull. Inst. Hist. Research*, XVIII, nᵒ 54, 1940.
572. SICARD (G.) : « Les techniques rurales en pays toulousain aux XIVᵉ et XVᵉ siècles d'après les contrats de métayage », dans *Annales du Midi*, 1959.
573. SLICHER VAN BATH (B. H.) : « The rise of intensive husbandry in the low countries, 1960 », dans *Britain and the Netherlands*.

574. Tucoo-Chala (P.) : « Productions et commerce en Béarn au XIVᵉ siècle », dans *Annales du Midi*, 1955.

575. Tucoo-Chala (P.) : « Une charte sur la basse vallée d'Ossau au bas Moyen Age », dans *Annales du Midi*, 1959.

B. *Les mouvements sociaux et la condition paysanne.*

576. Aston (M. E.) : « Lollardy and Sedition, 1381-1431 », dans *Past and Present*, 1960.

577. Aubenas (R.) : « Le servage à Castellane au XIVᵉ siècle », dans *Revue historique de droit français et étranger*, 1937.

578. Bavoux (F.) : « Les particularités de la mainmorte dans la terre de Luxeuil », dans *Mémoire de la Société pour l'Histoire du droit... des anciens pays bourguignons...*, 13, 1950-1951.

579. Bossuat (A.) : « Le servage en Nivernais au XVᵉ siècle, d'après les registres du Parlement », dans *Bibliothèque de l'École des chartes*, 1959.

580. Bouysson (L.) : « La condition juridique du foyer rural en Haute-Auvergne au XVᵉ siècle », dans *Revue historique de droit français et étranger*, 1942.

581. Cellier (L.) : « Les mœurs rurales au XVᵉ siècle d'après les lettres de rémission », dans *Bulletin philologique et historique*, 1959.

582. Chomel (V.) : « Communautés rurales et *casanae* lombardes en Dauphiné (1346) », dans *Bulletin philologique et historique*, 1953.

583. Dunken (G.) : « Der Aufstand des Fra Dolcino zu Beginn des 14. Jahrhundert », dans *Wissenschaftliche Annalen*, VI, 1957.

584. Falleti (L.) : « Le contraste juridique entre Bourgogne et Savoie au sujet de la mainmorte seigneuriale », dans *Mémoires de la Société pour l'histoire du droit... des anciens pays bourguignons...*, 13, 1950-1951 ; 14, 1952.

585. Flammermont (J.) : « La Jacquerie en Beauvaisis », dans *Revue historique*, 1879.

586. Génicot (L.) : « Le servage dans les chartes-lois de Guillaume II, comte de Namur : 1391-1418 », dans *Revue belge de philologie et d'histoire*, 1945.

587. Gognon (M.) : *Les institutions et la société en Forez au XIVᵉ siècle d'après les testaments*, Mâcon, 1960.

588. Gognon (M.) : *La vie familiale en Forez au XIVᵉ siècle et son vocabulaire d'après les testaments*, Mâcon, 1960.

588 *a.* Graus (F.) : « Au bas Moyen Age : pauvres des villes et pauvres des campagnes », dans *Annales E.S.C.*, 1961.

589. HILTON (R. H.) : « Peasant Movement in England before 1381 », dans *Economic History Review*, 2e série, II, 1949.

590. HILTON (R. H.) et FAGAN (H.) : *The English Rising of 1381*, Londres, 1954.

591. HUBRECHT (G.) : « Le servage dans le sud-ouest de la France, plus particulièrement à la fin du Moyen Age », dans *Études d'histoire du droit privé offertes à Pierre Petot*, Paris, 1959.

591 a. HUGENHOLZ (F.) : *Drie boerenopstanden uit de vertionde eeuw*, Harlem, 1949.

592. JUGLAS (J.) : « La vie rurale dans le village de Jonquières, 1308-1418 », dans *Provence historique*, 1958.

593. LINDSAY (P.) et GROVES (R.) : *The Peasants' Revolt of 1381*, Londres, 1950.

594. LUC (P.) : *Vie rurale et pratique juridique en Béarn aux XIVe et XVe siècles*, Toulouse, 1943.

595. MERCIER (H.) : « Étude sur la mainmorte dans le pays de Montbéliard », dans *Mémoire de la Société pour l'histoire du droit... des anciens pays bourguignons...*, 13, 1950-1951.

596. PATRONE (A. M.) : *Le casane astigiane in Savoia* (Miscellanea di storia italiana), Turin, 1959.

597. PIRENNE (H.) : *Le soulèvement de la Flandre maritime de 1323-1328*, Bruxelles, 1900.

598. PROST (B.) : *Inventaires mobiliers et extraits des comptes des ducs de Bourgogne de la maison de Valois, 1363-1477*, Paris, 1912-1913.

599. RICHARDOT (H.) : « Note sur les roturiers possesseurs de fiefs nobles », dans *Mélanges A. Dumas* (Annales de la Faculté de Droit d'Aix), 1950.

600. SAMARAN (C.) : « Note sur la dépendance personnelle en Haute-Provence au XIVe siècle », dans *Annales du Midi*, 1957.

601. SAPRYKIN (J. M.) : « Les *Levellers* et la lutte des classes pour la terre » (en russe), dans *Vestnik Mosk. Univ.*, 1951.

602. SKASKIN (S. D.) : *Le condizioni storiche della rivolta di Dolcino* (Rapporti della delegazione sovietica al X^o Congresso internazionale di scienze storiche a Roma), Moscou, 1955.

603. TESSIER (G.) : « Vente d'hommes de corps et aveu consécutif de servitude (16 juillet 1340) », dans *Études d'histoire du droit privé offertes à P. Petot*, Paris, 1959.

603 a. TOUBERT (P.) : « Les statuts communaux et l'histoire des campagnes lombardes au XIVe siècle », dans *Bulletin d'archéologie et d'histoire publié par l'École française de Rome*, 1960.

604. VIGNIER (F.) : « L'exercice de la mainmorte par les ducs de Bourgogne dans le nord du bailliage de la

Montagne au XIVᵉ siècle », dans *Mémoires de la Société pour l'histoire du droit... des anciens pays bourguignons...*, 16, 1954.

605. WILKINSON (B.) : « The Peasants revolt of 1381 », dans *Speculum*, 1940.

C. La seigneurie.

606. BEAN (J. M. W.) : *The estates of the Percy family. 1416-1537*, Oxford, 1958.

607. BOULAY (F. R. H. du) : « The Pagham estates of the archbishops of Canterbury during the fifteenth century », dans *History*, 1953.

608. CHOMEL (V.) : « La perception des cens en argent dans les seigneuries du Haut-Dauphiné aux XIVᵉ et XVᵉ siècles », dans *Recueil de Travaux offerts à Cl. Brunel*, Paris, 1955.

608. a. *Das grosse Zinsbuch des deutschen Ritterordens. 1414-1438* (éd. Thielen), Marbourg, 1958.

609. DAVISO DI CHARVENSOD (M.) : « Coltivazione e reddito della vigna a Rivoli nel secolo 14 », dans *Bolletino storico-bibliografico subalpino*, 1950.

610. DELATOUCHE (R.) : « Le rouleau de la Dame d'Olivet », dans *Bulletin de la commission historique de la Mayenne*, 1956.

611. DONNELLY (J. S.) : « Changes in the grange economy of English and Welsh Cistercian abbeys (1300-1540) », dans *Traditio*, 1954.

612. DUBY (G.) : « Le grand domaine de la fin du Moyen Age en France », dans *Première conférence internationale d'histoire économique*, *Stockholm, 1960* (coll. « Congrès et colloques », I,) Paris, 1960.

613. FILHOL (R.) : « Chartes poitevines relatives aux droits seigneuriaux », dans *Études d'histoire du droit privé offertes à Pierre Petot*, Paris, 1959.

614. GARRIGOUX (A.) : « Chasse et pêche en Haute-Auvergne au XIVᵉ siècle. Transaction entre le seigneur Louis de Dieuse et ses tenanciers au sujet de la chasse et de la pêche », dans *Revue historique de droit français et étranger*, 1939.

615. HAENENS (A. d') : « La crise des abbayes bénédictines au bas Moyen Age. Saint-Martin de Tournai, 1290-1350 », dans *Le Moyen Age*, 1959.

616. HAENENS (A. d') : « Le budget de Saint-Martin de Tournai, 1331-1348 », dans *Revue belge de philologie et d'histoire*, 1959.

617. HAENENS (A. d') : « Les gardiens de Saint-Martin de Tournai de 1309 à 1348 », dans *Revue d'histoire ecclésiastique*, 1959.

618. HAENENS (A. d') : *L'abbaye de Saint-Martin de Tournai de 1290 à 1350. Origines, évolution et dénouement d'une crise*, Louvain, 1961.

619. HILTON (R. H.) : *The economic development of some Leicestershire Estates in the 14th ans 15th centuries* (Oxford historical Series), Londres, 1947.

620. HILTON (R. H.) : « A study in the pre-history of English enclosure in the fifteenth century », dans *Studi in onore di Armando Sapori*, I, Milan, 1957.

621. HOLMES (G. A.) : *The Estates of the Higher Nobility in the fourteenth century England* (Cambridge Studies in Economic History), Cambridge, 1957.

622. JANSEN (H. P.) : *Landbouw pacht in Brabant in de veertiende en vijftiende eeuw*, Assen, 1955.

623. JONES (P. J.) : « Le finanze della badia cisterciense di Settimo nel 14. secolo », dans *Rivista di storia della chiesa in Italia*, 1956.

624. JEANCARD (R.) : *Les seigneuries d'outre-Siagne du XIVᵉ au XVIᵉ siècle*, Cannes, 1952.

625. LEWIS (E. A.) : « The Count Rolls of the Manor of Broniarth, 1429-1464 », dans *Bulletin of Celtic Studies*, XI, I.

626. MARTENS (M.) : « L'administration du domaine ducal en Brabant au Moyen Age (1250-1406) », dans *Mémoires de l'Académie royale*, Bruxelles, 1954.

627. MARTIN-LORBER (O.) : « L'exploitation d'une grange cistercienne à la fin du XIVᵉ siècle et au début du XVᵉ », dans *Annales de Bourgogne*, 1957.

628. MERLE (L.) : *La métairie et l'évolution agraire de la Gâtine poitevine, de la fin du Moyen Age à la Révolution* (coll. « Les hommes et la terre », II), Paris, 1958.

629. MIROT (L. et A.) : *La seigneurie de Saint-Vérain-des-Bois, des origines à sa réunion au comté de Nevers*, 1480, La Charité-sur-Loire, 1943.

630. MOREL (P.) : « Les baux à cens avec réduction des redevances en Limousin après la guerre de Cent Ans », dans *Revue historique de droit français et étranger*, 1939.

631. PERROY (E.) : « Wage labour in France in the Later Middle Ages », dans *Economic History Review*, 2ᵉ série, VIII, 1955.

631 a. PLAISSE (A.) : *La baronnie du Neufbourg. Essai d'histoire agraire, économique et sociale*, Paris, 1961.

632. PUTNAM (B.) : « Records of the Courts of Common Law, especially of the Sessions of the justices of Peace. Sources for the economic history of England in the XIVth and XVth centuries », dans *Proc. Amer. philos. Soc.*, XCI, 3, 1947.

633. ROSS (C. D.) et PUGH (T. B.) : « Materials for the Study of Baronial Income in fifteenth century England », dans *Economic History Review*, 2ᵉ série, VI, 1953.

634. Salzmann (L. F.) : « The property of the earl of Arundel 1397 », dans *Sussex archeological collection*, 1953.

635. Sicard (G.) : *Le métayage dans le Midi toulousain à la fin du Moyen Age* (Mémoires de l'Académie de Législation, II), Toulouse, 1957.

636. *The Stoneleigh Leger Book* (éd. R. H. Hilton), Oxford, 1960.

637. Toms (E.) : « The Manors of Chertsey Abbey under Abbot John de Rutherwy (1307-1347) », dans *Bull. Inst. Hist. Research*, XIV, 1937.

637 a. Tucoo-Chala (P.) : *Gaston Fébus et la vicomté de Béarn, 1343-1391*, Bordeaux, 1960.

638. Wolfe (B. P.) : « The Management of English Royal Estates under the Yorkish Kings », dans *English Historical Review*, 1955.

639. Wolff (Ph.) : « La fortune foncière d'un seigneur toulousain au milieu du xvᵉ siècle », dans *Annales du Midi*, 1958.

D. *Villes et campagnes.*

640. Baratier (E.) : « Le notaire Jean Barral, marchand de Riez au début du xvᵉ siècle », dans *Provence historique*. 1957.

641. Borlandi (F.) : « Futainiers et futaines dans l'Italie du Moyen Age », dans *Hommage à Lucien Febvre*, II, Paris, 1953.

642. Bossuat (A.) : *Le bailliage royal de Montferrand (1425-1556)* (Publications de la Faculté des Lettres de l'Université de Clermont, 2ᵉ série, fasc. 5), Paris, 1957.

643. Carus-Wilson (E.) : « Trends of the export of english woolens in the xivth century », dans *Economic history review*, 1950.

644. Carus-Wilson (E.) : « Evidences of industrial growth on some Fifteenth Century Manors », dans *Economic History Review*, 2ᵉ série, XII, 1959.

645. Coornaert (E.) : « Draperies rurales, draperies urbaines », dans *Revue belge de philologie et d'histoire*, 1950.

646. Craeybeckx (J.) : *Un grand commerce d'importation. Les vins de France aux anciens Pays-Bas (XIIIᵉ-XVIᵉ siècle)*, Paris, 1958.

647. Fedou (R.) : « Une famille aux xivᵉ et xvᵉ siècles, les Jossard de Lyon », dans *Annales E.S.C.*, 1958.

648. Geremek (B.) : « Problèmes regardant les relations entre villes et campagnes en Prusse teutonique durant la première partie du xvᵉ siècle » (en polonais), dans *Przeglad Historyczny*, 1956.

649. HEERS (J.) : *Le livre de comptes de Giovanni Piccamiglio, homme d'affaires génois (1456-1459)* (coll. « Affaires et gens d'affaires », XII,) Paris, 1959.

650. HOUTTE (H. van) : *Documents pour servir à l'histoire des prix de 1381 à 1794*, Bruxelles, 1902.

651. KERLING (N. J. M.) : *Commercial Relations of Holland and Zeeland with England from the late XIIIth century to the close of the middle ages*, Leyde, 1954.

652. MALOWIST (M.) : « Les produits des pays de la Baltique dans le commerce international au XVIᵉ siècle », dans *Revue du Nord*, 1960.

653. MALOWIST (M.) : « A certain trade technique in the Baltic countries in the XVth-XVIIth centuries », dans *Poland at the XIth international Congress of Historical sciences at Stockholm*, 1960.

654. NUBLING (E.) : *Ulms Baumwollweberei im Mittelalter*, Leipzig, 1890.

655. PETTINO (A.) : *Lo zafferano nell'economia del medio evo* (Pubblicazione della Facoltà di economia e commercio dell' Universita di Catania, Seria I, vol. I), Catane, 1950-1951.

656. REY (M.) : « Un témoignage inédit sur l'hôtel du roi : le journal de la dépense du premier semestre 1417 », dans *Annales littéraires de l'Université de Besançon*, 1955.

657. VERRIEST (L.) : « Étude d'un contrat privé de droit médiéval : le bail à cheptel vif à Tournai (1297-1334) », dans *Revue du Nord*, 1946.

658. WOLFF (Ph.) : *Commerces et marchands de Toulouse (vers 1350-1460)*, Paris, 1954.

659. WOLFF (Ph.) : *Les « estimes » toulousaines des XIVᵉ et XVᵉ siècles* (Bibliothèque de l'association Marc Bloch de Toulouse, Documents d'histoire méridionale), Toulouse, 1956.

660. YVER (J.) : « Évolution de quelques prix en Normandie aux XIVᵉ et XVᵉ siècles », dans *Revue historique de droit français et étranger*, 1958.

LIVRE I

IXe ET Xe SIÈCLES

C'est au temps de Charlemagne que, d'un coup, l'histoire des campagnes d'Occident s'éclaire. Jusqu'alors les documents écrits, très pauvres et d'une grande rareté, jetaient quelques lueurs perdues au sein d'une obscurité épaisse, décourageante. Il demeure bien sûr possible d'interroger d'autres témoignages, et qui ne sont pas les moins précieux, ceux que fournit l'observation attentive du paysage actuel. Sur celui-ci, en effet, la vie des paysans du très haut Moyen Age a imprimé des traces profondes qui se marquent aujourd'hui encore dans la toponymie et les formations végétales, le dessin des champs et des chemins, dans l'allure des villages, et même de leurs maisons. Toutefois, pour que la connaissance historique soit assurée et précise, la rencontre entre ces vestiges et l'enseignement des textes s'avère indispensable. Car seuls ces derniers peuvent procurer des éléments de datation dont l'approximation ne soit pas trop lâche. Or, l'histoire de l'économie rurale ne saurait se passer de repères chronologiques. Parce que son rythme est relativement lent, il convient d'en mesurer minutieusement les cadences. Et, jusqu'aux abords de l'an 800, les écrits conservés demeurent beaucoup trop peu nombreux pour faire apparaître les étapes de l'évolution, et même ses phases principales. Tout change ensuite.

Ce qu'on appelle la renaissance carolingienne, c'est-à-dire un effort délibéré pour donner dans les pays francs une vigueur nouvelle au corps ecclésiastique, et à l'État qui n'en était guère distinct, en revivifiant, en recréant même les institutions scolaires, en restaurant des pratiques administratives fondées sur un usage régulier de l'écriture, fit brusquement se multiplier des textes beaucoup plus clairs. Beaucoup plus durables aussi, car ils étaient rédigés sur une matière solide, le parchemin. En fait, de ceux qui concernaient la vie rurale, beaucoup ont été conservés. L'essentiel de ce que nous pouvons savoir repose sur eux.

N'exagérons pas pourtant le nombre de ces documents : ils se comptent par dizaines. En outre, ils ont tous été composés dans l'entourage du souverain carolingien et des églises les plus proches de lui, ce qui localise assez étroitement ces sources. Hors de l'Empire, en effet, rien ne vient dissiper l'obscurité : de la vie des campagnes anglo-saxonnes, on sait seulement ce qu'apprennent les très rares chartes qui garantissaient les droits du roi, c'est-à-dire fort peu de choses. Et dans l'Empire même, de vastes régions sont à peu près vides de documents écrits. C'est le cas en particulier de toute la moitié méridionale de la Gaule, mal tenue par les souverains francs, peu pénétrée par le mouvement de rénovation des études. La Bavière, les pays lombards, où les traditions culturelles héritées de l'antiquité romaine se maintenaient plus vivaces, sont moins défavorisées. Cependant, la région privilégiée, celle où sont concentrées la plupart des sources et les plus explicites, se situe entre le Rhin et la Loire. C'est là seulement que l'on voit un peu clair. Encore n'y peut-on observer que quelques secteurs, fort limités, du monde rural : les indications portent presque toutes sur la gestion des très grosses fortunes financières. La part d'incertitude, on le voit, reste énorme, et nombre de questions demeureront toujours sans réponse.

Les espoirs sont minces, en effet, de faire encore, dans cette période de l'histoire rurale, d'importantes découvertes. Les archives ont à peu près livré tous leurs secrets, et les méthodes d'interprétation des textes ne risquent guère d'être sensiblement perfectionnées. Dans cette première partie, ma tâche sera donc relativement simple. Indiquer sommairement l'état des connaissances acquises, proposer quelques réflexions, émettre ici et là des hypothèses, signaler les points où la recherche pourrait être poussée un peu plus avant, délimiter enfin les rares secteurs où les disciplines annexes ont quelques chances de prolonger l'enseignement des documents écrits, c'est le but des pages qui vont suivre.

CHAPITRE PREMIER

LE TRAVAIL ET LA TERRE

1. L'occupation du sol. Systèmes de production et organisation des terroirs

Un premier fait, bien assuré : dans la civilisation de ce temps, la campagne est tout. De vastes contrées, l'Angleterre, la Germanie presque tout entière, sont absolument sans villes. Il en existe ailleurs : d'anciennes cités romaines, moins profondément dégradées dans le sud de l'Occident, ou bien de toutes jeunes bourgades de trafic qui viennent de naître le long des fleuves menant aux mers du Nord. Mais sauf quelques exceptions lombardes, ces « villes » paraissent toutes des agglomérations dérisoires, qui rassemblent au plus quelques centaines d'habitants permanents, et qui vivent profondément engagées dans la campagne. Vraiment, elles ne s'en distinguent point. Les vignes les ceinturent, les champs les pénètrent ; elles sont pleines de bestiaux, de granges, de garçons de cultures. Tous les hommes, même les plus riches, les évêques, les rois même, et les rares spécialistes, juifs ou chrétiens, qui dans les cités font le métier du commerce à longue distance, tous demeurent des ruraux, dont l'existence est rythmée par le cycle des saisons agricoles, dont toute la subsistance dépend de la terre nourricière,

N. B. — Les articulations de l'orientation bibliographique permettent déjà de repérer les ouvrages qui soutiennent les diverses parties de l'exposé, et qui convient à en prolonger la lecture. On trouvera en note quelques références plus précises. Le chiffre qui suit le nom de l'auteur donne le numéro d'ordre de l'ouvrage dans la liste bibliographique.

et qui en tirent immédiatement toutes leurs ressources.
L'historien de cette époque n'a donc pas à poser le
problème, si préoccupant aux périodes suivantes, des
rapports économiques entre ville et campagne.

Il est sûr aussi qu'il s'agit bien partout de *campagnes*
— c'est-à-dire d'un paysage aménagé par l'homme
autour de points d'établissement fixes. L'Occident du
IXe siècle est peuplé dans son ensemble par une paysannerie stabilisée, enracinée. Non qu'il faille se la représenter tout à fait immobile : dans la vie rustique, une
large place s'ouvre au nomadisme. A la belle saison,
les « remues » pastorales ou les charrois entraînent
beaucoup de paysans dans des déplacements parfois
lointains ; d'autres s'engagent dans des équipées
périodiques de cueillette, de chasse ou de rapines, à
la quête d'un butin, d'un surcroît de provende :
une part de la population rurale participe alors chaque
été aux aventures guerrières. Cependant, pour la
plupart des hommes, le nomadisme est latéral, saisonnier. Ils vivent le plus grand nombre de leurs
jours sur une terre qui est celle de leur famille, dans
un terroir organisé. On les sent établis dans un village.

En effet, l'existence du campagnard se déroule très
exceptionnellement dans un habitat solitaire ; les
maisons apparaissent plus ou moins proches les unes
des autres, mais très rarement isolées ; la règle est le
groupement. Certains historiens, davantage de géographes (en France surtout où l'histoire et la géographie demeurent, pour leur commun profit, heureusement alliées), soucieux de trouver dans le plus ancien
passé une explication des structures agraires d'aujour-
d'hui, ont pu repérer ici et là, à travers les sources
du très haut Moyen Age, différents types de peuplement, par gros villages ou par hameaux plus modestes.
Oppositions qui furent sans doute commandées à la
fois par l'allure du sol et par les habitudes sociales [1].
Les patients travaux d'A. Déléage donnent, appliqués
au cas bourguignon, un excellent exemple de la difficulté de ces recherches, de leur témérité peut-être, en
tout cas de leur fécondité [2]. Voici l'un de ces champs
d'études où les procédés d'observation les plus divers
viennent éclairer l'enseignement souvent très laconique

1. JUILLARD, 161.
2. DÉLÉAGE, 207.

des textes. Il serait bon qu'il fût largement exploré. Mais dans l'état actuel des investigations, il paraît bien que ce sont les villages, quelle que fût leur taille, qui constituèrent, au IXᵉ, au Xᵉ siècle, le cadre normal de l'existence. Dans l'Angleterre saxonne, par exemple, le village servait de base aux perceptions, aux réquisitions rurales. Autour de ces points fixes, partout s'ordonnait l'aménagement du terrain, et notamment le réseau des chemins et des pistes qui, dans le paysage d'aujourd'hui, apparaît comme le vestige le plus tenace des structures agraires anciennes, le support le plus solide d'une étude archéologique des terroirs.

En Europe occidentale, les prospections commencent à peine, qui permettront un jour de connaître moins mal ce que fut la maison campagnarde médiévale. Certains indices donnent à penser déjà que, sauf aux abords de la Méditerranée où l'on construisait en pierres, les habitations des hommes étaient, au haut Moyen Age et même dans des temps moins reculés, des huttes de branchages et de terre, fragiles et éphémères : au début du XIIIᵉ siècle encore, un paysan anglais fut condamné pour avoir détruit la maison d'un de ses voisins en coupant seulement les poutres centrales[1]. Pourtant les villages ne changeaient point de site, et ceci, semble-t-il, pour deux raisons. D'abord parce que l'aire du village se trouvait placée dans un statut juridique particulier, différent de celui des terres environnantes, et jouissait de privilèges coutumiers qui rendaient ses limites intangibles[2]. Les historiens du droit ont montré que l'agglomération était constituée d'une juxtaposition de ces parcelles que la plupart des textes carolingiens désignent par le mot *mansus*, et que les dialectes paysans du Moyen Age plus proche nomment *meix*, *Hof*, *masure*, *toft*... Entendons par là des enclos, solidement enracinés par leur enceinte permanente de palissade ou de haie vive soigneusement entretenue, des asiles protégés, défendus, dont la violation était punie par les peines les plus graves, des îlots réservés, dont les occupants se prétendaient les seuls maîtres, aux bornes desquels s'arrêtaient les servitudes collectives, les exigences des chefs et des seigneurs. Ces clôtures, qui offraient un refuge aux

1. *Earliest Lincolnshire assize rolls, 1202-1209* (Éd. Stenton), p. 108.
2. Saint-Jacob, 161 ; Bader, 475.

richesses, au bétail, aux réserves de provisions, aux hommes endormis, qui les protégeaient contre les dangers naturels et surnaturels, et qui, jointes ensemble formaient le noyau villageois, traduisent la fixation sur un terrain d'une société dont la famille constituait la cellule maîtresse. Ajoutons que vraisemblablement, c'était l'occupation d'un de ces manses qui donnait place dans la communauté du village dont le droit collectif s'étendait sur l'ensemble des terres environnantes. En revanche, restaient tenus à l'écart, comme des habitants de seconde zone, les nouveaux venus, installés hors des enclos. N'est-ce point ceux-ci que les inventaires du IXᵉ siècle appelaient déjà les « hôtes », c'est-à-dire des gens d'ailleurs, dont on tolérait la présence, mais qui n'étaient point intégrés au groupe villageois et ne participaient pas à tous ses droits ?

Ces stricts cadres juridiques, qui empêchaient la colonisation de s'opérer par ordre dispersé, freinaient donc considérablement les déplacements de l'habitat. Sa stabilité dépendait aussi d'un second facteur, celui-ci de nature économique. Les terres qui avoisinaient immédiatement les habitations et les étables étaient, en effet, spécialement précieuses et fécondes. Par sa seule proximité, l'agglomération paysanne se montrait fertilisante : les déchets des ménages, les allées et venues du bétail domestique entretenaient autour du lieu de résidence, et précisément parce qu'il était stable, une fertilité continue ; en outre, ces mêmes terres, toutes proches des demeures, pouvaient être plus assidûment travaillées. Nulle part ainsi, le milieu naturel ne se trouvait plus profondément modifié pour les besoins de l'homme ; l'engrais et le fréquent bêchage avaient créé là un sol artificiel, y avaient installé une flore particulière et privée. Chaque enclos d'habitation enfermait donc et protégeait les « courtils », les « verchères », « les clos », c'est-à-dire des parcelles constamment cultivées, où le sol n'était jamais laissé en repos et où, à l'abri, dans un milieu spécialement propice, poussaient les plantes fragiles, les herbes et les racines de la nourriture quotidienne, le chanvre, la treille de vigne. Ces parcelles s'avéraient de beaucoup les plus nourricières, et l'auréole de jardinage qu'elles constituaient autour de lui contribua fortement à fixer le village.

⁎

Au-delà des haies, la nature rustique subissait également une discipline, mais bien moins stricte. Sans la dompter, l'homme pouvait, en effet, tirer d'elle une bonne part de sa subsistance. Le fleuve, le marais, la forêt et la broussaille offraient à qui voulait et pouvait les prendre de larges réserves, poisson, gibier, miel, et tant d'autres nourritures d'occasion. Il importerait d'examiner attentivement dans les textes de l'époque carolingienne, mais aussi dans des sources plus récentes, tout ce qui permet de mesurer plus exactement la place que tenaient la chasse, la pêche, la cueillette dans l'activité du campagnard de ce temps. Tout laisse croire que ce dernier maniait autant l'épieu, les rets ou le bâton fouisseur que la charrue. Vers 1180 encore, dans son traité *Du nom des outils*, Alexandre Neckham, maître anglais aux écoles de Paris, n'énumérait-il pas les filets, les lignes et les lacets pour prendre lièvres, biches et daims, parmi les ustensiles habituels du ménage paysan ? Il est certain que la forêt du haut Moyen Age, très clairsemée, toute trouée de clairières, et où, par une gamme de formations végétales intermédiaires, la haute futaie se dégrade en herbage, constitue pour l'économie domestique un arrière-fond indispensable. Outre les vivres qu'elle offre généreusement aux cueilleurs et aux chasseurs, elle fournit la nourriture principale des bestiaux. Les moutons y vont paître, on y lâche également les gros animaux, chevaux et bovins, nourris pour la guerre ou le travail. Les porcs surtout vivent du bois. En Germanie, on appelle alors septembre « le mois des bois », parce que c'est celui où les glands sont mûrs [1]. Or, dans de vastes contrées du nord de l'Europe, il semble bien que le lard occupait, au IXe siècle, une large place dans l'alimentation des hommes. Le troupeau de porcs, qui produit la viande et la graisse, forme donc, à cette époque et dans ces régions, l'un des éléments principaux de toute exploitation grande ou petite : on ne compte pas moins de seize articles concernant les vols de porcs dans la loi salique. En fait, l'archéologie agraire donne à penser que, dans de nom-

---

1. Timm, 528, p. 51.

breux villages, spécialement dans les pays du Nord-Ouest et du Nord-Est, en Angleterre, en Frise, en Saxe, il n'existait pas de véritables terroirs, et que les jardins seuls étaient cultivés. Et au XIᵉ siècle encore, on connaît dans les *Fens* anglais, dans le Wash, dans le lit inondable de la Saône, des agglomérations qui ne vivaient que de la pêche [1].

Presque partout pourtant, au jardinage et à la quête des fruits spontanés de la nature s'alliait un effort de mise en valeur de la terre qu'imposaient les habitudes alimentaires. On connaît encore mal ce que mangeaient les hommes du haut Moyen Age en Europe occidentale, en dehors des communautés monastiques, dont le régime était peut-être exceptionnel. Belle enquête à conduire, et des plus urgentes : les progrès de l'histoire de l'économie rurale en dépendent. Il est évident que, dès cette époque, les hommes ne se nourrissaient pas de ce qu'ils pouvaient trouver par hasard ; ils s'efforçaient, au contraire, de tirer de la terre ce que la coutume leur imposait de consommer. R. Dion a montré que l'expansion de la viticulture en Gaule fut commandée par les pratiques de société en usage parmi les nobles, qui mettaient leur point d'honneur à boire du bon vin et à en offrir à leurs hôtes. Mais à des niveaux beaucoup plus humbles, tout le système de production rurale s'organisait aussi en fonction des convenances sociales qui réglaient les pratiques alimentaires.

Les indications des textes (mais il faudrait chercher plus loin, interroger aussi, comme on l'a fait ailleurs, en Pologne par exemple, les vestiges archéologiques) attestent l'usage universel du pain comme nourriture de base, même dans les régions les moins civilisées de la chrétienté latine. Voici, choisis parmi bien d'autres, deux écrits qui se répondent : un édit rendu en 844 par Charles le Chauve en faveur du bas clergé de Septimanie établit que l'évêque pouvait réquisitionner à chaque étape, au cours de ses tournées pastorales, dix poulets, cinquante œufs, cinq cochons de lait — mais d'abord cinquante pains ; selon un passage des lois du roi Ine, un village anglo-saxon devait livrer pour la consommation royale dix moutons,

---

1. Tel village fournissait tous les ans à l'église d'Ely une rente de 27 150 anguilles, DARBY, 33, p. 202.

dix oies, vingt poules, dix fromages, dix mesures de miel, cinq saumons et cent anguilles — mais d'abord trois cents miches [1]. Sans doute s'agit-il ici d'un évêque, là d'un roi, et il serait imprudent, à propos d'un monde où la hiérarchie sociale s'exprimait d'abord par la qualité des nourritures, d'en déduire aussitôt que le pain tenait une place équivalente dans l'alimentation des gens du commun. Mais tout laisse supposer que ceux-ci, sauf peut-être dans les contrées septentrionales demeurées plus sauvages et, partant, forestières et pastorales, consommaient davantage encore de céréales que les riches. Au témoignage de tous les textes, en effet, les légumineuses, les pois, les vesces, les fèves, les « herbes » et les « racines », ancêtres de nos actuels légumes, dont on glorifie les ermites de se contenter, la viande enfin, la part agréable de l'alimentation, dont les clercs ont grand-peine à faire respecter l'abstinence, ne constituent que le *companaticum*, l'accompagnement du pain. Celui-ci était considéré comme l'essentiel.

On voit assez clairement qu'il n'était pas seulement fabriqué avec du froment, du seigle ou de l'épeautre, mais avec beaucoup d'autres céréales mineures, avec l'orge, avec l'avoine même, qui servait alors sans doute beaucoup plus à la nourriture des hommes qu'à celle des bestiaux. Il est moins facile de discerner dans quelle mesure tous ces grains se trouvaient aussi consommés sous forme de bouillies. Mais pour la production de ces nourritures, pour le brassage des cervoises, qui constituaient la boisson habituelle dans toute la portion septentrionale de l'Occident et qui souvent, épaisses comme des soupes, tenaient lieu de nourriture autant que de breuvage, les paysans du IXe siècle devaient cultiver des céréales, bien que les aptitudes climatiques ne fussent pas toujours des plus favorables. Autour des villages, il leur fallait aménager des champs. Au milieu des bois et des pâtures, le plus près possible des demeures, les quartiers les mieux exposés, les plus faciles à travailler avaient donc été défrichés.

On y voyait parfois installées sur les meilleures parcelles constamment encloses quelques vignes pour les maîtres, partout où le climat n'interdisait pas aux

1. STENTON, 219, p. 285.

raisins de mûrir. En outre, dans les parties les plus humides, s'étendaient des prairies de fauche, dont le foin fournissait, avec ce que l'on pouvait couper d'herbes et de roseaux dans les marais, la nourriture d'hiver du gros bétail. Toutefois, vignes et prés ne couvraient jamais qu'une étendue fort restreinte dans le terroir, car ce qui comptait, c'étaient les céréales, et presque tout l'espace organisé se trouvait réservé à leur culture. Il importait aussi de protéger ces champs contre le dégât des troupeaux ou des animaux sauvages. On les voit donc isolés des terrains non aménagés, ouverts au pacage, par des clôtures qui, dans les pays francs, semblent avoir été généralement temporaires. Lorsque l'herbe poussait, lorsque les blés levaient, on dressait ces défenses mobiles de bois sec (la loi salique prévoit des peines contre ceux qui les voleraient ou les incendieraient) et l'on élevait les signes qui interdisaient aux bergers d'y mener leur bétail. Pendant une saison, ces parcelles apparaissaient ainsi, comme les jardins clos du village, des aires réservées à leur seul possesseur. Mais après la récolte, on abattait signes et clôtures, les parcelles retournaient pour un temps à l'exploitation pastorale ; elles se trouvaient un moment réincorporées à la vaste zone des étendues libres [1]. Plus ou moins étendu selon que les hommes avaient coutume de manger plus ou moins de pain, l'espace agricole apparaît ainsi comme un prolongement limité et temporaire de l'aire des jardins et de la possession privée aux dépens de la nature vierge, livrée à l'usage collectif.

Peut-on espérer délimiter un jour, même dans les zones les mieux éclairées par les sources, la portion de l'aire villageoise qu'occupaient alors les champs cultivés ? Le vocabulaire des inventaires seigneuriaux, que scrutait P. de Saint-Jacob, ne paraît pas devoir révéler beaucoup en ce domaine [2]. Plus fruc-

---

1. Sur les clôtures et les signes (*Wiffa*), *Lex Baiuwariorum*, X, 15, 16 ; sur la vaine pâture, et la nécessité d'abattre les haies, *M.G.H.*, *Capitularia Regum Francorum*, I, 20, 17. Des clôtures permanentes délimitaient parfois les grands quartiers défrichés, dont une part seule était chaque année cultivée, et close alors de barrières temporaires, SCHRÖDER-LEMBKE, 218 *a*.
2. SAINT-JACOB, 244, p. 425 et suiv. ; L. CHAMPIER, « Protohistoire et géographie agraire. Essai de datation des plus anciens terroirs d'Europe occidentale », dans *Rhodania*, 1959.

tueuses peut-être seraient les méthodes agrométriques proposées par L. Champier, et surtout l'examen direct, avec le concours des pédologues, des botanistes et des toponymistes, des quelques terroirs d'Occident que décrivent les moins laconiques des documents carolingiens d'administration domaniale. On entrevoit déjà que partout cette part était réduite et ménageait une large place à la végétation libre, à la forêt, aux pâtures dont la présence « avait contribué à former cette combinaison d'agriculture et d'élevage qui est le principal trait [1] » de l'économie rurale d'Occident. Dans bien des régions sans doute, les conditions naturelles, la jeunesse de la colonisation, l'adoption moins précoce peut-être d'un régime alimentaire à base céréalière, donnaient dans cette combinaison une nette prépondérance à la vocation pastorale. C'était le cas vraisemblablement de l'Angleterre presque entière, où le bétail faisait la vraie richesse des paysans et des seigneurs, spécialement dans les Highlands, les collines du Dorset, du Somerset, des Cotswolds. C'était le cas de toute l'Allemagne du Nord-Ouest, où régnait alors un système sylvo-pastoral, dans lequel les labours comptaient à peine. Cependant, la règle semble bien l'alliance indissoluble [2]. Labourage et pâturage, *ager* et *saltus*, *Allmende* (les bois et les pâtis ouverts à l'usage collectif de la communauté de village) et *Gewannen* (les quartiers labourables), « gagnage » et « communs », l'union apparaît en effet constante, fondamentale tout au long du Moyen Age. Trois zones pour ainsi dire concentriques, l'enclos du village, les « coûtures », c'est-à-dire l'espace céréalier, une large ceinture inculte enfin, telle était l'image que l'auteur des *Annales Cameracenses*, à la fin du XIIe siècle, conservait du village de son enfance [3]. Trois zones où la présence humaine, l'effort humain s'atténuent peu à peu à mesure que l'on s'éloigne du centre habité, mais trois zones également utiles, également nourricières.

---

1. Vidal de la Blache, « Les genres de vie et la géographie humaine », dans *Annales de Géographie*, 1911.
2. Timm, 528.
3. *M.G.H., S.S.*, XVI, 511-512.

2. LES HOMMES ET LEUR NOMBRE

Dans cette nature dont l'aménagement restait partiel, les hommes étaient-ils nombreux? Il faut se résoudre à l'ignorer toujours. Toute estimation numérique, en effet, même approximative, s'avère impossible. Aucun chiffre, même le plus grossier, ne peut être avancé ni retenu. La recherche vient ici buter tout de suite contre une incertitude très grave, si l'on songe que l'économie de ce temps doit être observée et interprétée, sans que puisse entrer en jeu une donnée pourtant fondamentale, la démographie.

Selon l'opinion actuellement la plus commune aux historiens, l'Europe carolingienne aurait été fort peu peuplée. Cette impression se fonde sur l'exemple de l'Angleterre, pour laquelle ce document extraordinaire qu'est le *Domesday Book* fournit à la fin du XIe siècle une ébauche de dénombrement. On y décèle une densité de population très faible, et rien n'autorise à supposer qu'elle ait été plus élevée au IXe siècle. On peut admettre que les franges du Nord-Est de la chrétienté, la Saxe, la Germanie centrale, aussi près de la sauvagerie que l'était alors l'Angleterre, ne se trouvaient pas non plus fortement occupées. Mais l'Aquitaine? Mais la Bourgogne? Mais les pays d'entre Loire et Rhin?

Dans cette dernière région, beaucoup mieux éclairée par les textes, l'observation n'est pas tout à fai impossible. Certains inventaires, certaines descriptions de domaines, celles qui furent dressées par les administrateurs les plus soigneux, les plus intelligents, qui sentaient le besoin d'une évaluation précise des ressources en main-d'œuvre, fournissent quelques repères démographiques, donnent la liste des corvéables, décrivent les familles des tenanciers. C'est le cas, par exemple, du plus célèbre et du mieux confectionné de ces inventaires, le polyptyque établi pour les domaines de l'abbaye parisienne de Saint-Germain-des-Prés au temps de l'abbé Irminon, au début du IXe siècle. Or, l'impression qui se dégage de ces dénombrements partiels n'est pas du tout celle d'un étiolement, ni même d'une stagnation. La population qu'ils décrivent paraît au contraire dense et vigoureuse.

Ils engagent donc à apporter de fortes retouches à l'image trop simple d'une dépression démographique uniforme.

Pour inciter à étudier de plus près ces textes, tirons-en deux exemples de forte densité. Dans huit villages que possédait l'abbaye de Saint-Germain-des-Prés autour de Paris, les enquêteurs carolingiens, qui laissaient de côté le personnel domestique certainement très important dans les maisons seigneuriales, ont dénombré quatre mille cent paysans. Au XVIIIe siècle, à une époque où le voisinage d'une grande ville entretenait ici des conditions démographiques exceptionnellement favorables, on comptait cinq mille sept cents âmes dans ces mêmes localités. Le second exemple vient du Midi et du Xe siècle : l'acte de repeuplement d'une vallée des Pyrénées catalanes, autour du monastère de San Juan de las Abadessas, rédigé en 913, nomme cent soixante ménages paysans et cent cinquante-six individus isolés établis sur quelque cinquante kilomètres carrés, dans une région qui n'est pas précisément fertile (mais qui, aux frontières du brigandage islamique, se trouvait peut-être alors exceptionnellement encombrée de réfugiés [1]. Sur certains terroirs, on le voit, l'occupation du sol pouvait être donc fort serrée.

Trop serrée même. Un surpeuplement qui paraît résulter d'une croissance récente se trouve attesté par d'autres indices, et en particulier par la surcharge démographique des unités d'exploitation, que les documents du temps appellent des manses. Ces unités fiscales, qui auraient dû correspondre aux capacités d'une seule famille paysanne, paraissent, dans de très nombreux inventaires du IXe et du Xe siècle, occupées en fait par plusieurs ménages associés. Dans les Ardennes, c'est-à-dire sur un sol certainement beaucoup moins fécond que ne l'était le cœur très fertile de la région parisienne, un village appartenant à l'abbaye de Prüm, Villance, est décrit dans un polyptyque établi en 892-893. On y comptait cent seize familles de dépendants établis sur trente-cinq manses entiers ; quatre-vingt-huit familles se pressaient sur vingt-deux manses, et quinze familles sur cinq autres ; cinq manses seulement

1. F. Udina Martorel, *El archivo condal de Barcelona en los siglos IX-X*, p. 160-161.

étaient occupés par deux familles et trois par une seule.
Au témoignage de la plupart des enquêtes seigneuriales,
le manse carolingien était surpeuplé [1]. Cette disparité
entre le nombre des unités d'exploitation et de perception et celui des ménages porte à croire que la population rurale s'accroissait naturellement dans certaines
régions. Quelques indications chiffrées des inventaires
permettent d'estimer la vigueur de cette croissance.

Il y a plus d'un siècle, B. Guérard avait déjà tenté
d'interpréter les données démographiques contenues
dans le polyptyque d'Irminon. Ce document énumère
deux mille quatre-vingt-huit ménages et dix mille
vingt-six individus, ce qui donne en moyenne un peu
plus de quatre personnes à chaque famille, les enfants
étant cinq mille trois cent seize et les parents quatre
mille sept cent dix [2]. Le taux de croissance n'apparaît
donc pas négligeable. Plus récemment, A. Déléage,
dénombrant les serfs mentionnés dans les textes bourguignons du Xe siècle, a poursuivi l'enquête. Il a compté
trente-quatre célibataires et cent trente-cinq ménages ;
parmi ceux-ci, sept seulement n'avaient pas d'enfants.
Les documents font entrevoir la composition de quatre-
vingts familles ; ils attribuent un enfant à vingt d'entre
elles, deux à vingt-deux, trois à seize... : au total près de
trois enfants par ménage. Trois cent quatre adultes,
trois cent quatre-vingt-quatre enfants : dans ces proportions, la population se serait accrue d'un huitième
à chaque génération [3]. En vérité, le traitement que ces
deux historiens ont fait subir aux sources numériques
demeure fort rudimentaire. Notons bien, en outre, que
les chiffres contenus dans les documents de ce temps
reflètent très imparfaitement la réalité. Sait-on si les
rédacteurs d'inventaires ou de chartes enregistraient
avec précision les tout petits enfants à la mamelle dont
les espérances de vie étaient très limitées ? Ne se sou-

1. PERRIN, 189 et 242.
2. *Polyptyque de l'abbé d'Irminon*, I, *Prolégomènes*, p. 897.
3. DÉLÉAGE, 207, p. 576 ; D. HERLIHY propose d'utiliser un autre
indice de la croissance démographique et du surpeuplement progressif
des villages dans la France du Sud et en Italie (215) : c'est la multiplication des transactions foncières ; l'extension de la famille morcelle les
exploitations, incite à remember, à échanger, à vendre, hausse le
degré de fluidité de la possession foncière. La méthode mérite attention. Mais le matériel documentaire utilisé dans cet article paraît
trop dispersé et discontinu pour que l'orientation générale des gra-
phiques qui l'accompagnent soit tout à fait convaincante.

ciaient-ils pas seulement des individus utiles qui pouvaient aider le maître ? Les critères d'appréciation variaient d'ailleurs sans doute d'un inventaire à l'autre.
Quoiqu'il en soit cependant, et même en interprétant
les sources avec la plus grande rigueur, celles-ci
montrent incontestablement, dans certains villages, des
familles paysannes fécondes.

Certes, la fécondité n'est pas le seul facteur de croissance, et pour être tout à fait sûr que le taux d'accroissement naturel ne se situait point, au IXe siècle, à un
niveau très bas, il faudrait posséder sur la mobilité des
populations rurales, sur les incitations à l'émigration,
sur les structures familiales, et spécialement sur la
nuptialité, des connaissances dont nous manquons
absolument. N'empêche que les notations très gros-
sières des enquêtes, lorsqu'on les confronte à l'évident
encombrement des unités d'exploitation, invitent à
conclure que presque toutes les seigneuries foncières
décrites par les administrateurs des grandes églises im-
périales supportaient, aux temps carolingiens, une forte
population paysanne.

Il serait toutefois bien téméraire de considérer l'état
démographique révélé par certains passages de polyptyques comme l'état moyen normal, d'attribuer à l'ensemble de l'Occident, ou même à toute la région d'entre
Loire et Rhin, des densités équivalentes, de calculer,
comme le fit jadis F. Lot, en partant de ces densités
locales, des densités générales [1]. L'étude attentive des
inventaires les plus précis et dont le champ est le plus
ouvert — la comparaison, par exemple, dans le polyptyque d'Irminon, entre les domaines de la région parisienne et ceux, beaucoup plus disséminés au sein de la
nature moins domestiquée, que l'abbaye possédait aux
confins du Perche, manifeste en effet que l'équipement
en main-d'œuvre des seigneuries rurales accusait de
vives inégalités d'un pays à l'autre. Les sources écrites
montrent déjà certaines contrées beaucoup plus vides
que d'autres. Elles autorisent à imaginer, pour l'ensemble de l'Occident, une occupation du sol très variable et marquée de brusques contrastes. De larges
espaces demeuraient sans doute complètement déserts.
Ailleurs, le semis des agglomérations paraît avoir été

1. F. Lot, Conjectures démographiques sur la France au
IXe siècle , dans *Le Moyen Age*, 1921.

lâche, et surtout très discontinu. Certains villages rassemblaient peut-être alors autant d'habitants qu'aux temps modernes. En revanche, selon toute apparence, ils se trouvaient nettement moins nombreux et fort irrégulièrement répartis par constellations assez serrées sur les sols favorables, mais que séparaient largement les unes des autres de vastes zones de solitude. Ici, des îlots surpeuplés, où la croissance biologique stimulée par la prospérité agraire faisait se presser les hommes aux lisières de la disette ; là, des espaces vides très imparfaitement exploités. Telle est l'hypothèse la moins fragile.

Mais l'image d'un peuplement sporadique, la moins trompeuse, correspond aussi à ce que l'on devine du système de production, à la nécessité en particulier de laisser autour des clairières cultivées de vastes étendues libres pour les pâtures et la cueillette. L'obligation de sauvegarder cet environnement inculte explique sans doute que l'espace aménagé ne paraisse pas alors en voie d'élargissement. En dépit d'une tendance naturelle probable à l'expansion démographique, les entreprises de conquête agraire semblent bien avoir été extrêmement rares. Dans tous les textes de ce temps, dont beaucoup servaient de guides à l'exploitation seigneuriale, ou qui visaient à accroître les profits du maître, on rencontre très rarement des allusions aux défrichements, à des fûts abattus, à des friches labourées (sauf en Septimanie, aux lisières de l'Islam, où les Carolingiens accueillaient systématiquement les réfugiés chrétiens et les fixaient sur des terres neuves [1] ; sauf peut-être en quelques contrées de Germanie, ce pays tout neuf qui sortait alors de la sauvagerie la plus barbare). Ici et là — et l'on peut penser pourtant que les rédacteurs des polyptyques se montraient très attentifs à noter ces progrès —, quelques champs nouveaux apparaissent aux extrémités de la clairière cultivée [2], mais on les devine toujours tout petits, très rares, et cette avance timide se trouvait souvent compensée ailleurs par l'offensive mal contenue de la forêt.

L'enseignement, fort circonscrit, des documents écrits peut d'ailleurs sur ce point s'appuyer solidement

---

1. Dupont, 211.
2. Mention de défrichements dans *Capitularia Regum francorum*, I, 77. c. 19 ; I, 277, c. 12.

sur l'étude des sites occupés par l'homme et en particulier sur ces enquêtes qu'ont menées et que mènent encore les géographes français [1]. D'ailleurs, pour les immenses régions où manquent les textes, seules l'observation archéologique de l'habitat, l'estimation par la toponymie de l'âge des établissements humains, la délimitation des espaces alors mis en valeur fournissent des données sur la densité du peuplement pendant ces époques obscures. L'état présent de ces recherches révèle qu'étaient alors à peu près seuls exploités en culture continue, et donc aptes à supporter des agglomérations permanentes, les sols très meubles, faciles, que l'on pouvait fouir sans trop de peine, où l'eau s'égouttait d'elle-même, où la végétation naturelle ne poussait pas trop drue. Les contrées heureuses, où de tels sols prédominent, supportaient sans doute des densités de population rurale qui ne se tenaient pas à un niveau très inférieur à celui du XVIIIe siècle. En revanche, les terres lourdes, trop grasses ou trop humides qui, pour porter des céréales, doivent être d'abord drainées étaient le plus souvent laissées vierges. Très peu d'hommes sans doute vivaient dans les pays recouverts par de tels sols. En Angleterre, les champs occupaient les alluvions légères des vallées, mais des prairies et des bois couvraient presque entièrement les épais limons qui les entourent. En Flandre, la discontinuité du revêtement limoneux imposait à l'occupation du sol un caractère très lacunaire ; sur les domaines de Saint-Bavon de Gand, les exploitations agricoles, incapables de gagner sur les terrains moins faciles, demeuraient de taille médiocre [2].

Sans compensations possibles pour absorber le surcroît de naissances, les communautés de village apparaissent donc alors comme bloquées. Ce n'était pas les entreprises de défrichement, le départ d'essaims colonisateurs, mais les mortalités épisodiques, les accidents militaires, et de plus en plus, dans la deuxième moitié du IXe siècle et au Xe, les raids des envahisseurs [3],

---

1. Voir en particulier R. DION, 48. Les observations pédologiques peuvent sur ce point apporter un concours très précieux à l'histoire agraire.

2. DARBY, 33, p. 129 et suiv. ; VERHULST, 220.

3. A Villance, dans les Ardennes, après le passage des Normands, quinze manses étaient vides d'habitants.

qui venaient soulager périodiquement la pression démographique. Cette situation semble celle d'une
paysannerie mal pourvue d'outils efficaces et pour cela
peu capable de dompter la végétation naturelle.

3. L'OUTILLAGE

En posant la question de l'outillage, on aborde un
domaine dont l'exploration paraît indispensable à qui
veut comprendre les mécanismes de la production.
Malheureusement, ce domaine reste pour la période
carolingienne à peu près inexploré. Marc Bloch, jadis,
avait entrepris dans les pays français de premières
reconnaissances, qui se révélèrent très fécondes, et
ouvert quelques avenues. On ne peut dire qu'il ait été
beaucoup suivi. Une enquête systématique sur les
techniques de la terre serait pourtant des plus urgentes,
car elle seule permettrait de saisir certains des faits qui
forment le soubassement de toute l'économie, et l'on
peut dire de toute la civilisation de l'Occident médiéval.
Voici donc l'un des premiers champs où devraient se
développer les recherches nouvelles. Recherches à vrai
dire aussi difficiles et aussi décevantes que celles
requises par la démographie de cette époque ; il ne
semble pas que l'on puisse en attendre beaucoup.
Notre ignorance actuelle tient en effet à ce que les
documents sont sur ce point très laconiques et qu'il
faut les solliciter longuement avant qu'ils ne livrent
quelques pauvres et fragmentaires indications. Tentons
pourtant, comme base de départ, de fixer brièvement ce
que l'on entrevoit dans le secteur le mieux éclairé par
les textes, à l'intérieur des grandes exploitations royales
et ecclésiastiques des provinces carolingiennes, que l'on
peut tenir pour les plus rationnellement gérées et situées
alors tout à l'avant-garde de la technique.

On voit assez clairement comment ces seigneuries
étaient équipées en instruments de meunerie. Les inventaires, en effet, fournissent sur ce point des renseignements nets, et ceux-ci avaient spécialement retenu
l'attention de Marc Bloch [1]. L'installation d'un moulin
à eau constituait certainement une entreprise délicate
et coûteuse : l'aménagement des biefs, le transport, la

---

1. GILLE, 101.

taille, la mise en place des pierres meulières imposaient
de lourds investissements, et l'entretien des mécanismes d'entraînement nécessitait aussi des dépenses
régulières. Pourtant de tels engins n'étaient pas rares
dès le IXᵉ siècle dans les grands domaines, et il apparaît
même que le nombre des moulins hydrauliques s'accroissait alors rapidement autour de Paris : des cin-
quante-neuf moulins inventoriés dans le polyptyque de
Saint-Germain-des-Prés, huit venaient d'être construits
et deux récemment rénovés par l'abbé Irminon. Notons
en outre que l'abbé Adalard de Corbie, se préoccupant
de mieux ordonner l'économie de son monastère, attachait un très grand intérêt aux moulins. En effet, les
administrateurs avisés, qui possédaient les moyens de
faire construire ces installations, savaient pouvoir en
tirer grand profit.

Ne parlons pas des longues journées jadis gaspillées
par les domestiques pour broyer les grains à la main,
et dont les meules animées par l'eau courante permettaient désormais de faire l'économie. Les maîtres sans
doute attachaient plus d'importance au surcroît de
revenus qu'ils pouvaient attirer de l'extérieur s'ils plaçaient les moulins du domaine à la disposition des
exploitations paysannes d'alentour en échange d'une
redevance. Ces profits pouvaient accroître très fortement les recettes domaniales. Considérons une seigneurie royale du nord de la Gaule, Annapes, dont nous
avons conservé la description ; les cinq moulins et la
brasserie faisaient rentrer chaque année dans les greniers seigneuriaux autant de grains que l'on en récoltait
sur les immenses labours du domaine. A Villemeux, les
meuniers au service de Saint-Germain-des-Prés livraient
tous les ans une quantité de céréales panifiables égale à
tout le froment que l'on semait sur les champs du
maître. L'importance de ces perceptions (autre preuve,
et la plus convaincante, de la prédominance du pain
dans l'alimentation populaire en certaines régions)
prouve le succès des installations mécaniques et montre
que, malgré les taxes et le prélèvement qu'ils subissaient sur leur propre récolte, les paysans trouvaient
avantageux d'utiliser l'instrument seigneurial. Un moulin tournant au fil de l'eau, c'était pour toute la contrée
avoisinante, dans les huttes paysannes comme dans la
maison du maître, le dégagement d'une appréciable
quantité de main-d'œuvre. Ce temps libre pouvait être

affecté désormais au travail de la terre, donc à la production, et devenait un facteur non négligeable de croissance économique.

Toutefois, on peut se rendre compte que l'équipement en moulins demeurait très incomplet, même dans les secteurs très évolués et très privilégiés de l'économie rurale que décrivent les sources. Le fragment conservé du polyptyque d'Irminon contient l'inventaire de vingt-deux domaines : huit seulement possédaient des moulins. On avait encore très largement recours aux meules à bras, dévoreuses de temps et de forces : dans les seigneuries de l'abbaye de Saint-Bertin, où pourtant on avait déjà bâti quelques moulins à eau, des redevances en farine étaient régulièrement exigées des tenanciers, comme au temps, fort récent sans doute, où toute la préparation du pain demeurait besogne domestique. Et au début du Xᵉ siècle encore, le cartulaire de ce même monastère présentait la construction d'un moulin comme un acte digne d'une grande admiration. Incontestable, le progrès restait timide et fort limité [1].

Il est beaucoup plus difficile d'apprécier la qualité et l'efficacité de l'outillage agricole, car il faudrait pour cela posséder la description précise de l'instrument. L'historien, hélas! trouve dans les textes quelques mots, pas davantage. Je prends tel passage du polyptyque de Saint-Maur-des-Fossés : il signale que six bœufs conduits par les tenanciers corvéables tiraient sur les grands champs du domaine un engin de labour [2]. On a beau la retourner dans tous les sens, cette phrase révèle fort peu. Certes, le nombre des bêtes attelées invite à se représenter un outil puissant et capable de défoncer utilement le sol. Encore faudrait-il pouvoir estimer la force véritable des bêtes, peut-être très chétives, et qui, pour les labours de mars, sortaient efflanquées des dures abstinences de l'hivernage. Ajoutons que l'on ignore tout des procédés d'attelage. Dans quelle mesure ceux-ci permettaient-ils d'utiliser à plein la force animale? Reste la question principale : s'agissait-il d'un araire ou d'une charrue?

Muni d'un élément d'attaque aux côtés symétriques, l'araire rejette également la terre de part et d'autre,

---

1. *Cartulaire de Saint-Bertin* (éd. GUÉRARD).
2. *Polyptyque de l'abbé d'Irminon* (éd. GUÉRARD), II, Appendices, p. 285.

plus ou moins selon que son soc est ou non muni
d' « oreilles ». Il a pour lui d'être léger, fort maniable,
facile à fabriquer par le cultivateur, qui n'a pas de
peine à assembler les pièces de bois, coincées, emboîtées
les unes dans les autres, à renforcer au besoin par une
chape de métal la pointe durcie au feu. L'araire convient
donc aux régions agricoles d'un niveau technique bas,
où l'équipement en bêtes de trait est pauvre, qui uti-
lisent peu le métal et qui manquent d'artisans spécialisés. En revanche, il n'ouvre le sol qu'en surface, l'ameu-
blit seulement sans le retourner. Pour préparer valablement le champ avec un tel outil, il est donc nécessaire de
procéder en outre de temps à autre, tous les douze, six,
ou même quatre ans, à un défoncement profond à la
bêche. Au travail des bêtes de labour, un important travail de bras doit donc être associé. Sur l'araire, l'outil
qu'on appelle proprement une charrue, muni d'un soc
dissymétrique et à versoir, offre un premier avantage :
il économise de la main-d'œuvre. En le maniant, un
paysan parvient en effet, en un seul passage, à retourner
suffisamment la terre, donc à l'aérer et à reconstituer des
éléments fertiles. Le bêchage périodique n'est plus nécessaire. En outre, la charrue peut s'attaquer à des sols
lourds, dont il ne serait pas possible de tirer parti avec le
simple araire. Elle permet d'étendre l'aire cultivée. En
revanche, elle exige une force de trait beaucoup plus
importante, un meilleur équipement en bêtes de travail
plus vigoureuses. Enfin, c'est un outil compliqué, donc
plus coûteux et qui ne peut être fabriqué par n'importe
qui[1]. On mesure là combien il serait précieux, pour
apprécier la capacité de production du paysan carolingien, de savoir lequel de ces deux outils il employait.
Ce qui s'avère impossible dans l'état actuel de la
recherche, et le demeurera sans doute toujours.

L'étude des noms que portent la charrue et l'araire
dans les dialectes germaniques et slaves permet d'assurer que la charrue était suffisamment connue pour
posséder son nom particulier en Europe centrale entre
le Vᵉ et le Xᵉ siècle, moment où les invasions hongroises
vinrent disloquer le monde slave[2]. Dans les campagnes

1. FAUCHER, 97.
2. HAUDRICOURT, 108. La plus récente étude, celle de F. SACH
(« *Rádlo* » et « *pluh* » *en pays tchécoslovaque. I. Les plus vieux outils* (en
tchèque), Prague, 1961), situe en Moravie, entre le VIIᵉ et le IXᵉ siècle,
le passage du soc symétrique à l'asymétrique.

européennes, les deux instruments coexistaient donc
à l'époque carolingienne. Mais comment mesurer leur
extension respective dans l'aire éclairée par la documentation écrite, où d'ailleurs l'on n'aperçoit que les
grandes exploitations et les mieux équipées ? L'outil de
labour se trouve bien désigné par le mot *aratrum* dans
les statuts de l'abbé Adalard de Corbie, par *carruca*
dans le polyptyque d'Irminon. Mais cette distinction
verbale traduit-elle réellement une différence de structure ? ou seulement l'inégale habileté des scribes, le
premier employant un mot du latin classique, le second
un vocable vulgaire ? Le second terme, remarquons-le,
exprime surtout l'idée d'un char (*carruca* a signifié
d'abord voiture ; le mot avait encore ce sens dans le
passage de la loi des Alamans, qui punit d'une amende
de trois sous le bris des roues antérieures d'un véhicule
ainsi désigné) : il peut donc évoquer seulement un instrument muni d'un avant-train à roues. Un tel appen-
dice constitue certes un perfectionnement utile, puisqu'il offre une sorte de levier qui permet au laboureur,
en pesant plus ou moins sur les mancherons, de contrô-
ler la profondeur du sillon ; l'avant-train donne aussi le
moyen, en inclinant le soc, de pratiquer un labour en
billon plus efficace que le labour plat, en sol humide.
Mais ce qui fait la vraie charrue, et le vrai progrès, le
gain de main-d'œuvre, la possibilité de conquérir à
la culture des terres épaisses, c'est le versoir. L'*aratrum*,
la *carruca* des textes du IXe siècle en étaient-ils ou non
munis ? Il faudrait, pour saisir le sens exact de ces mots,
les confronter à des vestiges archéologiques. Ceux-ci
manquent absolument. Quant aux témoignages de
l'iconographie, séduisants à première vue, ils déçoivent.
L'art de ce temps était trop peu délibérément réaliste,
trop engoncé dans des poncifs d'école, pour que l'on
soit assuré que l'illustrateur ait toujours reproduit ce
qu'il voyait, et non des types empruntés à des modèles
de décoration. Tel dessin d'un manuscrit anglo-saxon
du Xe siècle représente, attelée de deux paires de bœufs
couplés, une charrue à double étançon et à grand versoir [1]. Mais reste à savoir l'essentiel : où et par qui un tel
outil, assurément de forte efficacité, se trouvait-il communément employé ? Cette indigence documentaire ne
doit pourtant pas dissuader de poursuivre l'enquête. Il

---

1. Leser, 113, fig. 42.

n'est pas impossible que, menées conjointement, l'étude archéologique des terroirs et la lecture attentive des pages des polyptyques qui décrivent les corvées de bras et d'attelage permettent de dissiper un peu les ténèbres, et en particulier de mieux délimiter la place que continuait à tenir le travail à la bêche [1]. Je la crois grande, même dans les exploitations modèles des abbayes du Bassin Parisien. De très nombreux ouvriers manuels devaient en effet venir travailler sur les terres du maître, et spécialement sur les parcelles centrales du finage, les meilleures, les plus proches de la « cour » seigneuriale. Ces importantes réquisitions affectées au soin des seuls champs vraiment productifs, l'allure de jardinage que conservait par conséquent la culture des céréales, autorisent à supposer que les instruments tractés demeuraient alors de faible efficacité.

Toutefois, si l'on ne sait à peu près rien de la forme des outils, il n'est pas tout à fait impossible de connaître la manière dont certains d'entre eux étaient eux-mêmes fabriqués. On a jusqu'ici prêté peu d'attention aux indices, à vrai dire rares et courts, qui concernent cet aspect de l'histoire des techniques. Pourtant, certains inventaires de très grands domaines énumèrent les instruments de métal, qui constituaient un élément très précieux de l'équipement domestique. Ainsi ce guide pour l'exploitation des seigneuries royales qu'est le capitulaire *De Villis*, au chapitre 42. Ces objets se répartissent en ustensiles de feu, chenêts, crémaillères, chaudrons, et en outils. Ces derniers toutefois — des doloires, des cognées, des tarières, des serpettes — paraissent tous destinés, non point au travail des champs, mais à celui du bois, à la charpente ou à la menuiserie. La partie des statuts de l'abbaye de Corbie qui concerne les potagers fournit des indications concordantes. Quelques outils de jardinage sont ici mentionnés, six houes, deux bêches, deux faucilles, une faux, mais l'essentiel du matériel consiste en gouges, en cognées, en serpes. Quant à l'inventaire du domaine royal d'Annapes et de ses annexes, il enregistre, après les ustensiles de cuisine et de feu, certains outils aratoires, bêches ferrées, houes, faux et faucilles, mais en nombre étonnamment restreint. Les travailleurs de l'énorme exploitation d'Annapes, qui nourrissait alors près de deux

1. Saint-Jacob, 244.

cents bovins, disposaient seulement, en fait d'instruments de fer, de deux faux, de deux faucilles et de deux bêches. Ici encore, l'outillage de base servait à façonner le bois. Pour les autres travaux : *ustensilia lignea ad ministrandum sufficienter* — des outils en nombre nécessaire, mais en bois, et que l'on ne prend pas la peine de dénombrer. Ces indications donnent à penser que dans ces exploitations de première grandeur, mis à part les instruments coupants pour « scier » l'herbe ou les blés, ou pour abattre les arbres, tout l'outillage agricole, et notamment les instruments de labour, étaient normalement fabriqués en bois. Chaque centre domanial devait renfermer seulement un petit atelier bien muni d'outils en fer, destiné à la confection domestique des autres instruments et à leur réparation.

On pourrait, je pense, vérifier cette hypothèse de recherche en étudiant de près la situation dans la société rurale de ce temps de l'ouvrier spécialisé dans le travail du fer, du *faber*, du forgeron. Tous les documents de l'époque carolingienne le placent sur le même plan que l'orfèvre et le présentent comme le spécialiste de fabrications exceptionnelles et précieuses [1]. On le découvre très rarement dans les inventaires des domaines ruraux. Ni forge, ni forgeron, ni redevances en fer dans les polyptyques des abbayes de Montiérender et de Prüm, dont les possessions foncières se trouvaient pourtant situées dans des régions connues à l'époque féodale pour leurs aptitudes métallurgiques [2]. A Annapes, les enquêteurs ont noté l'absence de ces *ministeriales ferrarii*, que le capitulaire *De Villis* enjoignait de dénombrer avec soin. Pour tout le monastère de Corbie, un seul office, où tous les régisseurs envoyaient faire réparer leur outillage. Il était placé, fait significatif, sous la surveillance du chambrier : ce dignitaire chargé des achats, de la monnaie, du maniement des choses précieuses achetait au-dehors le métal. Or les charrues employées dans les grands potagers de l'abbaye n'étaient pas fabriquées là ; les maires des domaines ruraux, ceux qui dirigeaient la main-d'œuvre paysanne, devaient les fournir ; n'est-ce pas la preuve que ces instruments ara-

1. En particulier dans les rédactions des lois barbares, *Lex Burgundionum*, XXI, 2 ; X, 2, 3 ; *Lex Salica*, XXXV, 6.
2. *Actes du Colloque international : Le fer à travers les Ages* (Annales de l'Est, mémoire n° 16), Nancy, 1956.

toires pouvaient être façonnés dans les maisons des
rustres et qu'ils ne contenaient qu'une quantité très
négligeable de fer ? Un seul des domaines de Saint-
Germain-des-Prés décrits dans le polyptyque d'Irminon
contenait des forges, celui de Boissy-en-Drouais, spécialisé dans la production du métal : les occupants des
tenures serviles étaient astreints à une redevance annuelle en lingots de fer. Encore faut-il remarquer que
les exploitants de ces ateliers devaient livrer non pas des
socs, mais des cognées ou des lances. Instruments non
point de labour, mais eux aussi militaires, que ces
« fossoirs », pioches utilisées dans les travaux de campagne, exigés d'un groupe de tenanciers de Saint-
Germain à La-Celle-les-Bordes [1]. Ainsi dans toutes les
régions que l'on peut observer (sauf peut-être en Lombardie, où les *ferrarii* apparaissent beaucoup plus fréquemment dans les inventaires seigneuriaux, où sur les
domaines de Bobbio, de San Giulia de Brescia, de
Nonantola [2] de nombreuses tenures villageoises supportaient des redevances régulières en fer et, cette fois
de manière très précise, en socs d'araire), l'impression
demeure partout semblable, celle d'un emploi très ré-
duit du métal dans l'outillage paysan.

Le progrès technique incontestable dont témoigne la
diffusion du moulin à eau s'accompagna-t-il dans l'Europe des IXe et Xe siècles d'une amélioration de l'outillage
agricole, de l'expansion des instruments de labour à
avant-train, d'un perfectionnement des procédés d'attelage, de l'adoption d'un soc plus efficace ? Ce problème technologique majeur ne peut être résolu. Il est
tout juste permis de supposer que, même dans les secteurs les plus favorisés de l'économie rurale, sur les
grandes exploitations décrites par les inventaires, les
hommes maniaient surtout de pauvres instruments de
bois. Ils se trouvaient donc fort mal armés devant la
nature et travaillaient, pour une grande part de leur
temps, en « manœuvres ». La faiblesse de l'équipement
technique limitait donc étroitement la capacité individuelle de production. Cette constatation s'accorde par-
faitement à l'image entrevue de l'occupation du sol.
Des villages très peuplés, car il fallait, pour préparer la
terre des champs les plus proches, un très grand

1. Perrin, 241.
2. *Historiae Patriae Monumenta*, XIII, n°s 419, 422.

nombre de bras. Mais aussi des clairières très isolées par de larges franges incultes, parce que les outils trop médiocres ne pouvaient vaincre les résistances des sols épais, humides et touffus. Enfin, de vastes espaces de végétation libre adjoints nécessairement à chaque terroir, parce que, la culture céréalière absorbant trop de main-d'œuvre, chaque communauté agraire devait chercher des compléments de subsistance dans l'exploitation des produits spontanés de la friche, dans l'élevage, la chasse et la cueillette.

4. LES PRATIQUES AGRICOLES

Nourricières, les *culturae*, les portions restreintes de l'aire villageoise aménagées pour l'exploitation céréalière — les « coûtures » pour employer le vieux terme dont beaucoup de lieux-dits de la campagne française gardent encore le souvenir — n'étaient pourtant chaque année que partiellement productrices de blé. A l'inverse des jardins, dont le sol, engraissé par le voisinage même des maisons et des étables, pouvait être constamment cultivé, les champs devaient, sous peine de perdre toute fertilité, se reposer périodiquement. Chaque printemps donc, une part des quartiers arables n'était pas ensemencée ; elle restait libre, sans clôture, ouverte au pâturage, et retournait à la zone sauvage des friches et des communaux. Pour apprécier la productivité de la terre et la manière dont elle parvenait à nourrir les hommes, il conviendrait de bien connaître le rythme de ces repos. Quelle place occupait la jachère ? Et quelle place aussi, dans l'ensemencement, réservait-on aux grains semés au printemps, à l'avoine, aux légumineuses ? Enfin, quelle portion des terres attribuait-on aux blés semés à l'automne, c'est-à-dire à ceux-là qui servaient surtout à faire le pain, au froment, au seigle, à l'épeautre — la céréale la plus répandue dans les environs du Rhin et dans le nord-ouest de la France —, à l'orge enfin, qui était alors souvent un blé d'hiver ?

En vérité, s'il n'est pas possible de savoir avec certitude, même dans les pays d'entre Loire et Rhin, les mieux éclairés par nos textes, comment s'organisait alors exactement le cycle de rotation des cultures, les documents écrits livrent pourtant à l'interprétation de l'historien trois séries d'indices :

1º La description des récoltes ou des semailles et, plus fréquente, celle des prestations en grains dues par les paysans tenanciers, prouvent que, très généralement, les champs, ceux des rustres comme ceux des seigneurs, produisaient non seulement des blés d'hiver, mais des blés de printemps, et en particulier de l'avoine.

2º La disposition dans le calendrier agricole des corvées de labour exigées des dépendants des seigneuries indique que le cycle des labours s'ordonnait fréquemment en fonction de deux « saisons » de semailles, l'une d'hiver *(ad hibernaticum)*, l'autre d'été ou de trémois *(ad aestivum, ad tremissum)*.

3º Les pièces de labour dans les grandes exploitations apparaissent souvent par groupes de trois ; par exemple, dans près de la moitié des domaines de l'abbaye de Saint-Germain-des-Prés décrits dans le polyptyque d'Irminon, les enquêteurs ont dénombré trois, six ou neuf champs seigneuriaux. Cette disposition donne à penser que la culture s'y trouvait organisée en fonction d'un rythme ternaire. Ajoutons qu'un document, mais un seul, le polyptyque de l'abbaye de Saint-Amand, prouve sans conteste une répartition des champs seigneuriaux en trois portions égales, successivement occupées par les semailles d'hiver, par celles de printemps et par la jachère [1]. Celle-ci, préparée en mai par un premier labour, était ensuite ouverte par la charrue en novembre avant les semailles ; puis l'année suivante, après la moisson, on abandonnait les mêmes champs pendant tout l'automne et l'hiver à la dépaissance des troupeaux ; ils étaient ensuite labourés de nouveau au Carême et semés en grain de printemps, pour rester enfin toute une année en repos. Là du moins, un tiers seulement de l'espace agricole ne produisait rien [2]. Un autre tiers donnait le pain, et le troisième, de quoi cuire les bouillies et les soupes.

Je ne pense pas cependant que toutes ces indications soient suffisantes pour supposer sans témérité un usage général, ni même très répandu, de la rotation triennale régulière. D'abord parce qu'aucune d'elles ne concerne les pays méridionaux, où les conditions climatiques et

---

1. *Polyptyque de l'abbé d'Irminon* (éd. GUÉRARD), II, p. 925.
2. Trois temps de labour donc, deux avant les semailles d'hiver, un avant les semailles de printemps. C'est ce qui est indiqué dans le polyptyque d'Irminon par la formule suivante : le manse *arat ad tres sationes.*

notamment la sécheresse précoce du printemps rendent plus aventurées les semailles de mars. Ensuite parce que tous ces textes ne décrivent que les grandes exploitations monastiques ou royales, administrées sans doute d'une manière exceptionnellement rationnelle et disons même savante. Dans le mouvement général de *renovatio*, de référence à l'antiquité classique qui animait les intellectuels carolingiens, et dont témoignent à eux seuls l'usage de l'écriture et la rédaction des polyptyques, les administrateurs des terres de l'Église n'étaient-ils pas tentés d'appliquer aux champs dont ils avaient la gestion des méthodes aussi strictement équilibrées que celles recommandées par les agronomes romains ? On pourrait tenir le poème des mois de Vandalbert de Prüm pour la transcription lyrique du calendrier agricole effectivement en usage dans les pays rhénans ; il apparaît vite comme un pur pastiche de Virgile. Dans quelle mesure les pratiques agricoles subirent-elles autour des monastères l'influence des modèles intellectuels de l'antiquité ? Voici l'occasion d'indiquer que les historiens de la littérature peuvent eux aussi prêter mainforte à ceux de l'économie rurale. On peut attendre d'eux qu'ils repèrent dans les bibliothèques de ce temps les exemplaires de Caton, Varron ou Columelle. Car il n'est pas interdit de penser que, sur les exploitations d'avant-garde qu'étaient les domaines ecclésiastiques, une amélioration des techniques agraires fut alors stimulée par la lecture des agronomes romains. Non point de Pline l'Ancien ou de Cornélius Celsus qui préconisaient un type de mise en valeur extensive, visant à réduire la dépense en abaissant même les rendements, mais de ceux qui, tel Columelle, prônaient au contraire l'intensification du travail agricole [1]. Dans la méditation de ces textes par quelques hommes d'études et d'administration, il faut peut-être chercher l'une des plus profondes impulsions de l'expansion agricole médiévale.

Toutefois, l'exemple des classiques latins ne s'imposa pas dès cette époque sur tous les domaines de l'Église et du roi, même pour l'aménagement des rota-

---

[1]. J. KOLENDO, « La moissonneuse antique en Gaule romaine », dans *Annales E.S.C.*, 1960, qui cite M. E. SERGEENKO, « Deux types d'économie rurale en Italie au Ier siècle de notre ère » (en russe), dans *Bulletin de l'Académie des Sciences de l'U.R.S.S.; classe des sciences sociales*, 1935.

tions de culture. Nombre d'indications contenues dans les sources prouvent, en effet, que la terre arable pouvait être parfois fort inégalement répartie entre les emblavures d'hiver, celles de printemps et la jachère. Dans les quatre domaines royaux rattachés au centre administratif d'Annapes, l'orge était semée en automne (les semailles en étaient terminées, en effet, au moment de l'inventaire qui fut dressé en hiver, conformément à l'usage) : à Cysoing, les blés de printemps constituaient seulement le cinquième de la récolte, et le neuvième à Annapes ; Vitry et Somain n'en avaient pas produit du tout [1]. Exemple inverse : une terre de plus de quatre hectares, que possédait à Gand l'abbé de Saint-Pierre-du-Mont-Blandin, n'était jamais ensemencée qu'en avoine, et portait ainsi moisson une seule année sur trois [2]. La conjecture la plus prudente doit donc rester celle d'une très grande variété dans les cycles de rotation. Mal armé pour les modifier, l'homme devait se plier aux aptitudes naturelles des sols. Il faut supposer l'usage d'une gamme très étendue de systèmes, depuis la rotation triennale stricte jusqu'à la culture itinérante sur brûlis, aux labours pratiqués ici et là aux lisières extrêmes du terroir, après incendie des broussailles, et poursuivis plusieurs années de suite jusqu'à l'épuisement complet de la terre. Il est probable aussi que l'avoine et les autres grains de printemps représentaient le plus souvent une culture très accessoire, dérobée à la jachère, et que celle-ci, même dans le système d'alternance régulière de l'hivernage et du trémois, durait souvent plus d'un an sur la plus grande partie de l'espace arable. Il convient d'ajouter enfin que l'on semait toujours les blés fort clair ; les terres les mieux situées de Saint-Amand et de Saint-Germain-des-Prés recevaient d'ordinaire quatre muids de froment par bonnier, soit à peine deux hectolitres par hectare, et les taux s'abaissaient encore, jusqu'à devenir moitié moindres dans certains domaines plus défavorisés. L'agriculture de ce temps, qui exige une surabondance de main-d'œuvre, réclame aussi une surabondance d'espace.

1. GRIERSON, 234.
2. GANSHOF, 228. L'étude de G. SCHRÖDER-LEMBKE, 218 a, sur l'organisation agraire des « coûtures » dans les grands domaines carolingiens, établit que des rythmes de rotations très divers pouvaient y être appliqués.

L'impérieuse nécessité de longues jachères, l'obligation de disséminer largement la semence tenaient en partie à la médiocrité des outils aratoires, qui ne pouvaient suffisamment retourner le sol, mais elles tenaient aussi à l'absence, ou presque, d'engrais. Certes, nous l'avons dit, l'élevage constituait toujours le complément de l'agriculture, et les bœufs de charrue qui labouraient les champs pouvaient aussi contribuer, en les fumant, à les rendre plus fertiles. En réalité, la combinaison agro-pastorale n'était pas assez étroite pour que l'apport d'engrais animal pût beaucoup compter. Mal équipés, les hommes consacraient toutes leurs forces à produire leur propre nourriture ; le gros bétail passait après. Ils récoltaient un peu de fourrage, mais très peu, ce qu'il fallait pour maintenir en vie, tant bien que mal, les quelques bêtes qui n'avaient pas été tuées en automne, pendant les mauvais mois où la nature vierge ne fournit pas aux bêtes de quoi manger. Mais dans la plus grande partie de l'année, le troupeau se nourrissait seul, en plein air, dans l'espace que ne lui fermaient pas les haies. Sans doute parcourait-il ainsi les champs en repos et sa présence même les engraissait, mais très insuffisamment. Peu de fourrage, pas de stabulation prolongée, peu de fumier et ce peu se trouvait utilisé presque entièrement pour le jardinage, sur la ceinture prospère du village. Il fallait donc de vastes jachères. Et nous sentons de nouveau pourquoi chaque village, chaque famille avaient besoin d'une aire de subsistance très étendue, qui devait contenir, outre d'immenses terrains de pâture, un espace arable beaucoup plus large que la surface utilisée chaque année. Enfin, malgré ces longs repos, les rendements demeuraient certainement très faibles.

***

Tout au long de ce livre, nous nous heurterons, sans pouvoir le résoudre, au problème fondamental des rendements agricoles. Avec la pénurie de données démographiques et d'indications sur l'outillage, l'épaisse obscurité qui recouvre tout ce qui concerne la productivité des champs dresse le plus fâcheux obstacle à l'exacte compréhension de l'économie agraire médiévale. Pour aider à percer ces ténèbres, les indices sont rarissimes à l'époque carolingienne. Un seul document de la Gaule du Nord nous fournit des chiffres. Les enquêteurs, qui, dans l'hiver, visitèrent les domaines royaux rattachés au centre d'Annapes, ont enregistré à la fois le montant de la récolte précédente et la quantité de grain qui venait d'être prélevée pour les semailles ; ils ont certifié que le reste se trouvait bien dans les greniers lors de leur passage. Ces chiffres sont fort déroutants. Les voici pour le domaine d'Annapes, celui dont l'inventaire présente les données les plus complètes. Il n'est pas possible de comparer semence et récolte pour l'avoine, les pois et les fèves, puisque les semailles de printemps n'étaient pas encore faites. Mais des mille trois cent vingt muids d'épeautre moissonnés, on avait dû rendre à la terre sept cent vingt sous forme de semence ; des cent muids de froment, soixante ; des mille huit cents d'orge, onze cents ; enfin, les nouvelles semailles avaient absorbé toute la récolte de seigle, soit quatre-vingt-dix-huit muids. Le surplus de la moisson utilisable paraît donc ne pas dépasser, cette année-là, pour l'épeautre, 46 ^o/_o ; pour le froment, 40 ^o/_o ; pour l'orge, 38 ^o/_o ; soit des rendements respectifs de 1,8, 1,7 et 1,6 pour un ; le profit semble nul pour le seigle. Les indications plus fragmentaires données pour les autres domaines sont concordantes ; rendement de 2 pour un pour l'épeautre et de 1,6 pour un pour le seigle à Cysoing ; pour l'orge, 2,2 pour un à Vitry, 1,5 à Cysoing, 2 à Somain [1]. Dans l'ensemble, les surplus consommables se révèlent donc nettement inférieurs, l'année de l'inventaire, à la quantité qu'il avait fallu réserver pour les semailles. Les rendements peuvent-ils avoir été réellement aussi dérisoires ?

Pourtant, le texte est formel. Il interdit de supposer que, la semence mise à part, des grains aient été prélevés, entre les moissons et le passage des enquêteurs, pour la consommation domestique ou pour les expéditions à l'extérieur du domaine. Faut-il supposer l'écrit, connu par une seule copie d'époque carolingienne, altéré par la tradition manuscrite ? Sans doute fut-il transcrit, comme un modèle pour des inventaires futurs, par des scribes qui ne se montraient attentifs qu'aux formules et à l'organisation de l'acte, qui n'ont pas relevé tous les chiffres, et qui peut-être ont commis

---

1. GRIERSON, 234. SLICHER VAN BATH, 27, p. 76, ne paraît pas interpréter correctement les données numériques du texte.

des erreurs ou introduit de la fantaisie parmi les nombres qu'ils ont notés. Mais la seule hypothèse ferme pour expliquer l'étonnante faiblesse des rendements consiste à supposer que l'on dressa cet inventaire après une très mauvaise récolte. En effet, lorsqu'il fut rédigé, on conservait encore dans les greniers de ces domaines des tas de grains récoltés l'année précédente, beaucoup plus gros que les pauvres surplus de l'an présent. Les enquêteurs trouvèrent à Annapes mille quatre-vingts muids de vieille épeautre et mille deux cents d'orge ancienne, pour six cents et sept cents de nouvelles. Cette importante épargne atteste que le rendement des semailles s'élevait nettement plus haut un an auparavant. De ce document unique, on peut donc déduire que la productivité des champs variait énormément d'une saison à l'autre, et qu'elle pouvait devenir extrêmement faible.

On ne peut se permettre de généraliser l'enseignement d'un seul texte. Mais il est possible de trouver ailleurs quelques autres traces de rendements moyens, un peu supérieurs à ceux que l'on peut calculer d'après l'inventaire d'Annapes, mais cependant fort bas, et de profit dérisoire par rapport à la valeur du capital engagé en terres et en grains. Fait significatif : les enquêteurs qui visitèrent en 905-906 les « cours » de l'abbaye de San Giulia de Brescia pour dresser un polyptyque trouvèrent dans les greniers des réserves de grains qui dépassaient à peine les quantités nécessaires à l'ensemencement, et qui leur étaient même parfois inférieures : ainsi, à Porzano, où les champs pouvaient recevoir trois cents muids de semence, les réserves du grenier domanial s'élevaient seulement à trois cent soixante muids de grains (dont cent quarante de mil) ; à Canella, quatre-vingt-dix muids aux semailles, cinquante et un dans les greniers ; à Temulina, trente-deux et trente-sept[1]. Autre indice : dans le domaine que l'abbaye de Saint-Germain-des-Prés exploitait à Maisons, dans cette campagne parisienne qui paraît avoir joui d'une particulière fertilité, on semait six cent cinquante muids à l'automne sur les « coûtures » seigneuriales ; tous les ans, les tenanciers de trente-quatre manses devaient battre dans les granges chacun douze muids de blé et les transporter au monastère ; si l'on admet que les ser-

1. *Historiae Patriae Monumenta*, XIII, col. 707-710.

vices en travail étaient grossièrement ajustés aux besoins normaux de main-d'œuvre, on doit penser que les administrateurs de la seigneurie n'attendaient pas, compte tenu des quantités que les serviteurs domestiques battaient eux-mêmes au fléau et conservaient pour leur propre consommation, un surplus très supérieur à quatre cents muids, pour une semaille de six cent cinquante. La proportion s'établit encore à 1,6 pour un [1].

Toutes ces indications fugitives permettent du moins une conclusion sûre. Menée avec un équipement technique rudimentaire et sous un climat qui lui était généralement peu favorable [2], la culture des céréales se montrait alors extrêmement sensible aux caprices des saisons. Un printemps ou un été trop humides pouvaient rendre presque improductif, même sur les exploitations les mieux outillées, le lourd travail des champs. En dépit d'une énorme dépense de main-d'œuvre et de l'extension démesurée de l'aire des villages, il faut s'imaginer ces ruraux tenaillés par la faim. Leur seule préoccupation était sans doute de subsister, de tenir pendant le printemps et le début de l'été, au moment des travaux les plus durs. Lorsque le peu qui restait des réserves alimentaires après les réquisitions des chefs commençait à s'épuiser, s'ouvrait alors chaque année le temps des grandes privations et des nourritures de hasard, où l'on trompait sa faim en dévorant les herbes du jardin, les baies de la forêt, où les paysans quêtaient un peu de pain à la porte des riches. Toute l'économie de ce temps paraît bien dominée par la menace permanente de la disette.

1. *Polyptyque de l'abbé d'Irminon* (éd. GUÉRARD), II, 271-272.
2. *Le Roy Ladurie*, 63.

CHAPITRE II

RICHESSE ET SOCIÉTÉ.
L'ÉCONOMIE SEIGNEURIALE

Cette menace ne pesait pas aussi lourdement sur tous les hommes. Certains mangeaient largement à leur faim. Ni le poids du besoin ni celui des tâches n'étaient égaux pour tous. Aussi convient-il maintenant de situer, au sein de la société, producteurs et consommateurs, de les placer à leur rang et dans les groupes qui les encadrent, d'observer comment labeurs et profits se trouvaient partagés en fonction des hiérarchies et des solidarités sociales.

1. LE CADRE FAMILIAL

La cellule sociale élémentaire est la famille. Elle commande la structure du village et du terroir, la répartition du travail et de la consommation. Nous avons déjà repéré dans le paysage rural son empreinte très profonde. L'enclos de la maison rassemble la parenté et la protège ; les annexes la nourrissent ; l'ensemble constitue le lien de toute l'organisation agraire. En fait, les hommes de l'époque, et non seulement sans doute ceux qui réfléchissaient et qui écrivaient, avaient dans l'esprit la notion d'une unité typique d'exploitation, ajustée aux forces et aux besoins de la famille.

Un terme est employé pour l'exprimer depuis le début du VIIᵉ siècle dans les textes latins des pays où s'est épanouie la civilisation carolingienne (il ne semble pas

en usage dans les provinces périphériques, comme le
Maine ou l'extrême sud de la Gaule ; il ne se répand en
Brabant du Nord qu'à la fin du VIIIᵉ siècle, en Provence
et en Italie qu'au IXᵉ [1]) : c'est le mot *mansus*. Au sens le
plus strict, ce vocable désigne la parcelle habitée dans le
village, le lieu du foyer. Mais par extension, il s'ap-
plique à l'ensemble de l'exploitation dont le point de
résidence est le centre. Le *mansus* se trouve ainsi flanqué
d'*appendicia*, répandus dans l'aire villageoise : annexes
toutes proches dans la ceinture des jardins, champs dispersés parmi les « coûtures », droits de participer enfin à
l'exploitation collective des terres incultes [2]. Le terme
huba employé à l'Est, dans les régions de dialecte germanique, possédait vraisemblablement le même sens.
L'Angleterre connaissait sous le nom de *hide* une entité
équivalente.

De longue date les historiens se sont interrogés sur
la situation véritable du manse dans le droit et dans les
relations sociales de l'époque carolingienne. Leurs recherches sont loin d'avoir dissipé toutes les obscurités :
le problème demeure fort complexe. On peut pourtant
le simplifier beaucoup, lorsqu'on écarte les aspects pure-
ment juridiques pour considérer seulement la valeur
économique de l'institution.

Il faut remarquer, en premier lieu, qu'une notion
théorique et comme abstraite du *mansus*, de la *huba*, de
la *hide* était familière aux hommes de ce temps. Cette
notion apparaît d'abord très liée à celle de famille. Des
équivalences sémantiques l'attestent en de nombreux
textes : pour Bède le Vénérable, la *hide* est la « terre
d'une famille » ; dans les documents de Germanie, la
huba est le « lieu de résidence d'une famille », ou tout
simplement la *familia* [3]. En outre, ces termes se trouvent
en corrélation avec les unités très simples et très
concrètes alors utilisées pour mesurer le travail agricole : la *hide*, la *huba* sont aussi « terres d'une charrue ».
Entendons par là que les annexes de l'enclos familial,
répandues dans la zone arable du terroir, sont censées
recouvrir la superficie que l'instrument aratoire et son
attelage peuvent labourer en un an. Cette surface correspond à cent vingt acres ou à cent vingt journaux,

1. LATOUCHE, 216 ; GANSHOF, 231 et 232.
2. SAINT-JACOB, 161.
3. DÉLÉAGE, 207, p. 306-340.

puisque l'acre et le journal représentaient, variable en étendue selon la qualité du sol, la tâche journalière de l'équipe de travail. Le manse est conçu comme un multiple de ces mesures. Dans l'esprit du paysan médiéval, il existait donc une étroite relation naturelle entre le groupe familial, l'enclos de la maison et les trois « saisons » de labour, de quarante jours chacune[1]. Pour cela, les coutumes ont gardé très longtemps l'usage du mot « manse » ou du mot *hide* comme mesure de superficie. En 1216, encore, le duc de Limbourg faisait don à l'abbaye de Val-Dieu d'une terre et d'un bois « ayant en longueur un manse et en largeur un demi »; l'année suivante, la même abbaye recevait « un manse de terre contenant douze bonniers[2] ».

Cependant, de manière plus concrète et pratique, le *mansus*, la *huba*, la *hide* ont été surtout utilisés par les rois et par les chefs comme des unités commodes pour répartir les réquisitions et en assurer la perception. Ce fut sans doute à l'époque la principale fonction économique du manse et de ses équivalents. Dans cette société familiale, il était normal, en effet, de faire reposer les charges non pas sur les individus, difficiles à saisir et d'ailleurs tout à fait absorbés dans le groupe de la maison, non pas sur les champs, dont le nombre et l'étendue, sans doute, en tout cas la situation dans le terroir variaient selon le rythme des rotations de cultures, selon l'avance ou le recul des écobuages, mais sur les enclos bien enracinés, bien délimités, faciles à dénombrer, où l'on engrangeait les récoltes, où les ménages avaient résidence. Cadres naturels de la production agricole et de la vie familiale, les manses apparaissent ainsi davantage comme les pivots majeurs de tous les transferts de services et de richesse liés à l'exercice du pouvoir et à l'existence de la seigneurie. Manse coutumier tenu pour unité de superficie agraire, manse fiscal servant d'assiette aux redevances et aux services, de ces deux notions la puissance et la très large expansion dans la mentalité collective sont fortement significatives des représentations que cette société se faisait d'elle-même. Toutefois, l'image qu'elles transmettent d'une

---

1. « On appelle manse dans le dialecte italien la quantité de terre que deux bœufs peuvent labourer dans l'année », *Glose ordinaire et décrétales de Grégoire IX*, III, 39, 10.

2. *Cartulaire de l'abbaye cistercienne de Val-Dieu* (éd. Ruwet), nos 10 et 12.

famille établie dans chaque manse, doté lui-même d'un lot de labour uniforme, est bien loin de correspondre à celle que révèle le texte des polyptyques carolingiens.

* **

Ceux-ci, à vrai dire, projettent sur les réalités campagnardes un éclairage très particulier, et qui peut-être les déforme. Ceci pour trois raisons principales. D'abord les inventaires ne décrivent que les exploitations paysannes soumises à l'autorité et au pouvoir économique d'un maître. Or, il en existait certainement d'autres, indépendantes, et dont, faute de sources, on ne connaîtra jamais ni le nombre, ni la situation, ni la consistance. D'autre part, rien ne prouve que les cadres où, dans les polyptyques, sont ordonnées les charges incombant aux dépendants, aient toujours coïncidé avec la répartition véritable de la possession foncière dans le terroir. Car pour simplifier les tâches de perception, les administrateurs de seigneuries qui dirigèrent la réception des inventaires maintenaient peut-être artificiellement des cadres vétustes et désadaptés. Un polyptyque enfin n'est pas un cadastre ; il n'énumère pas toutes les parcelles d'un terroir, mais seulement les terres qui relèvent de la seigneurie. Comment savoir si tel paysan, qui tenait du seigneur son manse et quelques-uns des champs qui lui étaient attachés, ne possédait pas à côté d'autres pièces de terre, qui complétaient son exploitation et contribuaient à nourrir sa maison ? Ces réserves exprimées, il faut bien reconnaître que, sans les documents rédigés dans les grands domaines, on ne saurait rien du manse ni de la famille rurale. Ces témoignages ont fait l'objet d'examens minutieux : nous nous trouvons dans l'un des secteurs les mieux explorés de l'histoire rurale. Grâce à eux, l'état des connaissances peut être résumé de la manière suivante :

1º De toute évidence, à l'intérieur des seigneuries de l'époque carolingienne, il n'existait pas d'exacte coïncidence entre la superficie des annexes arables du manse et la capacité de travail d'une charrue. Je prends pour exemple deux extraits d'inventaires. A Poperingues, l'abbaye de Saint-Bertin possédait quarante-sept manses, dix d'entre eux détenaient chacun trente hectares de champs ; dix autres, vingt-cinq ; dix autres, dix-

neuf hectares ; les derniers, dix-sept seulement [1]. Voici
maintenant quatre villages de la région parisienne où
l'abbaye de Saint-Germain-des-Prés possédait des
manses. Dans l'un d'entre eux, ceux-ci contenaient en
moyenne 4,85 hectares de labours ; dans un autre, 6,10 ;
dans le troisième, 8 ; dans le quatrième, 9,65. Ajoutons
qu'il s'agit là de moyennes, et qu'elles masquent une
diversité beaucoup plus marquée entre les exploitations
individuelles. Certains manses en effet disposaient
d'une annexe labourable de quinze hectares ; d'autres,
de vingt ares seulement [2]. Première constatation : la
surface utile des manses pouvait donc varier considérablement.

2⁰ On peut considérer d'abord que ces inégalités se
trouvaient en quelque mesure correspondre à l'organisation juridique hiérarchisée des tenures paysannes.
Dans certains polyptyques, en effet, les manses les
mieux pourvus de champs sont fréquemment désignés
comme des manses « libres », les autres comme « serviles ». Comme les tenanciers des seconds devaient seulement au seigneur des corvées manuelles, on peut penser qu'en principe ils ne possédaient pas de bêtes de
trait, ni de charrue ; d'autre part, ils étaient requis plus
souvent de travailler hors de chez eux. Pour ces deux
raisons, parce qu'ils devaient retourner leur terre à la
houe et parce qu'ils ne pouvaient lui consacrer autant
de leur labeur, le lot de champs annexé à leur demeure
était plus restreint. On voit donc que, dans la seigneurie,
l'inégale répartition de la terre labourable entre les
manses se trouvait en partie commandée par l'existence
de deux niveaux économiques et juridiques au sein de
la société paysanne : les possesseurs d'attelage, plus
libres de leur temps, étaient mieux nantis que les travailleurs de bras, moins dégagés de l'emprise du maître.
Reflétant ces réalités sociales, les coutumes germaniques connaissaient un manse libre théorique d'une
contenance de soixante journaux, deux fois plus vaste
que le manse servile abstrait.

3⁰ Toutefois, la plus grande inégalité régnait souvent
à l'intérieur même des diverses catégories juridiques.
Ainsi, dans les possessions parisiennes de Saint-Germain-des-Prés, certains manses libres exploitaient dix

1. GANSHOF, 229.
2. PERRIN, 240.

fois plus de terre que d'autres, et parmi les manses serviles la disproportion atteignait parfois quarante-cinq
contre un. D'aussi fortes disparités dans l'équipement
des exploitations familiales peuvent être considérées
comme le résultat d'une longue évolution : des achats,
des ventes, des partages, des échanges, clandestins ou
consentis par le seigneur, auraient, au cours des générations, introduit parmi les patrimoines les inégalités
qu'ont enregistrées à tel moment les polyptyques. A
l'appui de cette hypothèse, on notera que, dans les pays
belges, où l'occupation du sol, l'organisation du terroir
et l'installation de la seigneurie étaient certainement
beaucoup plus récentes que dans le centre du Bassin
Parisien, les manses se trouvaient au IXᵉ siècle d'étendue
beaucoup plus uniforme [1]. On est conduit à penser ainsi
que, dans certaines provinces au moins, à l'intérieur
même de la seigneurie et à plus forte raison en dehors
d'elle, la possession paysanne jouissait à cette époque
d'une relative mobilité. Assez facilement sans doute, des
parcelles de champ se détachaient d'un manse pour
s'adjoindre à un autre ; de la sorte, certains ménages
s'enrichissaient, d'autres s'appauvrissaient. La constatation est d'importance. Ajoutons enfin que les migrations paysannes, l'établissement de nouvelles familles
dans le village venaient encore accentuer parfois la
diversité des lots. On rencontre, en effet, dans certains
terroirs que décrivent les inventaires, des *appendaria*,
des *cabannariae*, ou encore des *hospitia*, tenures beaucoup plus petites que les manses ; on peut voir en elles
des lopins attribués à des immigrants, qui ne s'intégraient pas dans la communauté de village et ne recevaient pas de part à l'utilisation des terres libres.

4º Les documents seigneuriaux indiquent enfin que
le nombre des familles tenancières ne correspondait pas
à celui des manses, et que beaucoup de ceux-ci étaient
occupés non par une famille mais par plusieurs. Il
arrivait que ce surpeuplement aboutît au partage de
l'enclos habité : dans certains polyptyques, celui de
l'abbaye de Prüm en particulier, on trouve inventoriés
quelques « quarts de manse [2] ». Mais le plus souvent, le
seigneur maintenait intacte l'unité de perception, sans

1. F. L. GANSHOF, *La Belgique carolingienne* (coll. Notre Passé),
Bruxelles, 1958, p. 111.
2. PERRIN, 242.

se préoccuper de la manière dont les familles occupantes pouvaient se répartir entre elles les charges, la surface de l'enclos et les parcelles attenantes. A Verrières, près de Paris, un cinquième seulement des manses contenait une seule famille, la moitié en contenait deux, et le tiers, trois [1]. Fixée par les haies, par les usages agraires, par le système rigide des perceptions, l'organisation des manses survivait alors, mais comme un tissu cellulaire sclérosé et qui ne coïncidait plus avec la structure vivante, celle des familles. Nous avons déjà signalé, pour ce qu'elle laisse entrevoir du mouvement démographique, l'accumulation des ménages sur certaines parcelles habitées. Mais si l'on confronte cette distribution très incohérente du peuplement aux très inégales portions de terre arable allouées à chaque manse, on s'aperçoit que les manses les mieux pourvus de labours n'étaient pas forcément les plus chargés d'hommes. Les écarts de situation économique déterminés par la répartition désordonnée de la surface arable se trouvaient souvent encore aggravés. De ce fait, il n'existait plus aucune correspondance entre les forces et les besoins du groupe familial et le lot de terre qu'il pouvait travailler, les quantités de nourriture que ce labeur pouvait produire, les exigences enfin du seigneur.

Tels apparaissent, dans les descriptions de seigneuries, les rapports réels entre le manse et la famille. Encore serait-il très important de connaître la consistance interne du groupe familial paysan. Jusqu'à quel degré de parenté les individus vivaient-ils alors en communauté matérielle, sous la même hutte et autour du même foyer ? Combien de personnes constituaient le ménage, en y associant les domestiques, car la *familia* ne comprenait pas seulement les parents, mais tous les habitants d'une même maison : le polyptyque de Prüm indique que des tenanciers paysans possédaient leurs propres esclaves, qui accomplissaient pour eux les corvées [2] ? Nos connaissances demeurent sur ce point tout à fait insuffisantes. Carence très regrettable, car ignorer si la société familiale était large ou restreinte, la maison peuplée ou non, c'est s'interdire d'évaluer ses capacités de production et de consommation, et donc de la situer exactement dans l'économie de ce temps, en fonction

1. PERRIN, 240.
2. PERRIN, 242.

des charges seigneuriales ou du mouvement des
échanges. Les textes fournissent pourtant quelques indications susceptibles d'être interprétées, et qu'il importerait de recueillir avec soin. Les inventaires les plus
détaillés qui, comme le polyptyque d'Irminon, dé-
nombrent les occupants des manses, livrent l'image de
familles généralement peu étendues, de structure conju-
gale : le ménage réunit seulement le père, la mère, les
enfants. La solidarité ne paraît pas rassembler de parents plus éloignés, et il semble que les enfants mariés
aient coutume de s'établir à l'écart dans leur propre
cabane. Mais ces indices concernent le milieu social
particulier des paysans tenanciers, que leur condition
même invitait peut-être à rompre plus vite la communauté familiale. On voit parfois celle-ci se prolonger
plus longtemps dans la paysannerie indépendante.
Ainsi le polyptyque d'Irminon décrit un gros manse
pourvu de vingt-cinq hectares environ de terres arables ;
il venait d'être offert en aumône à Saint-Germain-des-
Prés, mais restait occupé et exploité par les descendants
du donateur ; antérieures à l'offrande, les relations de
parenté s'étaient organisées dans un climat d'indépendance ; or la maisonnée réunissait ici vingt personnes,
deux frères mariés, l'un père de trois enfants, l'autre de
cinq, leur sœur et ses six enfants et une autre sœur céli-
bataire. Dans la structure familiale régnait donc aussi la
diversité. Les familles, groupes de coopération économique élémentaire, se trouvaient dans des situations
fort inégales, par leur composition et leur effectif aussi
bien que par leurs ressources.

2. LES GRANDES FORTUNES FONCIÈRES

Parmi les tenanciers de la seigneurie, on parvient donc
à discerner des riches et des pauvres. Mais les uns
comme les autres cultivaient la terre d'un maître, incomparablement plus fortuné qu'eux-mêmes. C'est à
l'intention de cette aristocratie terrienne [1] qu'ont été
rédigés tous les textes qui portent témoignage sur l'économie rurale de cette époque ; ils ne concernent que
leurs biens. Ils livrent l'image d'une société très abrupt-
ement hiérarchisée, où un petit groupe de « puissants »

1. Renvoyons à l'excellente analyse de cette structure sociale pré-
sentée par BOUTRUCHE, 145.

dominent de très haut la masse des « rustres » qu'ils exploitent. Certes, il existait pourtant alors, entre les tenanciers et leurs seigneurs, des cultivateurs de condition modeste qui parvenaient à sauvegarder une part au moins de leur indépendance économique. J'évoquais tout à l'heure cette famille paysanne de vingt personnes, dont la situation nous est accidentellement connue, parce que la donation de l'ancêtre vint intégrer sa terre dans le patrimoine d'une grande église ; avant cette aumône, le bien de ce lignage était autonome. Par d'autres documents, et en particulier par les dispositions qui réglementent le service dans l'armée royale, on devine la présence et la vitalité de cette catégorie de paysans qui exploitaient un seul manse. Ce furent sans doute les multiples donations de tels agriculteurs, cadeaux très modestes, à la mesure de leurs moyens, qui ont enrichi au IXe siècle les grandes abbayes de Germanie méridionale. Toutefois, on ne saurait nier que les manses, les labours et les espaces incultes se concentraient par très grosses masses dans la possession des souverains, des grands établissements ecclésiastiques et de quelques très riches familles. Il existait ainsi d'énormes fortunes foncières. La part du temporel de l'abbaye de Saint-Bertin affectée au IXe siècle à l'entretien des moines contenait dix mille hectares, et l'on a évalué à plus de dix-huit mille hectares la superficie du domaine laïc de Leeuw-Saint-Pierre en Brabant [1].

De toutes les formes où s'encadre alors l'économie rurale, ces grands domaines sont les premières — et à peu près les seules — que montrent bien les documents écrits. On peut observer assez clairement ces ensembles cohérents, gérés au profit d'un maître, et que la langue savante de l'époque désignait par le mot *villa*, le terme même qu'avaient utilisé les textes latins classiques. Du moins, voit-on de manière satisfaisante ceux qui, situés dans l'aire de la civilisation carolingienne, entre la Loire et le Rhin et en Lombardie, appartenaient aux plus grands monastères. Inventaires, descriptions ont permis aux historiens de dessiner les traits d'un système économique particulier qu'il est convenu d'appeler le « régime domanial ». Il a fait l'objet d'études nombreuses et souvent fort claires, ce qui permet ici de ne pas s'attarder.

---

1. GANSHOF, *La Belgique carolingienne*, p. 106.

*
* *

Sous les aspects que révèlent les documents les plus
célèbres, ceux qui furent les premiers décrits par les
érudits et présentés par eux comme étant les plus
« classiques », le système se fondait sur la division de la
villa en deux portions complémentaires. L'une était
gérée en exploitation directe. Les historiens français ont
pris l'habitude d'appeler cette part la « réserve » ; mais
lorsqu'ils en parlaient, les seigneurs et les paysans du
Moyen Age employaient le mot « domaine », et c'est
celui que je retiendrai. L'autre part était constituée par
les tenures, petites exploitations concédées.

Le domaine apparaît comme un « manse », le manse
du maître, *mansus indominicatus*. Mais il s'agit d'un
manse démesuré parce qu'il correspondait à une « maison », à une *familia* particulièrement nombreuse,
productive et exigeante. Sa structure cependant
ne différait pas de celle des autres manses. Au cœur,
un enclos, la « cour » : l'espace, contenu par une solide
palissade, renfermait, outre le verger et un grand jardin,
un ensemble de bâtiments qui en faisait un véritable
hameau. Voici celle d'Annapes, qui appartenait au
roi. Autour d'un palais de pierre très bien bâti, avec
trois grandes salles au rez-de-chaussée et onze chambres
à l'étage, s'aggloméraient de nombreuses constructions
en charpentes, une étable, trois écuries, la cuisine,
la cabane à faire le pain, dix-sept baraques pour abriter
les domestiques et les réserves de nourriture. Quant
aux *appendicia*, rattachés à la parcelle centrale, ils
comprenaient toujours des labours en grandes pièces,
des prés et, autant que possible, des vignes, enfin de
très vastes friches. De la « cour » de Somain, près
d'Annapes, dépendaient ainsi deux cent cinquante
hectares de champs, quarante-quatre de prés, sept
cent quatre-vingt cinq de bois et de pâtures. Toutefois, les « cours » n'étaient pas toutes aussi largement
pourvues : celle de l'abbaye de Saint-Pierre-du-
Mont-Blandin à Gand ne possédait pas cent hectares [1].

D'une manière générale cependant, les « manses
de maîtres » valaient plusieurs dizaines des manses
que les paysans recevaient en tenures. En effet, d'après

---

1. GRIERSON, 234 ; GANSHOF, 228.

les images les plus fréquemment transmises par les sources, un certain nombre de manses concédés épaulaient l'exploitation maîtresse. Ceux-ci possédaient des annexes labourables dont l'étendue, nous l'avons vu, était très diverse, mais toujours inférieure à la quantité de terre qui correspondait théoriquement aux capacités d'une famille paysanne. Pourtant, nous l'avons vu aussi, ces manses se trouvaient souvent occupés par plusieurs ménages. Certaines tenures, dites « libres », étaient en moyenne dotées d'appendices plus vastes que d'autres, dites « serviles ». Ajoutons que le statut des manses ne coïncidait pas toujours avec la condition personnelle de leurs tenanciers.

⋆

La première fonction de ces grands domaines était de permettre à quelques hommes de vivre dans l'oisiveté, l'abondance et la puissance. Ils soutenaient la magnificence d'une élite très restreinte de « grands ». Dans cette civilisation encore primitive, en un temps de pénurie alimentaire généralisée, le « puissant » apparaît d'abord comme celui qui mange toujours à sa faim. C'était celui surtout qui faisait manger les autres, le « généreux », et son autorité se mesurait au nombre des hommes qu'il nourrissait, aux dimensions de sa « maison ». Autour des chefs, laïcs et religieux, vivaient des centaines de commensaux, leurs parents, leurs amis, ceux qui s'étaient placés sous leur patronage (à la cour du souverain carolingien, le vocabulaire officiel les nommait précisément des « nourris »), des hôtes accueillis avec largesse et qui répandaient au loin la gloire de la maison, des foules de domestiques enfin, et parmi eux ces artistes du métal, de la charpente ou du tissage, qui édifiaient le cadre luxueux convenant au rang du maître, qui façonnaient ses armes, ses bijoux, ses parures. Ce type d'existence supposait un large ravitaillement, des greniers et des celliers toujours pleins, donc l'entretien de jardins bien tenus, de treilles, de clos de vigne, la culture de champs de dimensions exceptionnelles, pour fournir, en dépit du bas niveau des rendements, les grains en abondance, la disposition enfin de vastes étendues incultes pour l'approvisionnement en gibier et pour l'élevage des chevaux qui, en voyage et au combat, constituaient les attributs de la vie aristocratique. Il fallait pouvoir puiser sans compter. C'était le propre du noble, en effet, que d'échapper en tout temps à la gêne : il devait pouvoir, au milieu des affamés, demeurer toujours prodigue. Comme les récoltes variaient considéra-blement d'un an à l'autre, ses régisseurs, pour ne jamais manquer, s'employaient à pousser la production, et spécialement celle des blés.

Ne supposons pas cependant, dans l'attitude des maîtres et de leurs agents d'administration, un souci de développer l'exploitation, d'accroître les revenus, et comme l'amorce d'une mentalité de profit. Ils ne souhaitaient pas accumuler les biens, mais avoir toujours le moyen, sans inquiétude pour le lendemain, de distribuer autour d'eux la provende, d'étendre leur « famille », d'accroître le groupe de leurs obligés. En ce temps, la valeur fondamentale était en effet le dévouement personnel et le service. Les sources révèlent seulement les principes de gestion des chefs de maisons religieuses. Ces « intellectuels » possédaient peut-être un sens plus développé de la prévision. Du moins leur préoccupation essentielle était-elle d'établir un état précis des besoins en produits de la terre. Tel apparaît le but des « statuts » que l'abbé Adalard dressa pour le monastère de Corbie ; ils précisent en particulier, avec minutie, la qualité des pains, leur poids, la provenance des farines, la ration des différents allocataires, leur nombre. Une connais-sance exacte des nécessités précédait ainsi et commandait la répartition des fournitures entre les différents domaines conformément à leurs aptitudes. Les tournées d'enquêteurs, la rédaction d'inventaires avaient pour but d'aménager au mieux cette répartition, et aussi de faire connaître s'il était possible d'accueillir de nouveaux frères, de multiplier les aumônes, donc d'augmenter le nombre de bouches à nourrir. A l'inté-rieur d'un plan de longue durée, qui était de consom-mation et non de production, la *villa* était pourvoyeuse et devait répondre sans défaillance.

3. L'EXPLOITATION DU GRAND DOMAINE

Dans le modèle économique qu'ont construit les érudits, il y a quelques décennies, en se fondant sur

de rares textes tenus pour des autorités, et qu'ils ont
proposé comme constituant le « régime domanial
classique », la *villa* se présentait par conséquent comme
un centre d'exploitation directe. Un centre fort étendu,
en raison de la faiblesse des rendements agricoles.
Le monastère de San Giulia de Brescia consommait
au début du xe siècle six mille six cents muids de
grains chaque année. Pour assurer son approvisionnement, il fallait en semer neuf mille [1]. Les techniques
de production demeuraient si rudimentaires que la
subsistance d'une seule famille de l'aristocratie exigeait une superficie arable démesurée, généralement
plusieurs *villae*, pourvues chacune d'*appendicia* très
étendus. Le principal problème qui se posait aux administrateurs était par conséquent de main-d'œuvre.

**
*

Sa solution était facilitée par l'existence de l'esclavage. L'Occident tout entier le pratiquait alors, et de
manière plus intense sans doute sur ses franges moins
évoluées, plus proches du paganisme, en Angleterre,
en Germanie surtout. Très nombreux en tout cas
étaient les hommes et les femmes que les textes latins,
fidèles au vocabulaire classique, nomment *servus*,
ancilla, ou désignent par un terme collectif et neutre,
mancipium. Leur condition juridique était celle des
esclaves de la Rome antique ou des peuples barbares,
à peine adoucie par l'ambiance chrétienne. On reconnaissait leur mariage ; ils avaient le droit d'amasser
un pécule, d'acquérir de la terre. Mais ils dépendaient
entièrement de leur maître, qui les vendait ou les achetait ; ils faisaient partie de l'équipement de sa maison,
avec leur descendance et leurs biens. Rien ne limitait
leur devoir d'obéir, et le travail qu'ils fournissaient
était gratuit. Beaucoup, installés sur un manse par
leur maître, qui le leur avait confié pour s'y établir
en famille et en vivre, jouissaient d'une plus large
autonomie. Mais beaucoup aussi travaillaient dans la
maison et se trouvaient alors placés dans une situation
économique comparable à celle des bêtes de labour :
on les nourrissait, on les soignait pour ne pas perdre
un capital précieux ; ils se tenaient à la disposition

1. LUZZATTO, 155.

du maître pour toutes les tâches. On peut penser que, parmi les esclaves, ceux de condition domestique étaient les plus nombreux. Des indications éparses laissent supposer que certains paysans eux-mêmes en employaient dans leur demeure. L'homme de fortune modeste qui gérait pour les moines de Saint-Bertin leur domaine de Poperingues avait quatre esclaves à son service ; son voisin, le régisseur de Moringhem, avec un manse pourvu de vingt-cinq hectares de terres de labour, en entretenait une douzaine pour son usage personnel [1]. Quant aux maisons de grands, aux « cours » des *villae*, elles en abritaient des troupeaux.

Nos sources parlent peu de ces équipes de cultures. Les esclaves « de main » *(servi manuales)* qui les composaient, les *mancipia non casata*, ces esclaves qui n'avaient pas reçu de case pour y mener une vie familiale individuelle, qui logeaient dans l'enclos de la cour et que l'on appelait aussi les « prébendiers », car le maître assurait tout leur entretien, se trouvaient en effet rangés par un capitulaire de 806 parmi les biens meubles, que les inventaires ne décrivent pas toujours [2]. De telles équipes existaient pourtant partout, et partout la production reposait d'abord sur elles. Trois *mancipia* par exemple assuraient la mise en valeur de tel manse domanial, d'une vingtaine d'hectares, qui venait d'être donné à Saint-Germain-des-Prés lorsque fut confectionné le polyptyque d'Irmion [3]. Et dans la *villa* d'Ingolstadt, offerte par Louis le Pieux à l'abbaye de Niederalteich, vingt-deux esclaves domestiques travaillaient sur les quatre-vingts hectares labourables du domaine. En Lombardie, on comptait de huit à quarante-neuf esclaves par « cour » en 905-905 sur les possessions de l'abbaye de San Giulia de Brescia [4].

L'entretien de ces serviteurs ne posait pas de problèmes insurmontables. Dans les seigneuries où

---

1. *Polyptyque de l'abbé Irminon* (éd. GUÉRARD), II, Appendices, p. 400. Les tenanciers de l'abbaye de Prüm mettaient leurs *mancipia* à la disposition du maître pour les corvées de fenaison et de moisson, PERRIN, 242.

2. Le droit carolingien distingue les esclaves non casés, rangés parmi les meubles, et ceux qui « *jam casati sunt* », qui constituent l'« héritage » immobilier, *Capitularia regum Francorum*, I, p. 129. En 804, des Italiens cèdent à leurs créanciers tous leurs bien « *excepto mobilio, servos et ancillas manuales* », *Registrum Farfense*, n° 175.

3. *Polyptyque de l'abbé Irminon* (éd. GUÉRARD), II, 123.

4. LUZZATTO, 155.

fonctionnaient des moulins, le produit des taxes de
mouture perçues sur les usagers suffisait souvent à
nourrir la *familia* servile. Il ne faut pas croire non
plus que le recrutement des domestiques fût malaisé.
Certes, les progrès de la christianisation entravaient
quelque peu l'activité des trafiquants d'esclaves [1], mais
les marchés restaient approvisionnés. En outre, certains serviteurs étaient mariés (c'était le cas, dans telle
villa de l'abbaye de Farfa, de deux des *homines manuales*
qui travaillaient dans la « maison ») et, parmi les ser-
vantes, beaucoup avaient des enfants, légitimes ou
non [2]. Sans doute s'avérait-il peu profitable d'élever
ces jeunes dans la « cour » du maître, car il fallait les
nourrir longtemps avant qu'ils pussent rendre des
services. En revanche, il est à peu près sûr que les
maîtres prélevaient librement leurs valets et leurs
filles de ferme parmi la progéniture des esclaves établis
sur des manses serviles. Ceux-ci constituaient donc
— peut-être était-ce même leur principale fonction
économique — une pépinière de jeunes travailleurs
domestiques.

Une raison interdisait toutefois aux maîtres de confier
aux seuls serviteurs de leur maison tous les travaux
des champs : ceux-ci se trouvaient fort inégalement
répartis au long du calendrier agricole. La production
céréalière, à la différence de l'élevage ou de la viticulture, juxtapose en effet de longues mortes-saisons
à des périodes fébriles ou les travailleurs doivent être
rassemblés en très grand nombre. Les labours, la
moisson surtout, et la récolte du foin nécessaire à l'entretien du bétail de trait, qu'il faut mener très vite
sous un climat capricieux, constituent des époques
de grosse activité. Ajuster l'effectif permanent du
personnel domestique aux besoins de ces moments de
pointe, c'était s'obliger à l'entretenir dans l'oisiveté
pendant la plus grande partie de l'année, donc à
gaspiller la nourriture. C'était réduire considérablement
le rendement déjà fort restreint de l'agriculture et,
par conséquent, déséquilibrer l'économie du domaine.
Mieux valait adjoindre à la petite équipe, suffisante
pour les besognes quotidiennes, un appoint saisonnier
de main-d'œuvre rétribuée.

1. Latouche, 216, p. 188.
2. Luzzatto, 155.

Les conditions économiques de l'époque n'excluaient pas absolument le salariat. A Corbie, les préposés à l'exploitation des jardins employaient des aides pour bêcher les plates-bandes, pour les premières plantations, pour le sarclage ; ils recevaient chaque année, pour l'entretien de ces journaliers, cent pains, un muid de pois et de fèves et un muid de cervoise (ce qui prouve que ces travailleurs à la journée étaient payés par un repas) ; mais soixante deniers étaient en outre réservés « pour embaucher ces hommes [1] ». Toutefois, l'instrument monétaire manquait de souplesse ; aussi l'usage du gage en argent demeurait-il exceptionnel. Il était beaucoup plus commode de rétribuer les travailleurs associés temporairement à l'exploitation du domaine par la concession d'un lot de terre, de les installer sur des manses. La force productive de ces hommes et celle de leur propre famille se trouvait ainsi partagée. Une partie leur en était laissée pour tirer de leur lopin de quoi pourvoir à leur entretien. Ils devaient placer le reste à la disposition du maître de la terre. On reconnaît ici une autre fonction économique des tenures satellites du domaine.

*
* *

En échange de leur donation, les « maisons » paysannes devaient à la « maison » du maître des prestations dont la nature était pour chaque catégorie de manses généralement uniforme dans la *villa*, et même dans toutes les *villae* appartenant au même possesseur. Venaient d'abord des redevances portées à la « cour » chaque année à certaines dates. De montant fixe, elles consistaient parfois en quelques petites pièces d'argent, en poules, en œufs, en une tête ou deux de petit bétail, mouton ou porc. On peut tenir ces prestations soit pour des taxes payant l'usage des bois et des friches du maître, soit pour des impôts d'origine publique. Certaines prolongeaient des réquisitions pour le ravitaillement de l'armée royale jadis exigées des paysans libres ; le grand propriétaire foncier avait été chargé de les percevoir, et il se les était appropriées. La charge de ces diverses redevances restait toujours légère

---

1. *Statuts d'Adalard*, II, 1 (*Polyptyque de l'abbé Irminon* (éd. GUÉRARD), II).

en vérité, et le profit minime pour le maître de la terre. On voit comment se situaient les redevances dans l'économie de la *villa*. Elles se plaçaient, non point au niveau du gros labeur nourricier, de la lutte pour la subsistance, mais dans la marge de facilité, celle de l'élevage de basse-cour et du petit commerce des surplus. Sur la production des petits exploitants tenanciers, elles ne constituaient qu'un prélèvement de surface. Au seigneur, ces viandes, cette menue monnaie ne procuraient qu'un superflu et ne contribuaient, petitement, qu'à son luxe.

En revanche, les services en travail imposés aux tenures formaient la liaison économique essentielle entre celles-ci et le domaine, le nœud du régime domanial. La capacité de main-d'œuvre de chaque exploitation satellite se trouvait, comme on l'a vu, supérieure à ce que réclamait la culture de ses champs. Ce surplus devait aller à la « cour ». Sous forme d'abord de livraisons périodiques de produits façonnés : chaque manse devait préparer un tas de bois de chauffage, ou bien un certain nombre de piquets, de poutres, de planches, ou même parfois des outils, de ces outils rudimentaires que n'importe qui pouvait confectionner. Dans les tenures d'esclaves, les femmes tissaient pour le domaine des pièces de toile ou de drap. Mais les tâches principales étaient agricoles, et la contribution revêtait alors trois formes distinctes, souvent conjuguées :

1º Le manse était en premier lieu chargé d'un travail défini. Il lui incombait par exemple de dresser sur une certaine longueur de clôture temporaire qui protégeait au printemps les moissons et les prés. Plus généralement, il recevait mission de mettre complètement en valeur, depuis les labours préparatoires jusqu'à l'engrangement, un lot, l' « ansange », prélevé sur les labours du domaine, dont les produits devaient revenir intégralement au maître. De cette manière, chaque année, dans les parties du terroir mises en culture, un certain nombre de parcelles arables qui dépendaient du manse domanial lui étaient temporairement soustraites et s'adjoignaient aux *appendicia* des manses paysans. Elles les complétaient et absorbaient ainsi une part des forces productives inemployées de la population tenancière.

2º D'autres obligations étaient plus astreignantes,

car elles laissaient moins d'autonomie aux travailleurs des manses. Elles les sortaient du groupe familial et les intégraient périodiquement à l'équipe de travail constituée sur les terres de la « cour ». Ces réquisitions — les « corvées » au sens strict, car le mot signifie proprement demande, c'est-à-dire réquisition — ne touchaient en revanche dans chaque manse qu'une unité de travail, manuelle ou d'attelage, qu'un homme ou qu'une charrue. Ceci rendait le service sensiblement plus léger, surtout lorsque le manse était occupé par plusieurs familles, ou lorsque les tenanciers possédaient eux-mêmes des domestiques, ce qui était sans doute fréquent. Parfois, le manse devait un nombre fixe de journées, à certaines saisons, ou bien chaque semaine ; parfois le corvéable collaborait à une tâche définie jusqu'à son accomplissement. En certains cas, il s'agissait proprement de « main-d'œuvre » *(manoperae)*, de travail de bras ; l'homme requis venait au matin à la « cour » se joindre aux domestiques et attendre les ordres, mais le manse conservait l'usage de tout son outillage et des bêtes de trait. D'autres corvées recevaient au contraire une affectation spéciale. Ainsi celles qui réunissaient dans les ateliers domaniaux les femmes des manses dits serviles, ou bien les services de message et de charroi qui impliquaient la fourniture d'un attelage, et incombaient par conséquent aux manses dits libres, mieux équipés.

3⁰ Les tâches que les inventaires appellent les « nuits » constituaient enfin une troisième catégorie de travaux. Ceux-ci plaçaient le tenancier au service du seigneur plusieurs jours d'affilée, sans qu'il fût sûr de pouvoir rentrer chaque soir au gîte, ce qui permettait de l'employer au loin, de l'envoyer en mission. Et l'on peut penser que ces obligations indéterminées constituaient pour le domaine une réserve de main-d'œuvre, immédiatement et durablement mobilisable en cas de nécessité imprévue.

Ces diverses tâches très souvent se combinaient et s'ajoutaient les unes aux autres. Mais elles étaient généralement moins lourdes, plus strictement mesurées, moins dégradantes pour les manses libres. En principe, en effet, ces derniers étaient occupés par des paysans de condition libre, dont les ancêtres souvent avaient vécu dans l'indépendance, mais qui, trop pauvres ou trop faibles, avaient laissé leur terre s'introduire dans le système économique de la *villa*, en échange de secours et de protection. Même si les migrations rurales, les mariages mixtes, les aliénations de terre avaient aboli, ce qui était souvent le cas, la coïncidence entre la « liberté » de la tenure et le statut de ceux qui l'occupaient, ces derniers possédaient une exploitation assez vaste pour nourrir du gros bétail. Fournir des bœufs ou un cheval, collaborer ainsi aux labours, aux charrois, aux liaisons avec l'extérieur, constituait sans doute leur contribution la plus précieuse à l'équipement du domaine, celle de laboureurs, de conducteurs, de cavaliers plus que de manœuvres. On peut supposer, au contraire, que les manses serviles avaient été créés par le maître pour caser quelques-uns de ses esclaves domestiques, pour se décharger de leur entretien et les laisser élever eux-mêmes leurs enfants, mais sans cesser de prétendre à les commander et à les exploiter à sa guise. Les tenanciers des manses serviles se trouvaient pour cela beaucoup plus engagés dans le travail quotidien de la « cour ». Ils accomplissaient les travaux de main, car d'ordinaire ils ne disposaient pas d'attelage. A eux de monter la garde de nuit dans la « cour », de faire la lessive, de laver les moutons et de les tondre. On voyait leurs femmes ou leurs filles travailler dans les ateliers domaniaux. Aux manses serviles incombaient les corvées hebdomadaires de travail indéfini. En Germanie, ils devaient très généralement mettre un homme à la disposition du seigneur trois jours par semaine ; autrement dit, chacun de ces manses fournissait tout au long de l'année un domestique à mi-temps. Leur dotation en terre arable était plus réduite que celle des manses libres, ce qui s'explique. Leurs tenanciers étaient requis plus longtemps au-dehors et pouvaient consacrer moins d'effort à leur exploitation familiale, mais en revanche, comme ils mangeaient au réfectoire lorsqu'ils étaient de corvée dans la « cour », leur consommation dans le manse s'en trouvait réduite d'autant [1].

Puisque son rapport ne correspondait pas aux services dont elle était chargée, la tenure n'était pas exactement un salaire. Il faut avant tout considérer

---

1. On distingue aussi dans certains polyptyques la catégorie intermédiaire des manses « lidiles » correspondant à la condition sociale des affranchis.

la concession des manses comme un moyen de soulager partiellement l'intendance domaniale du soin de nourrir la main-d'œuvre domestique. Ajoutons que la cour pouvait disposer ainsi d'une quantité de travail surabondante. On a calculé que les huit cents familles dépendantes de l'abbaye de San Giulia de Brescia devaient, au début du Xe siècle, accomplir au service du maître soixante mille jours de travail [1]. Le maître, là encore, voulait pouvoir puiser sans compter, être toujours servi et se ménager une réserve pour les besoins imprévus. Mais il semble qu'en temps normal, toutes les corvées dues n'étaient pas requises.

Ainsi se présente le « régime domanial ». Le chef de la grande exploitation du village s'appropriait, pour l'affecter à la mise en valeur de ses propres terres, le surplus des forces productives des familles paysannes sur lesquelles il étendait sa puissance. Mais comme le labeur humain produisait peu, ce surplus s'avérait très maigre et il importait par conséquent qu'un grand nombre de manses satellites fût adjoint au domaine.

4. DESTINATION DES PROFITS DOMANIAUX

On considère souvent la *villa* carolingienne comme un organisme clos destiné à fonctionner entièrement replié sur lui-même. Il faut fortement nuancer cette image. La *villa*, en effet, s'intégrait généralement dans un ensemble économique plus vaste, parce que les « grands » possédaient d'ordinaire plusieurs domaines. Trois conséquences en découlaient :

1° Dans le plan établi pour la satisfaction des besoins du maître, les livraisons attendues des différents domaines étaient parfois spécialisées en fonction des aptitudes naturelles. C'était le cas, en particulier, pour la production la plus exigeante, celle du vin. Le vin passait alors pour la boisson noble, l'ornement de la table des riches ; il formait le présent de choix pour les amis, et les seigneurs mettaient leur fierté à produire dans leur clos des vins de qualité, qui leur fissent honneur. Aussi choisissaient-ils soigneusement parmi leurs terres les plus propices à l'établissement d'un vignoble. Ce souci commandait même une certaine

1. LUZZATTO, 217.

politique d'acquisition foncière. Les abbayes de la
Gaule du Nord, les « puissants » de Germanie s'efforçaient d'obtenir des terres dans le centre du Bassin
Parisien, dans la vallée du Rhin, sous des climats
où le raisin pouvait heureusement mûrir.

2⁰ En outre, comme il possédait plusieurs domaines,
le maître n'occupait que par intervalle avec sa suite
la grande maison qui, dans la cour de chacun d'eux,
était construite à son usage. Il venait à chaque occasion.
A ce moment, les serviteurs préparaient les couches
et les écuries, cuisaient les viandes et les pains. Pendant quelque temps, le seigneur et son entourage
consommaient les réserves accumulées en prévision
de leur visite. Mais ils étaient de passage, allant sans
cesse d'une cour à l'autre. L'aristocratie de ce temps
errait ainsi en constante migration au cours des saisons. Ceci posait un problème de gestion : pendant
ses absences, le maître devait avoir un mandataire.
De cet intendant dépendait tout le fonctionnement du
régime domanial. La direction des domestiques, la
réquisition des corvéables, la garde des provisions lui
revenait. Il supportait de lourdes responsabilités, mais
détenait un grand pouvoir. Quand il était seul, il
commandait, châtiait à sa guise. Aussi le seigneur
s'efforçait-il de le tenir en bride : tout le capitulaire
De Villis est un ensemble de consignes aux *villici*,
aux intendants des domaines royaux.

3⁰ Enfin, la multiplicité des centres de production
relevant d'un même maître nécessitait des liaisons,
et, dans une certaine mesure, des transports. Lorsque
le domaine était spécialisé dans certaines récoltes, le
maître ne pouvait d'un coup consommer les surplus
sur place ; il fallait les acheminer vers lui. Ainsi pour
le vin : chaque année, un moine de Saint-Bertin se
rendait au moment des vendanges dans le vignoble
que l'abbaye possédait dans la région de Cologne
et revenait avec un convoi de tonneaux [1]. D'autres
transports étaient organisés lorsque le maître, depuis
l'une de ses résidences, envoyait quérir tel ou tel
produit qui, sur place, lui faisait défaut. Ces expéditions de denrées devenaient beaucoup plus considé-

1. DION, 95, p. 419 ; H. VAN WERVEKE, « Comment les établissements religieux belges se procuraient-ils du vin au haut Moyen
Age ? » dans *Revue belge de Philologie et d'Histoire*, 1923.

rables et plus régulières lorsque la « famille » seigneuriale ne pouvait se déplacer et devait faire venir de ses domaines éloignés toute sa provende. C'était le cas des monastères, institutions stables. L'abbaye de Corbie entretenait cent quarante serviteurs spécialisés, chargés uniquement de conduire l'approvisionnement vers la communauté des moines. Dans ce monde tout sauvage et coupé de déserts incultes, les rivières, les mauvaises pistes étaient donc constamment sillonnées de caravanes et de porteurs de nouvelles. Or, les techniques de circulation restaient, elles aussi, fort rudimentaires. Pour les messages, pour les transports, il fallait mobiliser des chevaux, des bœufs en grand nombre, et surtout des hommes pour conduire les chars, ramer dans les barques, ou pour porter à pied sur leur dos les chargements. Une part des corvées exigées des tenanciers était affectée à cet office, et constamment, sauf aux moments de grande presse, une fraction du personnel se trouvait occupée hors du domaine. Ce qui déterminait une très lourde déperdition de main-d'œuvre.

⁎ ⁎
⁎

On gaspillait donc les forces. Mais cet acharnement même à faire venir des possessions les plus éloignées toute la provende, comme l'incessant déplacement des « maisons » seigneuriales, attestent que les maîtres mettaient leur idéal à tirer de leur terre de quoi subvenir à tous leurs besoins, et « qu'il ne fût pas nécessaire de quérir ou d'acheter quelque chose ailleurs »[1]. En réalité, cet idéal d'autarcie ne pouvait être réalisé. Des échanges devaient d'établir entre le groupe de domaines qui constituait le patrimoine seigneurial et l'extérieur. D'ailleurs, la structure interne de l'économie du domaine impliquait une certaine ouverture, et d'abord de la part des exploitations paysannes satellites.

La topographie même de la *villa* imposait de telles relations avec les centres de production avoisinants. Il semble certain, en effet, que la *villa* ne s'identifiait qu'exceptionnellement avec un village et son terroir. Elle s'étendait sur plusieurs clairières sans en recouvrir

1. *Capitulaire de Villis*, c. 42.

entièrement aucune. Les « coûtures » du domaine, les manses des tenures, leurs parcelles attenantes se trouvaient ainsi juxtaposées à d'autres champs et à d'autres enclos qui n'appartenaient pas au maître. Les tenanciers participaient avec d'autres paysans, leurs voisins, à des usages collectifs sur les friches. Cette contiguïté était certainement l'occasion d'échanges de services. Les intendants des domaines recrutaient sans doute parmi les voisins les quelques journaliers gagés qu'ils embauchaient. Il faut aussi supposer, nous l'avons dit, que certains tenanciers possédaient, outre leur tenure, beaucoup trop petite pour suffire à nourrir leur famille, d'autres parcelles, ou bien tout à fait indépendantes, ou bien relevant d'autres seigneuries. La communauté économique qui rassemblait les travailleurs du domaine n'était par conséquent pas toujours exclusive, ni tout à fait close. Certains paysans s'y trouvaient sans doute partiellement intégrés, qui participaient en même temps à d'autres groupes d'intérêt, à d'autres équipes domaniales, ou simplement à la communauté du village.

Ajoutons que la monnaie, les « deniers », ces pauvres petites pièces d'argent noir, jouaient leur rôle dans les relations entre seigneurs et paysans. Les lois et les coutumes punissaient, en effet, de peines pécuniaires les moindres infractions à la paix ou aux usages. Pour cela, les tenanciers les plus humbles avaient toute chance d'être amenés à débourser de loin en loin quelques pièces. Il leur fallait aussi acquitter en argent certaines redevances annuelles. Sauf dans les provinces périphériques du monde carolingien, comme la Bavière, les maîtres de la terre percevaient chaque année sur les manses quelques deniers, autorisaient les tenanciers à racheter certaines prestations en nature ou certaines corvées. Les documents de Bobbio, de Lucques, de San Giulia de Brescia montrent que les prestations en numéraire étaient particulièrement fortes dans les seigneuries italiennes. L'institution de ces versements périodiques implique que les exploitants des tenures vendaient régulièrement une part de leur production propre ou de leur travail.

En fait, on repère l'existence de très nombreux marchés hebdomadaires dans les campagnes et dans les plus petits villages. Il s'en créa beaucoup au IXe et au Xe siècle. Ce n'était pas des organes internes du domaine, destinés seulement aux transactions entre les tenanciers. Ils servaient aux relations extérieures, et le capitulaire *De Villis* met en garde les intendants contre l'attrait qu'exercent les marchés sur les travailleurs du domaine, qui vont y flâner, y perdre leur temps, négocier peut-être le fruit de petits larcins. Il existait donc un mouvement naturel d'achats et de ventes, limité certes mais régulier. Les inégalités même de la production agricole d'un an à l'autre, le passage constant des voyageurs sur les pistes qui traversaient le village offraient aux plus petits exploitants la possibilité d'échanger contre de l'argent quelques-uns des produits de leur jardin ou de leur basse-cour. Averti de ces profits, le maître voulait en avoir sa part ; en exigeant des redevances en deniers, il bénéficiait de l'activité marchande de ses dépendants, et la stimulait en même temps.

Enfin, il chargeait aussi ses intendants de commercer de manière plus directe. Autant que les tenures, et plus largement encore, le domaine pratiquait le négoce. A Corbie, le portier achetait régulièrement du bois [1]. Régulièrement, les régisseurs des domaines royaux achetaient des grains pour les semences, car il leur était recommandé, pour obtenir de meilleurs rendements, de ne point confier à la terre les grains mêmes qu'elle venait de produire. Régulièrement surtout, une portion de la production domaniale s'écoulait au-dehors. Gratuitement pour une part, en cadeaux, en secours qui valait à la personne du maître dévouement et reconnaissances. Chaque maison seigneuriale (davantage celles des religieux, mais aussi bien celles des chefs soucieux de leur prestige) distribuait les aumônes aux indigents, et cette dispersion périodique des surplus domaniaux parmi les groupes sociaux les plus défavorisés, le soutien qu'en tiraient les faibles, constituent des faits économiques que l'on aurait tort de négliger. On sait par exemple que chaque jour, à la porte du monastère de Saint-Riquier, quatre cents pauvres recevaient leur pitance. Cette époque a certainement pratiqué davantage la charité et le cadeau que le commerce.

Une part pourtant des profits du domaine était

---

1. *Polyptyque de l'abbé Irminon* (éd. GUÉRARD), II, Appendices, p. 370.

normalement échangée contre de l'argent. Dans les domaines les plus éloignés de leurs abbayes, les moines faisaient vendre les denrées pesantes pour éviter de les transporter sur de trop longues distances [1]. Mais les seigneurs vendaient aussi, parce qu'il leur était nécessaire, pour satisfaire certains de leurs besoins, de posséder de la monnaie, et davantage que n'en fournissaient les petites prestations des tenanciers. Lorsque l'abbé de Ferrières commandait de vendre du vin et du grain, il songeait à la nécessité de renouveler la garde-robe de ses moines [2]. Tous les ans, aux Rameaux, les intendants des domaines royaux apportaient au palais carolingien « l'argent tiré des récoltes ». De la sorte, les transactions marchandes des surplus domaniaux entretenait, le long des rivières et sur les axes où la circulation était moins malaisée, une activité commerciale aux horizons parfois fort larges.

Les céréales faisaient certainement alors l'objet de trafics à longue distance. Eginhard évoque « des négociants de la cité de Mayence qui avaient coutume d'acheter le froment dans le haut pays et de le descendre à la ville par le Main [3] ». Mais les opérations commerciales les plus fréquentes et les plus régulières portaient sans doute sur le vin de qualité. Dans le Nord-Ouest, de vastes régions ne pouvaient en produire, et les grands de ces contrées étaient prêts à payer fort cher pour s'en procurer. En fonction de cette demande, des vignobles se développèrent à l'époque carolingienne le long de la Loire (Alcuin honorait l'évêque d'Orléans Théodulfe du titre de « père des vignes »), le long du Rhin (si l'on en croit Ermold le Noir, c'étaient les Frisons qui faisaient la prospérité des Vosges en venant acheter la vendange). Ils s'épanouirent surtout dans le bassin de la Seine [4]. A la foire du 9 octobre, l'abbé de Saint-Denis vendait aux Saxons, aux Frisons, aux Rouennais, qui le convoyaient vers l'Angleterre, de très grosses quantités de vin nouveau venu de ses domaines [5].

---

1. *Ibid.*, p. 334-335.
2. LOUP DE FERRIÈRES, *Lettres* (éd. LEVILLAIN), I, p. 117.
3. *Histoire de la translation des saints Marcelin et Pierre*, 39 (*Pat. Lat.*, CIV, col. 560).
4. DION, 95, p. 211.
5. DOEHAERD, 208.

Tout porte à croire que ce furent les excédents de production des grands domaines qui soutinrent, au IXe siècle, l'essor du négoce, le développement le long des rivières des *portus* et des agglomérations marchandes, l'activité d'un petit groupe de spécialistes des échanges, les seuls hommes qu'animait alors l'esprit de lucre. Car cette époque, qui connaissait les petits achats de subsistance sur le marché du village, n'ignora pas les spéculations sur les fruits de la terre, qu'encourageaient les larges écarts de production, le surpeuplement des terroirs, la pénurie permanente, la disette menaçante chaque printemps. En 794, un capitulaire tenta de fixer le prix des céréales vendues au détail. Un autre, en 806, condamnait « ceux qui, aux moissons et aux vendanges, achètent du blé ou du vin sans nécessité, mais avec une arrière-pensée de cupidité, par exemple en achetant un muid pour deux deniers et en le conservant jusqu'à ce qu'ils puissent le revendre six deniers ou même davantage ». Un règlement de 809 fait allusion aux cultivateurs et aux seigneurs qui, pressés par le besoin, « vendent le vin et le grain avant la récolte et par là deviennent pauvres [1] ». Dans ce climat, le domaine n'était pas isolé, comme il pourrait apparaître à la lecture trop rapide des inventaires. Il se trouvait en communication avec d'autres domaines, avec les exploitants paysans qui l'environnaient. Il vivait au milieu d'un monde en mouvement.

5. DIVERSITÉ DES STRUCTURES SEIGNEURIALES

Ce mouvement même l'entraînait et le transformait, et les sources qui nous éclairent permettent de discerner quelques-uns de ces changements. Ce furent d'abord des changements de forme. En effet, la *villa* était généralement une portion d'un patrimoine, lui-même mouvant. Lorsque cette fortune appartenait à une famille laïque, le domaine subissait à chaque génération les effets des partages successoraux. Et même si le père était très riche, même si l'alleu englobait plusieurs *villae*, le souci très vif d'attribuer

2. *Capitularia Regum Francorum*, I, 74, 132, 152 ; LATOUCHE, 216, p. 180 et suiv.

aux héritiers de même rang des parts égales conduisait
fréquemment à morceler chaque domaine en « parts ».
Séparées les unes des autres, elles allaient s'agréger
à des ensembles économiques indépendants. Les dons,
qui tenaient une si grande place dans les relations
sociales de l'époque, constituaient un second facteur
de dislocation. Dons aux amis, à ceux dont on voulait
récompenser les services ou gagner le dévouement,
à commencer par les générosités des souverains qui,
dans une large mesure, ont établi la supériorité économique des grandes familles. Dons aux églises, car
l'aumône était alors tenue pour la plus efficace des
pratiques de piété. Ces bienfaits amputaient souvent
la *villa* de quelques fragments, ils lui retiraient un
ou plusieurs manses dépendants, ou bien une partie
des labours du domaine. Ainsi des groupes domaniaux
constamment se défaisaient.

Mais d'autres constamment se constituaient. Dans
certaines provinces périphériques, la formation de
villae nouvelles suivit les progrès de l'occupation du
sol. On le voit assez clairement en Flandre, en Brabant,
où les documents écrits et l'archéologie agraire montrent
que de nombreux domaines furent créés au IX\ :sup:`e` siècle
sur des clairières de défrichement nouvellement
ouvertes[1]. Dans ces régions qui émergeaient peu à
peu de la sauvagerie, l'implantation de grands domaines
accompagnait aussi l'établissement d'une organisation
sociale moins primitive. Ainsi, dans la Germanie
conquise par les Carolingiens et le christianisme,
l'installation des comtes francs, et surtout la fondation
des établissements chrétiens, évêchés et monastères,
multiplièrent-ils les *villae* et stimulèrent la diffusion
du régime domanial.

Sur l'ensemble de l'Occident, la croissance des
groupes domaniaux est mise en évidence par certains
documents d'Église, et en particulier par ces « livres
de donations » dont beaucoup furent composés dans
les abbayes germaniques. Les aumônes des grands
et des humbles venaient enrichir d'année en année
le patrimoine des saints patrons. Celui-ci englobait
ainsi constamment de nouveaux esclaves, mais surtout
de nouvelles possessions foncières, de toute valeur
et de toute dimension. Les acquisitions portaient

---

1. Verhulst, 197 et 220.

parfois, lorsque le donateur était un « puissant », sur une *villa* tout entière ; elle prenait place, toute formée, dans la constellation des domaines qui nourrissaient le monastère. Mais la plupart des dons étaient menus et dispersés : un ou deux manses dans tel village, dans tel autre un lopin seulement. Ces éléments éparpillés devaient être peu à peu réunis, liés les uns aux autres, pour l'échange des services qui constituait le nœud du régime domanial. Cette intégration était lente. Dans certaines seigneuries de Saint-Germain-des-Prés, à Corbon, à Villemeux, elle restait encore très imparfaite lorsque fut rédigé le polyptyque d'Irminon. Les « manses » acquis par des donations récentes demeuraient encore presque tous des exploitations économiquement autonomes ; on ne leur avait pas imposé de corvées ; ils ne participaient donc pas à la mise en valeur d'une réserve. Le maître s'était assuré leur collaboration à l'approvisionnement de la maison seigneuriale de la manière pour lui la plus simple, en exigeant chaque année une portion de leur propre récolte. Ici, le recours au métayage, procédé d'exploitation foncièrement différent du régime domanial « classique », était peut-être transitoire et préparait l'établissement progressif de prestations de main-d'œuvre. En tout cas, l'historien ne doit pas se laisser prendre à l'illusion d'immobilité que peut communiquer la lecture des inventaires. L'état que ceux-ci décrivent est en réalité fugitif et marque un bref passage au sein d'une évolution continue.

***

Les modifications que subissait la *villa* dans sa forme, sa désagrégation par les partages ou par les dons aussi bien que sa croissance, mettaient à elles seules constamment en crise le « régime domanial » lui-même. Les liaisons entre le domaine et les tenures s'en trouvaient dérangées. Elles rompaient l'équilibre nécessaire entre les besoins de la cour en main-d'œuvre, le nombre de manses et le montant des services en travail qui leur étaient imposés. Que le maître se séparât d'une tenure, qu'il acquît un champ ou qu'il fît étendre par défrichement sa terre labourable, il risquait de manquer de travailleurs. S'il aliénait au contraire une part de son domaine, ou s'il faisait acquisition de nouveaux manses corvéables, il disposait alors de services et de corvées dont il ne trouvait plus l'emploi.

Mais certains déséquilibres dans les relations de travail paraissent également liés à d'autres changements plus profonds. L'évolution des techniques a pu déterminer des modifications de longue durée. Dans la mesure où des améliorations furent introduites — la nécessité ressentie par exemple de multiplier les labours, de renforcer par le marnage la fertilité du sol —, elles incitèrent les maîtres à étendre les réquisitions de main-d'œuvre. Inversement, la domestication des forces naturelles, un accroissement de la productivité du travail, un meilleur équipement technique, pouvaient faire tomber en désuétude les corvées les plus ingrates, comme celles qui, avant l'installation du moulin à eau, obligeaient les occupants des manses esclaves à préparer à la main la farine.

D'autre part, la population de la seigneurie était instable. De temps à autres, elle subissait des calamités accidentelles ; famines, épidémies, incursions désastreuses de pillards ouvraient de larges brèches. En revanche, une poussée démographique naturelle, lente et continue, tendait à multiplier les ménages dans l'enclos du manse. En fait, tous les inventaires carolingiens énumèrent, et parfois côte à côte, des tenures surpeuplées et des manses « vidés » *(absi)*. La puissance de travail que les tenanciers pouvaient mettre à la disposition du maître accusait de la sorte de sensibles variations, qui imposaient d'adapter le régime domanial. Dans la *villa* de Villance, en Ardenne, dont la description, dans le polyptyque de l'abbaye de Prüm, fut dressée en 893, après un passage de Normands, de nombreux manses désertés lors de l'invasion n'avaient pas encore été réoccupés. Ils ne procuraient donc plus d'aide en travail, mais accroissaient au contraire les besoins en main-d'œuvre, par la nécessité d'employer domestiques ou corvéables sur leurs annexes arables, qui restaient en friche et se trouvaient temporairement réunies au domaine. En revanche, les paysans s'entassaient sur les exploitations voisines. Cédant sans doute aux prières des familles, le seigneur avait admis le fractionnement de certains manses. On comptait là onze « demi-manses » et vingt « quarts de manse », mais les deux tiers de trente-cinq manses qui demeuraient entiers étaient occupés chacun par quatre familles d'exploitants. De ce surpeuplement, les administrateurs avaient tiré profit pour accroître leurs exigences. Les services en travail des manses divisés étaient devenus plus lourds ; dans les manses restés intacts, on demandait à chaque famille d'occupants d'acquitter en deniers toutes les redevances [1].

Il faut enfin prendre en considération la souplesse même du milieu économique. Le commerce des fruits de la terre introduisait peu à peu au sein de la société paysanne des différences de fortune, plaçait côte à côte des pauvres et des riches. Certains tenanciers étaient donc tentés de vendre, à l'insu du seigneur, les lopins attachés à leur manse, rompant par là l'équilibre entre les charges pesant sur l'unité de perception et ses capacités contributives. Un édit de Charles le Chauve tenta vainement de mettre un terme à de telles pratiques sur les domaines royaux, où quelques tenanciers refusaient de remplir leurs obligations, parce que leur manse avait perdu presque tous ses appendices. Enfin, dans les régions les plus pénétrées par les courants d'échange, le développement de l'activité commerciale, une familiarité plus grande, dans les maisons paysannes comme dans celle du seigneur, avec l'usage de la monnaie, conviaient à fonder en partie sur l'argent les rapports économiques entre les tenures et le domaine.

*
* *

Des ajustements étaient ainsi constamment nécessaires. L'histoire de chaque *villa* est malheureusement tout à fait obscure, même dans le secteur le mieux éclairé par les polyptyques. Bien rares en effet sont les inventaires qui furent régulièrement tenus à jour et qui contiennent ainsi plusieurs états successifs, permettant de mesurer les changements subis par un même groupe domanial. Mais cette histoire — histoire interne, celle des rapports entre les paysans et l'intendant — impliquait, on le devine, un jeu complexe d'abandons, d'exigences nouvelles, de refus et de résistances. Soucieux avant tout de maintenir les revenus

1. Perrin, 189, p. 640.

stables en fonction de leur plan de consommation, les administrateurs souffraient de devoir opérer de continuelles réadaptations. On peut penser que l'une des fonctions des polyptyques consistait précisément à fixer solidement le nombre des tenures et leurs charges. Ils devaient aussi empêcher que tel ou tel service, auquel on avait momentanément renoncé, ne fût pour cela perdu. A travers un jugement rendu en 828 par le roi Pépin d'Aquitaine, apparaît un conflit qui opposait les moines de Cormery à leurs tenanciers du village d'Antoigné. Ces derniers refusaient d'acquiter des redevances que « depuis longtemps » l'on n'avait pas exigées. Mais l'avoué et le prévôt de l'abbaye firent produire devant le tribunal une ancienne « description » où, sur la foi même des dépendants, ces réquisitions avaient été autrefois inscrites ; ils obtinrent gain de cause [1]. D'autres textes prouvent au contraire que des paysans purent alors combattre efficacement, devant les cours publiques, les « innovations » de leurs seigneurs. En 905, l'église Saint-Ambroise de Milan dut ainsi renoncer aux corvées qu'elle réclamait à ses dépendants de Lemonta [2]. Mais combien de rustres purent-ils, comme ceux-ci, trouver appui, hors de la clairière du village, contre les empiétements du seigneur ? Et nul document d'archive ne dira jamais rien des victoires paysannes, et de ce qui se perdit des redevances et des corvées par oubli, par impuissance des intendants à vaincre la passivité des tenanciers ou à tirer quelque chose de leur misère. En tout cas, même dans les domaines où étaient dressés des inventaires, l'évolution du régime domanial ne s'en trouvait pas pour cela complètement arrêtée. En témoignent la réfection périodique des polyptyques ou les corrections qu'il fallait bien, au moins de temps à autre, apporter à leurs manuscrits.

Le système que décrivent les plus anciennes de ces enquêtes apparaît d'ailleurs comme déjà usé et considérablement évolué. Le fait est clair dans le polyptyque d'Irminon. Au terme de mouvements démographiques et de mutations économiques et sociales, qui duraient sans doute depuis des générations, il

---

1. *Recueil des actes de Pépin Ier et de Pépin II, rois d'Aquitaine* (éd. LEVILLAIN).
2. LEICHT, 154, p. 83 et suiv.

n'existait plus la moindre coïncidence dans les *villae* des environs de Paris entre le statut du tenancier et celui de son manse, entre le nombre des tenures et celui des ménages paysans, entre les services dus par les travailleurs et l'étendue du lopin qui leur était concédé. En comparant, dans les régions où la documentation est la moins indigente, les états enregistrés à diverses époques dans des seigneuries qui ne sont pas trop éloignées les unes des autres, il n'est pas impossible de déceler le sens très général de cette évolution.

* *
*

Une première tendance, la plus nette et la plus générale, est celle qui peu à peu fit tomber en désuétude la distinction entre manse libre et manse servile, et traiter de la même manière toutes les unités d'habitation et de perception satellites de la seigneurie. La mobilité que l'on devine dans la paysannerie, le surpeuplement des manses, les discordances entre la condition du tenancier et le statut de sa tenure facilitèrent sans doute cette assimilation, qui était en outre une simplification et convenait donc à une société fruste, peu capable de distinctions juridiques abstraites.

D'autres orientations s'observent encore, mais ne semblent pas aussi marquées dans toutes les provinces. Dans les régions les plus primitives, comme la Germanie, il semble que les charges des tenures, et spécialement les services en travail se trouvaient, au IXe siècle, en voie d'aggravation. La loi des Bavarois, celle des Alamans, rédigées dans la première moitié du VIIIe siècle, indiquent que le manse d'esclave ne devait, normalement, en fait de corvées, que trois jours de travail par semaine. De cette même catégorie de tenures, dans certaines seigneuries qui firent l'objet d'une description au siècle suivant, on exigeait en outre une coopération au labour des champs du maître, analogue à celle qui incombait jadis aux seuls manses d'hommes libres. Cette tendance conduisait d'ailleurs aussi, on le voit, à rapprocher les diverses catégories de manses et finalement à les confondre. Mais elle s'explique sans doute aussi par la croissance interne de l'économie domaniale, par un essor de l'agriculture au détriment de l'élevage ou d'activités plus primitives, qui obligeaient le maître à accroître son personnel de labour, bref, par un progrès d'ensemble de la civilisation matérielle.

De la même manière, mais dans les provinces au contraire les plus évoluées, et plus tard, au cours du xe siècle, il semble que l'on puisse déceler une multiplication des prestations en numéraire parmi les charges qui pesaient sur les tenanciers. Ainsi, les redevances en deniers tenaient-elles, au xe siècle, beaucoup plus de place dans telle seigneurie bourguignonne que dans les *villae* de l'abbaye de Prüm, en Ardenne, inventoriées quelques années plus tôt [1]. Ajoutons que ces redevances en monnaie semblent bien avoir été exigées en remplacement d'anciennes livraisons de bétail ou d'anciennes corvées, de charroi de bois ou de guet. D'un commun accord, les paysans et les maîtres avaient sans doute choisi d'utiliser davantage l'instrument monétaire. La substitution de redevances en argent aux services en travail et aux redevances en nature s'observe plus nettement encore en Italie du Nord, dans la deuxième moitié du ixe siècle et au xe. Ici, le phénomène peut être mis en rapport certain avec l'essor commercial incontestable que connut la vallée du Pô à cette époque, et avec la multiplication des marchés ruraux [2].

Remarquons qu'à ce moment-là, les redevances en monnaie étaient encore tout à fait inconnues dans bien des seigneuries bavaroises. Il existait donc alors des discordances très considérables dans l'évolution économique des diverses provinces d'Occident. Ces contrastes régionaux, joints aux contingences qui, ici et là, accéléraient ou ralentissaient l'évolution de tel ou tel patrimoine, freinaient ou précipitaient sa dislocation ou sa croissance, obligent donc à rectifier le schéma abstrait du régime domanial « classique », à lui substituer une image certainement beaucoup plus fidèle, en mettant avant tout l'accent sur l'extrême diversité que revêtit à l'époque carolingienne la structure économique des grandes fortunes foncières. Par rapport à la région parisienne dont les sources,

---

1. Document n° 10, p. 293.
2. Luzzatto, 217. Au xe siècle, des tenanciers de San Giulia de Brescia devaient mener de la soie au marché royal de Brescia et, pour dix livres vendues, verser au seigneur cinquante sous, Lopez, dans 5, p. 279 et suiv.

magnifiquement présentées il y a plus d'un siècle par B. Guérard, ont permis d'élaborer le « modèle » du régime domanial, des divergences fort vives s'affirment dès que l'on s'éloigne un peu vers l'Ouest, sans même sortir du patrimoine monastique de Saint-Germain-des-Prés. Sur les terres que cette abbaye possédait dans la région de Dreux, à Villemeux, à Boissy par exemple, la proportion des champs intégrés dans le « domaine » et réservés à l'usage du maître était beaucoup moindre qu'aux environs de Paris (on peu l'évaluer à 11,5 % dans la seigneurie de Villemeux contre 35,7 % à Palaiseau). En outre, les possessions foncières s'éparpillaient beaucoup plus, ce qui relâchait sensiblement le lien économique entre les multiples « coûtures » et les tenures. Parmi celles-ci, beaucoup enfin ne devaient aucune corvée et leurs occupants ne paraissaient à la cour seigneuriale que pour apporter les redevances.

Les polyptyques de Germanie décrivent des possessions beaucoup moins rassemblées encore. Souvent, la « cour » paraît ici avoir joué seulement le rôle d'un centre de perception, tant les terres dépendantes se trouvaient dispersées. A proximité du domaine, on ne rencontrait jamais plus d'une dizaine de manses [1], et parmi ceux-ci, les manses d'esclaves prédominaient nettement : les diverses seigneuries de l'abbaye de Lorsch n'en contenaient pas d'autres. Alors qu'à l'ouest de l'Empire carolingien une forte portion de la paysannerie « libre » subissait la très stricte emprise économique du grand domaine, il semble que l'exploitation des terres aristocratiques soit demeurée, en Germanie, plus repliée sur elle-même, en liaison beaucoup moins étroite avec l'environnement paysan. Des travailleurs privés, esclaves prébendiers, nourris à la maison, ou casés sur quelques tenures, accomplissaient l'essentiel de la besogne. L'économie domaniale paraît ici moins publique, plus domestique, moins envahissante, que cela tienne à une plus forte présence de l'esclavage dans ces régions périphériques de la civilisation chrétienne, à l'implantation plus récente de l'institution seigneuriale, ou, plus probablement, à l'existence de communautés plus vigoureuses de paysans de condition franche. De toute

1. Document nᵒ 11, p. 295.

manière, l'association de ces derniers à l'exploitation de la réserve demeurait l'exception.

Dans l'Italie du Nord, les inventaires révèlent une structure encore différente. Dans les « cours » travaillaient, comme en Germanie, de fortes équipes d'esclaves prébendiers, des « maisonnées » *(masnada)*. Elles recevaient l'aide de quelques familles de *servi*, casés sur des tenures et astreints à des services illimités *(angaria)*. Mais la plupart des tenanciers — on en comptait trois cents sur les terres de l'abbaye de Bobbio au milieu du IXᵉ siècle — étaient des *libellarii*, c'est-à-dire des hommes libres, souvent possesseurs d'alleux par ailleurs, mais qui avaient reçu concession d'une terre par contrat écrit, pour une longue durée, vingt-neuf ans au moins. Ce pacte conclu avec le seigneur du sol prolongeait des traditions très antiques ; il imposait parfois un certain nombre de corvées, mais toujours limitées à quelques semaines par an ; la plupart de ces tenanciers cependant demeuraient exempts de toute collaboration au travail du domaine. Pour eux l'association à l'économie de la cour seigneuriale revêtait une autre forme. Ils devaient livrer au grenier du maître une certaine part de leur propre récolte, le tiers du grain, la moitié du vin sur les terres de San Giulia de Brescia, le dixième du grain et du lin, le quart ou le tiers du vin sur celles de l'église de Ravenne [1]. Le système ici différait donc plus sensiblement encore du régime domanial classique. Il s'agissait en réalité de la juxtaposition d'une exploitation domestique de type servile à l'allemande, et d'un mode de gestion de la terre fondé sur la concession à bail temporaire et sur le métayage. Ajoutons que la vivacité des échanges, l'usage moins restreint de la monnaie tendaient à réduire rapidement les obligations des tenanciers. A la fin du Xᵉ siècle, ceux du chapitre épiscopal de Lucques ne devaient plus guère de services en travail ni de redevances en nature ; ils livraient surtout des deniers [2].

A considérer les seigneuries de Germanie et de Lombardie, et même les plus occidentales de Saint-Germain-des-Prés, on ne peut se défendre d'un doute. Est-il prudent, dans une reconstruction forcément très hypothétique de l'économie rurale des temps carolin-

1. Leicht, 154, p. 64 ; Luzzatto, 217 et 219.
2. Endres, 226.

giens, d'attribuer une place déterminante au jeu des corvées qui reliaient les tenures au domaine, à cette association de travail entre les « maisons » paysannes et celle du maître, dont on a fait l'essence du « régime domanial » ? Dans bien des régions, un tel régime d'exploitation paraît bien avoir été, sinon inconnu, du moins tout à fait exceptionnel. On ne peut dire grand-chose de l'Angleterre, alors plongée dans des ténèbres épaisses. Une emprise bien moindre de l'aristocratie, l'entretien du roi et de sa suite par des fournitures fixes de nourriture apportées périodiquement par les villages, l'usage de concéder une terre, des semences, un équipement à des familles paysannes en échange de services personnels, c'est tout ce que les documents anglo-saxons permettent d'entrevoir [1]. Mais voici la Flandre, le Brabant, les confins de la Frise, à proximité des centres de civilisation carolingienne. En 893, sur les terres que l'abbaye de Prüm possédait à Arnhem, les manses devaient livrer chacun vingt-six deniers, deux muids de seigle, quatre chars de bois, une poule, cinq œufs, deux porcs de cinq deniers ; astreints seulement à quatre semaines de corvées par an, deux en mai et deux en automne, on ne peut les considérer comme associés vraiment à l'exploitation du domaine [2]. Quant aux trente hectares de labours, aux dix-huit hectares de prés que possédait en domaine l'abbaye de Saint-Pierre à Gand, ils étaient exploités exclusivement par une petite équipe d'esclaves domestiques, dix-neuf valets, dix filles de ferme, trois vachères ; les tenanciers des vingt-cinq manses attenants ne devaient aucun service agricole [3]. Créées sans doute par défrichement récent, isolées du centre domanial et vouées surtout à l'élevage, les tenures ne contribuaient pas davantage à la mise en valeur des « coûtures », dans les cinq *villae* qui appartenaient, au nord-est de Gand, à l'abbaye de Saint-Bavon [4]. Ce qui frappe ici, c'est bien la disjonction entre la réserve, confiée tout entière à la *familia*, et les tenures qui fournissaient une rente. Dans la Gaule de l'Ouest (dans le Maine, où le mot *mansus* n'est pas employé, où la concentration des terres en

1. STENTON, 219, p. 276 et suiv.
2. SLOET, 196, n° 66.
3. GANSHOF, *La Belgique carolingienne*, p. 105.
4. VERHULST, 197.

grosses exploitations semble l'exception [1]), dans la
Gaule du Sud, où les textes sont à vrai dire extrêmement
rares et d'interprétation difficile (en Auvergne par
exemple, où l'on ne voit pas que des corvées aient uni
les manses ou les *appendariae* à l'*indominicatum* [2]),
il est probable qu'une telle disjonction était bien le cas
le plus fréquent.

6. LE GRAND DOMAINE ET L'ÉCONOMIE PAYSANNE

Cette constatation engage à poser un autre problème,
le principal peut-être, mais auquel il est impossible de
donner des solutions convaincantes. Moins étendue sans
aucun doute et moins pénétrante qu'il n'apparaît à
travers nos sources, qui sont beaucoup trop clairsemées,
répétons-le, et de provenance uniquement aristocratique, l'influence du grand domaine ne laissait pas
cependant de s'exercer sur les exploitations voisines.
Mais dans quelles limites ? Gouvernait-il autour de lui
les relations économiques entre maisons, entre familles ?
Ou bien celles-ci s'organisaient-elles plus spontanément
dans le cadre d'une communauté de voisins ?

On ne peut guère formuler à ce propos que des
hypothèses. Dans quelques petites régions, autour de
l'abbaye de Saint-Gall par exemple, au IXe siècle, dans
certaines contrées lombardes ou en Mâconnais au Xe,
une documentation moins indigente permet d'apercevoir nombre d'« alleux », c'est-à-dire de patrimoines
familiaux dégagés de toute emprise seigneuriale, dont
les dimensions sont extrêmement diverses. Auprès
d'énormes ensembles, de la taille de ceux qui décrivent
les polyptyques, prospéraient de petites exploitations
autonomes, qui ne groupaient pas plus de terres que les
manses satellites des grands domaines. Certains actes
écrits, en particulier les constitutions de douaire en
faveur de l'épouse, permettent de mesurer l'étendue des
fortunes. Ils attestent la présence partout, dans ces
secteurs où les conditions de la recherche sont exceptionnellement favorables, de paysans de condition
modeste qui géraient leur bien en toute indépendance,
aidés par leurs enfants et par quelques esclaves. Certains

1. LATOUCHE, 216, p. 226-228.
2. FOURNIER, 227.

terroirs étaient tout entiers intégrés dans une seigneurie ; la cour du maître, établie sur le lieu même
d'une ancienne *villa* romaine, dominait là toute la
clairière. Mais dans la plupart des villages voisinaient
de nombreuses exploitations, qui croissaient ou se
désagrégeaient, et dont le destin économique se poursuivait de manière tout à fait autonome. A Varanges,
petit hameau voisin de Cluny, on a dénombré, dans la
deuxième moitié du Xᵉ siècle, quarante-sept possesseurs
distincts ; encore ne les connaît-on pas tous. Parmi eux,
certains s'efforçaient patiemment d'arrondir leur bien.
Tels les époux David et Dominique qui, pour vingt-huit
sous par petits achats échelonnés, acquirent peu à peu
onze modestes parcelles, soit en tout moins d'un demi-
hectare. Parce qu'ils n'avaient pas d'enfant et que tout
leur avoir passa après leur mort aux mains de l'Église,
on a gardé la trace du lent rassemblement de terres
pour lequel ils avaient épargné [1]. Mais combien d'autres
rustres ont-ils comme eux, profitant de la gêne de leurs
voisins, investi ainsi l'argent qu'ils avaient gagné sur
le marché du village ?

Ces exploitants, dont les manses voisinaient dans
l'agglomération villageoise, se trouvaient sans conteste
réunis par divers liens en une communauté vivante,
qui ne coïncidait pas avec le groupe de coopération
dont la cour seigneuriale constituait le centre. Des
solidarités agraires d'abord les reliaient. Sur ce point,
les témoignages sont extrêmement minces, mais le
déplacement annuel des labours et des semailles entre
les divers quartiers de l'aire cultivée, l'aménagement
de la dépaissance sur les chaumes et les jachères, l'érection des clôtures à certaines dates supposent une discipline collective, de même que la possession commune
des terrains de parcours, cette « terre des Francs »
dont il est question au Xᵉ siècle dans tous les villages
mâconnais. Les habitants libres se sentaient également,
en principe, tous solidaires face au pouvoir public,
celui du roi et de ses représentants officiels. Périodiquement, ils se rassemblaient au village voisin, siège de la
centaine ou de la viguerie, pour trancher les petits
procès qui n'avaient pu être réglés à l'amiable [2]. Tous
ensemble, ils se cotisaient pour héberger les envoyés du

---

1. DÉLÉAGE, 207, p. 244.
2. BOSL, p. 244.

roi, le comte, l'évêque ou leurs agents, pour répondre
aux convocations militaires, pour munir de ravitaillement, à l'ouverture des expéditions guerrières, l'es-
couade formée par les plus riches. Enfin, l'église paroissiale constituait pour les villageois un dernier point de
ralliement. Au IXᵉ siècle, au Xᵉ siècle au plus tard, les
dernières mailles du réseau de sanctuaires ruraux
furent mises en place. Quelles que fussent la profondeur
de l'empreinte chrétienne, la qualité du sentiment
religieux et la résonance des rites au fond des cons-
ciences, la maison du culte était le centre de réunion
au moins hebdomadaire, le lieu où reposaient les
ancêtres, où se déroulaient les cérémonies les plus
marquantes, où l'on affranchissait les esclaves, où l'on
concluait les contrats. Le clocher, point fort du village,
servait de refuge lors des alertes : on y mettait à l'abri
les richesses, le bétail, les réserves de nourritures.

Il est bien évident que tous ces liens engendraient
des rapports économiques. L'équilibre fragile entre la
culture, l'élevage, la cueillette reposait sur les servitudes collectives qui liaient tous les chefs de maison.
Les amendes, les réquisitions perçues au nom du roi,
détournaient vers les chefs une part de la production et
des forces du village. Enfin, tout comme la cour du
maître, l'église était un centre de perception. Le prêtre
desservant la paroisse détenait lui-même un manse qui
devait le nourrir. Mais, aux fêtes, les paroissiens dépo-
saient dans le sanctuaire des pains, des œufs, la brebis
pascale, la cire pour le luminaire, en offrandes strictement tarifiées, et à peu peu l'habitude s'insinua de
consacrer au service de Dieu le dixième des récoltes.
L'histoire de l'implantation de la dîme reste à écrire [1],
fort importante pour apprécier le mouvement des biens
au niveau des exploitations paysannes. On peut en tout
cas se demander si, pour un nombre notable de paysans,
ces services paroissiaux et publics, envers l'Église et
l'État confondus, ne constituaient pas les seules obligations d'ordre économique.

Pourtant, trop d'indices attestent l'énorme puissance
dont jouissait alors l'aristocratie. Ils incitent à penser
que les paysans qui n'étaient pas tenanciers subissaient,
eux aussi, d'une certaine manière la pression de la
« cour », du manse-maître, qu'il fût situé dans le village

---

1. *Les dîmes en Forez*, 183.

même ou dans ses abords. Cette pression se faisait
certainement sentir même si le lien économique entre
le domaine et les tenures se nouait moins étroitement
qu'on ne l'a dit sur la foi de quelques témoignages,
même si les très grands patrimoines étaient moins
nombreux, plus dispersés, offraient des interstices plus
larges où pussent s'épanouir de petites entreprises
agricoles autonomes. Ainsi, toute église rurale se trouvait exploitée par un « patron », et les dîmes allaient en
fait remplir les greniers d'un seigneur. Dans les polyptyques, l'église paroissiale apparaît inventoriée parmi
ceux des éléments du domaine qui procurent des revenus extérieurs, on la range avec les moulins, les brasse-
ries, les fours. Toutes ces installations mises à la disposition des paysans du voisinage, qui parfois se trouvaient contraints de les utiliser, permettaient au seigneur d'opérer une ponction sur les profits des petites
exploitations voisines, sur celles même qui n'étaient
pas les tenures de son domaine. Évoquons aussi les
secours qu'allaient quémander près de lui ses voisins
malheureux, les emplois qu'il offrait, embauchant à
certaines saisons une main-d'œuvre auxiliaire dans son
jardin ou dans son clos. Quant à la communauté agraire,
lorsque les meilleurs champs, lorsqu'une large part de
friches appartenaient à un grand domaine, comment
aurait-elle pu s'abstraire des désirs et des intérêts du
seigneur ?

Mais surtout, celui-ci était presque toujours un chef.
La richesse foncière se trouvait alors étroitement liée à
l'exercice du pouvoir, à la possibilité de commander.
Beaucoup de grands domaines, en effet, appartenaient
aux détenteurs de la puissance publique, au souverain,
à ses représentants, les comtes et les grands, les évêques
et, dans le monde carolingien, aux avoués, qui géraient
la part d'autorité que les rois, par la concession du privilège d'immunité, avaient abandonnée aux grands
monastères. En outre, dans un milieu très cloisonné,
où la circulation était très difficile, où les institutions
publiques rudimentaires se montraient peu efficaces,
l'homme privé, qui dans la clairière possédait les meilleures terres et les grands bois, pouvait fort librement
étendre sur ses voisins plus pauvres une autorité de
fait. Celle-ci rayonnait bien au-delà de sa « maison »,
de la « famille » de ses esclaves, du groupe de ses propres
tenanciers. Ce « puissant », comme l'appellent les textes,

apparaissait en effet comme le protecteur quotidien, le conciliateur. On recourait à lui pour pacifier les discordes. Lui seul pouvait châtier les grands crimes sur-le-champ. Dans le danger, devant la famine, il était le secours, parce qu'il pouvait armer ses valets pour la défense commune, parce que ses greniers, en temps de pénurie, étaient les derniers à vider. A lui s'adressaient les immigrants pour se faire accueillir comme « hôtes » sur le terroir, pour obtenir le droit de bâtir une cabane auprès des manses. Enfin, il avait souvent la charge de lever les taxes royales, d'organiser les charrois, de rassembler les livraisons de foin et de viande pour l'armée. Toutes ces fonctions lui valaient la reconnaissance, les services, les cadeaux. Et contre ses exigences, ses empiètements, où trouver un appui efficace ?

Sur cette domination de fait, les textes sont à peu près muets. C'est pourquoi le problème que j'ai posé, celui des rapports véritables entre l'économie domaniale et son environnement, reste sans réponse. Ce mélange de générosités et de contraintes, les habitudes qu'elles enracinaient, les « coutumes » que les enquêteurs ont hésité à enregistrer parce qu'elles ne paraissaient pas à leurs yeux assez légitimes, mais qui pourtant orientaient, sous l'enveloppe trop rigide du texte des inventaires, le destin vivant de l'exploitation seigneuriale, ont entretenu, hors du cadre strictement domanial, tout un réseau de services demandés et rendus, de prestations, d'échanges de biens et de travail, qui reliaient solidement les petites exploitations d'alentour à la grande. Peut-être dans certaines provinces périphériques restées très primitives, comme la Frise, la Saxe, l'Angleterre du Nord, où la répartition de la terre était moins inégale, de fortes paysanneries autonomes échappèrent-elles plus longtemps à l'emprise seigneuriale. Mais partout ailleurs, le seul voisinage du grand domaine, la puissance qu'il conférait au maître ou à l'intendant, contribuaient à drainer, dans ce milieu très pauvre où les hommes séchaient de fatigue pour de maigres moissons, les petits surplus gagnés dans les maisons paysannes, par de dures privations sur des réserves infimes, vers le tout petit monde des chefs et de leurs parasites. Ils s'évaporaient ensuite très rapidement, par le gaspillage et les déprédations d'une aristocratie tout entière dominée par l'amour du luxe et le souci de manifester sa grandeur par la destruction des richesses. L'idée d'investir n'effleurait ces riches que si l'accompagnait l'espoir certain d'attirer par là aussitôt un surcroît de revenus, occasion de plus larges dépenses. Ce qui fait que les maigres capitaux créés aux IXe et Xe siècles par le travail paysan finirent par s'accumuler, sous forme de bijoux et de parures, dans le trésor des églises et des princes, ainsi, mais pour une très faible part, qu'entre les mains des rares négociants professionnels qui commençaient alors à s'enrichir aux carrefours des routes lombardes. On peut presque négliger la portion de ce capital qui servit, à cette époque, à améliorer les instruments de production et à accroître la fertilité de la terre ou l'efficacité du labeur des hommes.

LIVRE II

XIᵉ-XIIIᵉ SIÈCLES

Allure et limites de l'expansion

Le IXe siècle est une période d'exceptionnelle clarté dans l'histoire des campagnes d'Occident. Ensuite, les ténèbres retombent. Les témoignages écrits se raréfient ; ils deviennent surtout beaucoup moins riches. Car l'essai de renaissance intellectuelle tenté par le haut clergé carolingien a finalement échoué en grande partie. Au XIe, au XIIe siècle, ce furent de nouveau les paroles, les gestes, les cérémonies, beaucoup plus que les écrits, qui fondèrent les relations sociales. Et même dans les établissements ecclésiastiques, où les cadres d'une culture scolaire se maintinrent, et parfois se renforcèrent, le parchemin fut alors fort peu utilisé pour la gestion des domaines ruraux. Dans ses rapports avec ses intendants, avec les paysans des tenures, tout seigneur se fiait alors à la mémoire, que ravivaient assemblées et « aveux » périodiques. Les droits et les devoirs de chacun étaient établis et maintenus avec souplesse par la coutume, par l'ensemble d'usages anciens dont la communauté, les habitants du village, les sujets de la seigneurie conservaient collectivement le souvenir. Aussi les cartulaires rédigés à cette époque dans les monastères et les évêchés contiennent-ils seulement des actes d'acquisition ou d'échange, des pièces de procès, des notices enregistrant une sentence favorable, des titres donc qui garantissent la possession, et qui d'ailleurs fournissent d'abondants renseignements sur l'histoire foncière. Mais il est exceptionnel d'y trouver un fragment de compte ou un état de redevances, de ces documents d'administration qui mettent en évidence les mécanismes économiques. On ne rencontre à peu près plus de chiffres, ni d'évaluations d'aucune sorte. Il semble que le sens de la précision numérique, le souci de dénombrer, d'estimer les quantités et les valeurs se soit considérablement affaibli.

Cependant, dans la deuxième moitié du XIIᵉ siècle, les textes deviennent rapidement plus abondants et plus explicites. Les structures administratives commencent alors à se modifier, à se compliquer. On voit se former progressivement un groupe de spécialistes de l'administration qui avaient reçu une formation technique particulière fondée sur l'écriture et le calcul, et qui se préoccupaient d'enregistrer, de compter, d'évaluer, d'arpenter [1]. Par eux, la lumière se fait. Elle éclaire vivement le XIIIᵉ siècle, et surtout sa seconde moitié. Mais le moment d'obscurité qui précède est gênant. Il interrompt l'observation, il masque les liaisons entre les types d'économie que décrivent les polyptyques carolingiens et ceux qui sortent de l'ombre à la fin du XIIᵉ siècle. Or, l'évolution de l'économie n'est pas entraînée par un mouvement régulier, elle procède par saccades et par mutations, de phase relativement courte. On sait par exemple que les années 1075-1120, en d'autres secteurs mieux éclairés de la civilisation, furent marquées par des progrès particulièrement rapides. Furent-elles aussi décisives pour l'évolution des rapports entre les paysans, leurs seigneurs et les marchands, pour le perfectionnement des moyens de production ? Le vide, qui n'a cessé de s'approfondir pendant tout le XIᵉ siècle et le début du XIIᵉ dans le matériel documentaire, empêche de repérer avec précision l'ampleur et les cadences de bien des changements.

En outre, l'inégalité de l'information, les zones d'ombre et de clarté qu'elle dispose établissent dans la chronologie des coupures qui ne sont pas forcément en coïncidence avec les flexions majeures de l'évolution économique. Et, répétons-le, décrire dans des chapitres séparés les faits du IXᵉ siècle, puis ceux des XIᵉ et XIIᵉ siècles, et enfin la période qui débute vers 1180, c'est peut-être se laisser trop impressionner par de simples différences d'éclairage.

1. DE SMET, 266.

⁎

Inégale dans le temps, la densité de la documentation l'est aussi, et davantage peut-être encore, dans l'espace. Les différences de région à région tiennent pour une part à ce que les archives n'ont pas été partout aussi bien conservées, n'ont pas souffert au même degré des révolutions, des guerres, des négligences. Cependant, les inégalités qui affectent aujourd'hui le matériel documentaire étaient déjà en partie marquées à l'époque médiévale, car elles reflètent des discordances dans les techniques d'expression. Dans certaines régions, le recours à l'écriture s'est répandu plus tôt, les méthodes d'administration bénéficièrent de perfectionnements plus précoces. C'est le cas du midi de la France, où de très bonne heure, dès la fin du XIIᵉ siècle, il était d'usage dans les sociétés rurales de faire établir les contrats devant notaire. C'est le cas plus nettement de l'Italie. Ici, la raréfaction des documents écrits est beaucoup moins accusée au XIᵉ siècle que partout ailleurs. L'Angleterre enfin est particulièrement favorisée pour des raisons qui sont, cette fois, moins culturelles que politiques. Ce petit royaume bien rassemblé fut fortement pris en main au dernier tiers du XIᵉ siècle et géré par de bonnes équipes de scribes et de gens de comptes. Ceux-ci, dès 1086, ont dressé pour le roi un inventaire général d'une exceptionnelle richesse, le *Domesday Book*, l'équivalent par le souci d'exactitude numérique des polyptyques carolingiens les plus soignés. Mais l'enquête s'élargit ici aux dimensions mêmes du royaume. Elle fait d'un coup sortir de l'ombre, et définitivement, toute la campagne anglaise.

Ainsi la densité changeante de l'information établit sur la carte de l'Occident de nombreux contrastes. Ceux-ci sont encore accentués par l'état des travaux historiques et leur orientation. Car la recherche n'a pas été partout poussée aussi loin. Dans certains pays sous-exploités au plan du travail historique, les chartriers et les bibliothèques sont loin d'avoir livré toutes leurs richesses. D'autre part, pendant le dernier demi-siècle, les investigations sont demeurées, ne l'oublions pas, prisonnières de cloisons nationales. Elles n'ont pas été menées dans les mêmes directions dans les divers pays

d'Europe. En Angleterre, l'étude des campagnes médiévales, déjà favorisée par la qualité et l'abondance des
sources, fut conduite par des équipes nombreuses et
actives, soucieuses d'appliquer à l'interprétation des
vestiges du passé les découvertes et les théories des
économistes contemporains ; elle est plus avancée outre-
Manche que partout ailleurs. En France et en Allemagne, en fonction sans doute de structures universitaires particulières, l'attention s'est portée beaucoup
moins sur les relations économiques que, d'abord, sur
l'occupation du sol — la précocité de la *Siedlungsforschung* est responsable de cette orientation, aussi bien
que la vitalité de l'école française de géographie humaine
dans les années 30 du XXᵉ siècle — et, d'autre part, sur
les aspects juridiques et politiques du monde rural.
En Italie, les médiévistes sont demeurés fascinés par
l'histoire urbaine.

Cet inégal avancement, ces préoccupations diverses
risquent de fausser un peu plus encore les vraies perspectives, d'accentuer outre mesure par exemple, par
rapport à d'autres régions, l'importance des défrichements en Allemagne et en France, ou des rapports entre
la ville et la campagne en Italie, d'accorder une place
excessive aux mécanismes internes de l'économie
seigneuriale en Angleterre, où surabondent les documents administratifs et les comptes de gestion. Précisément, l'un des propos de ce livre serait d'atténuer un
peu ce qu'il y a d'artificiel dans ces contrastes, en
essayant d'embrasser d'un seul regard ce que des générations d'historiens ont observé par morceaux. L'entreprise est hasardeuse et sans doute prématurée. Il ne
faudrait pas d'ailleurs qu'elle fasse oublier que le champ
d'observation est immense. Constitué de communautés
villageoises fort isolées encore les unes des autres, le
monde paysan était alors d'une diversité extrême et
sans doute infiniment plus nuancée encore que ne le
laissent entrevoir les sources. Ceci interdit d'étendre
la portée d'observations qui toutes sont locales et fort
sporadiques. Reconstituer, sur des fondements si faibles
et si dispersés, l'histoire d'ensemble des campagnes
médiévales paraîtra sans doute une aventure téméraire.
Elle l'est sans conteste, et de surcroît souvent décourageante.

En dépit de leur très imparfaite répartition dans le
temps et dans l'espace, les documents communiquent

l'impression d'un essor général et continu de l'économie rurale qui s'est amplement développée, selon des cadences variables, jusqu'aux alentours de 1330. Sans cette prospérité continue des campagnes, l'expansion d'ensemble de toute la civilisation d'Occident pendant les XIᵉ, XIIᵉ et XIIIᵉ siècles serait incompréhensible. Faut-il relier ce long mouvement aux prémisses de croissance qu'annonçaient certains documents carolingiens, à ce premier progrès dans l'outillage que marquait la lente diffusion du moulin à eau, à l'implantation progressive de la seigneurie foncière dans les contrées arriérées de Germanie, à la pénétration de l'instrument monétaire et à l'accélération des échanges que l'on décèle en certains secteurs d'avant-garde, comme la Lombardie ? L'information est trop clairsemée et trop imparfaite pour que puisse être exactement mesurée la vivacité du progrès au temps carolingien. Et comment reconnaître si les reculs, imposés ici et là à la fin du IXᵉ et au Xᵉ siècle par les invasions normandes, sarrasines ou hongroises, ont été profonds et durables jusqu'à totalement arrêter le mouvement ? Comment savoir si celui-ci s'est poursuivi au contraire jusqu'à rejoindre et soutenir l'ample poussée dont les documents attestent, à partir de 1050, à la fois la vigueur et la continuité ? Force est de limiter l'observation à ce qui est relativement clair. Comme à l'époque carolingienne, toute l'information converge sur l'institution seigneuriale ; ce que l'on connaît le moins mal de l'économie médiévale s'ordonne dans le cadre de la seigneurie, et nos observations les plus précises, tout à l'heure, la concerneront. Auparavant, il faut tenter d'analyser les aspects d'une croissance qui s'est poursuivie pendant trois siècles, et d'en situer les principales étapes. Tâche singulièrement malaisée, puisque des indications toutes locales, discontinues, disséminées sur d'immenses espaces et des périodes interminables, dépourvues de tout repère, interdisent de saisir toutes les liaisons entre la production, la circulation et la consommation des fruits de la terre.

CHAPITRE PREMIER

L'EXTENSION DES CULTURES

Le régime alimentaire des hommes commande toute l'économie rurale, et jamais sans doute de manière plus impérieuse qu'aux époques où les conditions d'existence demeurent précaires. C'était, nous le verrons, le cas encore de celle-ci. Malheureusement, comme je l'ai dit, l'histoire de l'alimentation médiévale reste tout entière à explorer [1], et si j'expose ici ces quelques données dérisoires, c'est surtout pour inciter à reprendre, et sans tarder, la question de fond en comble.

Rien ne permet pour le moment de comparer valablement la manière dont se nourrissaient les contemporains de Charlemagne et ceux de Saint Louis. Quelques indices cependant donnent à penser qu'un certain changement s'est produit dans le cours du XIIIe siècle. On discerne que, dans toutes les catégories sociales, le *companagium*, l'« accompagnement du pain », devint alors plus riche et plus abondant. Voici, par exemple, deux règlements internes de léproseries champenoises. L'un, du XIIe siècle, accorde à chaque lépreux une ration hebdomadaire de trois pains, d'un gâteau et d'une mesure de pois ; le second, établi en 1325, enjoint de servir aux malades, outre le pain, l'huile, le sel et les oignons, de la viande trois jours par semaine, et les

---

1. On peut attendre que vienne progressivement l'éclairer l' « enquête ouverte » en 1961 dans *Annales*, *E.S.C.*, sur la vie matérielle et les comportements biologiques.

autres jours, des œufs ou des harengs. En 1244, la pitance d'un chanoine, dans la communauté de Marœuil-en-Artois, se composait de quatre œufs le matin, de trois œufs le soir, de viande salée ou de trois harengs [1]. Est-il vrai que la consommation de la viande, du beurre, du fromage se soit largement accrue, en particulier dans le nord-ouest de l'Europe, au cours du XIIIe siècle? Comment mesurer cette extension? Il est sûr, en tout cas, que la plupart des hommes à la fin du XIIIe siècle ne se contentaient pas de céréales. En 1289, à Ferring, manoir dépendant de l'abbaye anglaise de Battle, les charretiers de la corvée attendaient qu'on leur donnât, avec le pain de seigle et la bière, du fromage le matin, et à midi, de la viande ou du poisson. En 1300-1305, pour les ouvriers qui édifiaient le clocher de l'église de Bonlieu-en-Forez, on achetait, outre le seigle du pain et les fèves du potage, des œufs, du fromage, de la viande, beaucoup de vin [2]. Tous les inventaires normands des alentours de 1300 prévoient, pour la nourriture des corvéables ou des chefs de travaux, des pois, du lard, du sel, des harengs, de la volaille, du fromage et d'énormes quantités d'œufs. Dans telle maison dauphinoise de l'ordre de l'Hôpital, les dépenses habituelles pour le *companagium* représentaient, en 1338, deux fois et demie la valeur du grain consommé ; et la même année, à l'abbaye de Jumièges, en Normandie, on avait consacré sept cent quarante livres à l'achat des céréales panifiables, et mille sept cent quatre-vingts à l'achat des autres denrées de bouche [3].

Cette ouverture progressive du régime alimentaire qui témoigne d'une aisance croissante, d'une décontraction de la vie matérielle, constitue un facteur très important de l'évolution économique des campagnes. Elle mériterait une étude sérieuse. Il faudrait tenter de la dater avec précision et de la mesurer aux divers niveaux de la hiérarchie sociale. En effet, elle n'a pas été sans

---

1. Les textes champenois sont cités par P. JONIN, *Les personnages féminins dans les romans français de Tristan au XIIe siècle*, Gap, 1958, p. 127 ; *La chronique et les chartes de l'abbaye de Marœil* (éd. BERTIN).

2. BENNETT, 139, p. 235 ; E. PERROY, « Note complémentaire sur les comptes de construction du clocher de Bonlieu », dans *Bulletin de la Diana*, 1959.

3. L. DELISLE, *Étude sur la condition de la classe agricole en Normandie*, Paris, 1851, p. 189 et suiv. ; Archives des Bouches-du-Rhône, H. (O.M.), 115 ; LAPORTE, 423.

modifier l'activité des travailleurs de la terre, sans élargir de nouveaux secteurs de production, sans stimuler certains courants d'échanges, dont nous aurons plus loin à évaluer l'importance. Il semble bien toutefois que cette ouverture resta limitée. Hormis les blés, toutes les denrées de table étaient considérées comme accessoires au début du XIVᵉ siècle encore ; on les servait pour le plaisir de la bouche, et par souci de luxe : en fait, leur importance dans la consommation variait sensiblement en fonction de la condition sociale du rationnaire. Ainsi, dans une commanderie d'Hospitaliers, elles valaient deux fois moins pour un conducteur de charrue que pour un frère chevalier, et trois fois moins que pour le supérieur de la maison[1]. C'était par la richesse de ce superflu, comme par la qualité du vêtement, que s'exprimait en effet la hiérarchie des « états ».

Mais dans l'esprit de tous les hommes, le pain demeurait la vraie nourriture. Sa situation fondamentale est manifeste dans tous les textes des XIᵉ-XIIIᵉ siècles, les règlements des communautés religieuses, les constitutions de pensions viagères, les comptes domestiques. Il semble bien que, dans les villes, la boulangerie ait alors formé le métier de bouche le plus actif. Combien d'aventuriers se sont-ils enrichis en prenant la gestion d'un moulin ou d'un four dans les bourgs en extension ? Au XVᵉ siècle encore, dans les milieux urbains les plus évolués, le pain constituait la provende maîtresse[2]. On peut même se demander si, dans bien des régions, celles qui avaient peu à peu contracté des habitudes alimentaires moins primitives, la place du pain n'était pas devenue sensiblement plus large qu'au IXᵉ siècle. Des recherches minutieuses donneront peut-être un jour réponse à cette interrogation. Il est bien certain que, tout au long de cette période, les travailleurs des campagnes furent partout en premier lieu sollicités de produire des céréales. Pour cette raison, l'expansion de l'économie rurale aux XIᵉ-XIIIᵉ siècles fut avant tout marquée par un essor agricole.

Cette expansion céréalière apparaît comme un phénomène très complexe qui mit en mouvement tout le

1. Duby, 409 a.
2. Tel citoyen génois dut acheter près de dix-neuf tonnes de blé pour approvisionner pendant trois ans et demi sa maison, composée d'une dizaine de personnes, Heers, 649, p. 42.

système de culture. Elle impliquait une modification conjointe de l'équipement technique et des rapports de main-d'œuvre, de l'aire exploitée et des méthodes de travail. A vrai dire, la plupart des aspects de cette évolution échappent à l'observation historique ; et l'on doit se résoudre à ne jamais mettre en lumière que certains d'entre eux, imparfaitement. Commençons donc par ceux qui apparaissent le plus clairement, et d'abord par l'extension de la surface cultivée. L'exposé suivra, beaucoup plus imprécis, de nos connaissances actuelles sur les mécanismes de la production, les cycles de semailles, sur l'outillage et les pratiques agraires, sur les rendements. En dernier lieu sera placé le peu que l'on sait du nombre des hommes, cet élément primordial, nous l'avons déjà dit, de ces transformations de structure.

1. L'AVANCE DES CULTURES

Dans les campagnes carolingiennes, les villages, selon toute apparence, étaient surpeuplés, la production de grain insuffisante et la pénurie constante. Pourtant, sauf en Germanie et en Flandre, les documents signalent fort peu de tentatives pour créer de nouveaux champs, hors des sols légers et faciles à labourer. Était-ce répugnance, aversion pour l'aventure solitaire des défricheurs ? Ou bien plutôt insuffisance de l'équipement, pauvreté des techniques et de l'outillage ? Il semble, en tout cas, que la poussée démographique ait alors été bloquée par l'impuissance des hommes à étendre l'espace agricole, à accroître par là leur subsistance. En revanche, le signe le plus apparent d'une décontraction de l'économie rurale est fourni, à partir du Xe siècle et dans des textes pourtant beaucoup plus laconiques, par la multiplication des termes qui, comme « essart » ou le mot « plaine », évoquent des terres nouvellement conquises. En fait, les temps nouveaux s'ouvrent par un progrès de la culture aux dépens des pâturages, des landes, des forêts, des marécages et de la mer. Pour tous les historiens, et surtout pour les historiens français et allemands, l'ère de prospérité des campagnes médiévales est le temps des « grands défrichements ». Ce vaste mouvement de mise en valeur, qui a changé l'aspect des campagnes médiévales et dont il est si souvent fait état, reste cependant mal connu. N'est-on pas porté

même à en exagérer l'ampleur ? Il bouleversa incontestablement les conditions d'existence en certaines
contrées. Mais d'autres, semble-t-il, ne furent touchées
qu'en surface. On sent bien l'urgence de poursuivre
les recherches dans ce secteur. Mais de quels documents dispose-t-on ?

***

L'étude des résidus floraux livrerait sans doute les
témoignages les plus sûrs. Sous certains climats, certains sols, ceux des tourbières en particulier, ont pendant des siècles recueilli et fossilisé le pollen émis par
les végétaux environnants. On sait aujourd'hui dater
les couches successives de ces dépôts, et les analyser.
Cette méthode permet de mesurer au cours des âges
la proportion respective et changeante des pollens
d'arbre ou de broussaille et de ceux des plantes cultivées.
De telles données sont les seules qui reflètent l'évolution
continue du paysage rural, et qui autorisent à la traduire
en courbes ininterrompues. Les vestiges botaniques
font, depuis longtemps, l'objet d'examens approfondis
en certains pays, et particulièrement en Allemagne.
Souhaitons que ce procédé d'enquête soit appliqué à
toutes les campagnes européennes, en s'adaptant aux
diverses conditions pédologiques. Il conviendrait en
outre que fût affinée la précision chronologique, encore
fort approximative, des indications que l'on peut ainsi
récolter. Mais sans doute faudra-t-il attendre longtemps
de la sagacité des botanistes, avant que les documents
exhumés par ces procédés soient nombreux et moins
inégalement répartis.

A l'attention immédiate de l'historien s'offre, en
revanche, la masse de faits que dégage l'observation du
paysage actuel. Le nom que portent encore villages et
lieux-dits, l'allure des lisières forestières, le plan des
agglomérations humaines, l'organisation des quartiers
dans le terroir, la composition des formations végétales
spontanées qui peuplent aujourd'hui les friches et les
prairies, constituent autant de signes qui, confrontés,
sont susceptibles d'éclairer l'histoire des établissements
agricoles. Ces indices ont l'avantage d'être fort abondants, et naturellement liés les uns aux autres. Leur
défaut majeur est de ne pas se laisser dater avec certitude.

Force est donc de recourir surtout aux textes. Quelques-uns de ceux-ci ont été rédigés en fonction même des entreprises de défrichement, qu'ils préparaient ou consacraient. C'est le cas spécialement de toutes les chartes de peuplement destinées à attirer les colons, ou des contrats par lesquels des seigneurs s'associaient pour ouvrir un espace vierge à la culture. De tous les documents, ceux-ci sont évidemment les plus riches. Mais ils révèlent seulement le côté le plus spectaculaire du grand mouvement d'extension du sol arable et demeurent relativement peu nombreux. Ne considérer qu'eux, et même leur accorder une importance excessive, conduirait à restreindre dans des limites trop étroites ce fait majeur de l'histoire rurale européenne. Les progrès s'accomplirent en réalité dans un champ beaucoup plus vaste. C'est pourquoi un dépouillement attentif de tous les documents de cette époque s'impose. Des indications utiles risquent en effet d'être dépistées jusque dans des textes qui sembleraient ne concerner en rien la conquête agraire. Les vies de saints ou les chroniques militaires peuvent révéler par exemple bon nombre de toponymes aujourd'hui oubliés. Certaines chartes de donation ou de partage décrivent, et souvent dans le plus grand détail, l'aspect de la forêt et des clairières qui peu à peu l'ont trouée. Toutes fourmillent d'allusions à des « hôtes », c'est-à-dire des pionniers, à des « champarts » ou à des « tâches », c'est-à-dire aux redevances typiques imposées aux terres nouvellement aménagées, aux dîmes « novales » enfin, que l'on levait sur les portions neuves du terroir. La moisson a toute chance d'être abondante. Mais en bien des régions elle attend ses ouvriers.

Enfin, il ne faut pas se dissimuler que les sources écrites ne mettront jamais en lumière qu'une part fort restreinte de l'œuvre de défrichement. Dans ces conditions, la démarche la plus féconde serait sans doute de confronter, dans les régions où la documentation textuelle est la moins clairsemée, les données sûres et de stricte chronologie que fournissent des actes écrits à celles que l'on peut dégager en observant le paysage actuel[1]. Peut-être parviendrait-on de cette manière

---

1. E. Juillard, 60, propose aussi, pour observer les étapes de l'occupation du sol, de classer les parcelles du terroir selon leur longueur respective.

à isoler certains types topographiques et toponymiques régionaux, en les datant de façon certaine. Ce qui permettrait ensuite d'interpréter avec moins d'hésitations les traits anciens du paysage que révèlent les cartes et les photographies aériennes.

*_**

Le premier but de la recherche est de mieux situer dans la durée le mouvement de défrichement, et d'abord son départ. A quel moment, dans telle ou telle région, les essarts ont-ils commencé à se multiplier et à s'étendre ? En bien des provinces, l'indigence des sources antérieures au XIIᵉ siècle interdit de répondre à cette question. Dans les documents du sud de la Bourgogne, qui sont d'une exceptionnelle abondance, les indices que j'ai relevés donnent à penser que l'attaque des forêts, dans les fonds argileux des bords de la Saône et sur les collines beaujolaises, a commencé dans la deuxième moitié du Xᵉ siècle. En Flandre, on voit que, vers 1100, l'assèchement des marais nés d'une récente transgression marine venait de débuter par la construction de petites digues ici et là, et que les établissements religieux possédaient dès cette époque des *polders* aménagés et partiellement habités. En revanche, dans le *Domesday Book*, les allusions aux essarts récents sont très rares ; encore que certains faits relevés par les enquêteurs, comme l'amenuisement des troupeaux de porcs dans certains manoirs, entre 1066 et 1086, puissent être interprétés comme le signe d'une régression des espaces boisés [1].

En tout cas, de toute évidence, les témoignages deviennent partout beaucoup plus nombreux dans la documentation écrite à partir du XIIᵉ siècle. Dans l'état actuel de l'étude, voici donc l'hypothèse la plus convaincante. L'activité des pionniers, restée pendant deux siècles timide, discontinue et très dispersée ici et là, devint à la fois plus intense et plus coordonnée aux approches de 1150. L'ardeur plus vive de leurs efforts apparaît clairement dans les textes après cette date, spécialement en Angleterre et dans le nord de la France, en Germanie et dans la plaine du Pô. L'effort pour

1. J. DHONDT, dans *Revue belge de Philologie et d'Histoire*, 1941 ; LENTACKER, 216 *a* ; DARBY, dans 33, p. 181.

domestiquer les eaux courantes dans la plaine lombarde, pour organiser l'irrigation dans les collines qui l'entourent, entre alors dans sa phase décisive. On voit les grandes communes urbaines de l'Italie septentrionale entreprendre l'aménagement agraire du *contado* qu'elles dominent : en 1186, les magistrats de Vérone vinrent répartir entre cent quatre-vingts ménages de colons prêts à peupler la *villafranca*, le vaste terroir que l'établissement d'un canal de drainage allait ouvrir à la culture. Quelques années plus tôt, le comte d'Anjou Henri Plantagenêt ordonnait de consolider et d'étendre les digues de la Loire pour protéger des inondations les villages d'essarts de la basse vallée, et implantait sur ces « turcies » des hôtes chargés de les tenir en état [1]. C'était l'époque où les défrichements prenaient une allure résolument conquérante dans le centre du Bassin Parisien, région où les sources écrites sont particulièrement abondantes, et qui fut peut-être l'une des plus profondément transformées par l'extension des cultures céréalières. Quant aux analyses de pollens effectuées à Roten-Moor, sur le plateau de Rhön, elles attestent que la proportion du pollen de hêtre dans le sol des tourbières a décliné très régulièrement depuis le IXe siècle. Ceci montre que, dans le pays neuf qu'était alors la Germanie, la forêt avait commencé à reculer dès le temps de Charlemagne. Le retrait des espèces sylvestres fut exactement compensé par l'invasion des céréales, preuve du progrès continu de l'agriculture à partir des temps carolingiens. Mais la part du pollen des blés dans les résidus floraux s'accroît de manière beaucoup plus vive entre 1100 et 1150, qui fut ici la période décisive de la conquête agraire. La même méthode d'observation autorise à placer aussi au XIIe siècle la grande phase de l'extension des cultures de céréales au voisinage des marais du Mecklembourg [2]. On le voit, tous les indices actuellement recueillis concordent : le XIIe siècle fut le moment culminant des défrichements.

---

1. SERENI, 76 a, p. 76-78 ; DION, *Histoire des levées de la Loire*, Paris, 1961, p. 123.
2. ABEL, 542, p. 45 et suiv.

* * *

Les grands artisans n'en ont pas été, comme on l'a longtemps cru, les moines. Les clunisiens, les bénédictins d'ancienne observance, menaient en effet une vie de type seigneurial, donc oisive. Ils attendaient qu'on leur donnât en aumône de la terre toute faite, toute munie du personnel nécessaire à sa mise en valeur, des manses « vêtus », comme on disait alors, d'hommes et de bétail. Ils ne se souciaient nullement de défricher [1]. A la fin du XIᵉ siècle, de nouveaux ordres religieux, plus soucieux d'ascétisme, décidèrent de s'établir dans la solitude, donc au milieu des friches ; ils restaurèrent en même temps la dignité du travail manuel. A Grandmont, à Cîteaux, le groupe des moines de chœur était assisté d'une équipe de frères convers, chargés de besognes de force. On imagine volontiers ces derniers attelés à l'essartage. Toutefois, partout où l'observation a été poursuivie minutieusement, elle a montré que les nouveaux monastères s'établirent dans des clairières déjà, partiellement au moins, aménagées ; d'autre part, ces communautés de religieux se vouaient surtout à l'élevage, et donc se préoccupaient relativement peu d'étendre les champs ; enfin, par le soin qu'elles mirent à protéger leur « désert », à tenir à distance les paysans, les abbayes de style nouveau contribuèrent plutôt à protéger certains îlots forestiers contre les entreprises de défrichement qui, sans elles, les auraient réduites [2]. En fait, les seuls hommes de Dieu qui de leurs propres mains aient participé efficacement à l'attaque des zones incultes, qui aient abattu des arbres et ouvert de nouveaux labours, furent les ermites, qui vivaient si nombreux aux XIᵉ et XIIᵉ siècles aux lisières des forêts d'Europe. L'histoire du mouvement érémitique n'est pas faite ; elle permettra de mieux mesurer la part qui revient à ces solitaires, apparemment mal outillés pour

---

1. Ceci incite à se demander si les entreprises de défrichement ne furent pas, aux IXᵉ et Xᵉ siècles, plus étendues qu'il n'apparaît dans les textes de cette époque, qui émanent presque tous de monastères de ce type. Nous voici devant l'une des difficultés majeures de la recherche historique : les changements qu'elle décèle ne sont-ils pas illusoires, et ne reflètent-ils pas, au lieu de la réalité, de simples modifications du matériel documentaire ?

2. Pour le site même de Cîteaux, ROUPNEL, 24, p. 129.

dompter la nature vierge. Avec les chasseurs, les charbonniers, tous ceux qui partaient pour une saison faire de la cendre, du fer ou de la cire au milieu du bois, ils jalonnèrent pourtant les premières voies de l'essartage.

D'une manière très générale, celui-ci fut poussé par l'entreprise conjointe des paysans et des seigneurs. Il paraît avoir résulté en effet d'une double initiative. Les paysans fournirent la main-d'œuvre : ils se trouvaient nombreux, et beaucoup étaient affamés, en quête d'un lopin qui pût les nourrir. Mais il fallut aussi que les seigneurs, maîtres des friches, consentissent à laisser transformer celles-ci en labours. Décision difficile, puisqu'elle obligeait à renoncer aux avantages que présentaient la gâtine et la brousse. Les seigneurs durent sacrifier notamment l'un de leurs plaisirs majeurs, la chasse. Accueillir des « hôtes » dans le bois, laisser reculer ses lisières, réduisait en effet le terrain de parcours et de subsistance des bêtes sauvages. On sait quel obstacle dressa longtemps en Angleterre le privilège royal de la forêt au progrès des cultures. Pour obtenir que leurs paysans pussent poursuivre leur effort de défrichement, les moines de Cluny durent supplier le comte de Chalon de détruire ses « haies » et ses parcs aux cerfs, et lui offrir surtout un dédommagement matériel [1].

L'espace cultivé ne put donc se dilater au grand jour et sans contrainte, avant que les seigneurs n'eussent découvert les avantages de l'exploitation agricole et qu'ils ne se fussent accoutumés aussi à des formes nouvelles de perception. Quand se persuadèrent-ils qu'il était vraiment profitable de lever les « tâches », les « champarts », c'est-à-dire de prélever une partie des gerbes que l'on moissonnait sur les anciennes broussailles et les anciens taillis ? Autrement dit, quand commencèrent-ils à penser en termes d'intérêt, à se laisser gagner par l'idée de profit ? Parce que les seigneurs y prirent une part décisive, les défrichements reflètent un profond changement dans l'attitude psychologique de l'aristocratie. On va répétant que les chevaliers d'Ile-de-France n'avaient aucun souci du gain et de l'accroissement de leurs revenus fonciers. Au temps de Philippe Auguste et de Saint Louis, ils se privèrent pourtant en partie des joies de la vénerie afin d'emplir leurs greniers.

Il vaudrait la peine de rechercher minutieusement d'où vinrent les premiers encouragements à l'essartage. Des seigneurs d'Église ou des laïcs, quels furent les premiers responsables ? Quel rôle tinrent les possesseurs des dîmes, premiers bénéficiaires d'une extension de la surface cultivée [1] ? Et en tête des instigateurs, ne faut-il pas placer les agents seigneuriaux qui, pour accroître leur prestige et leurs profits, s'efforcèrent d'attirer de nouveaux agriculteurs ? A ces questions, on peut espérer trouver quelques réponses dans les documents rédigés dans le centre du Bassin Parisien à la fin du XIIe siècle et au début du XIIIe siècle. Mais il conviendrait aussi de dater plus exactement les premières initiatives des seigneurs et de leurs mandataires. Je serais tenté de distinguer deux périodes successives. L'une où les seigneurs ont simplement toléré, autorisé, et non sans rechigner, les premières conquêtes. Puis une seconde où ils prirent eux-mêmes la direction du combat, soit en étendant la partie labourée de leur propre domaine, soit en appelant de nouveaux colons. Ne peut-on proposer comme hypothèse de travail l'idée que l'accélération du mouvement de défrichement, dans la première moitié du XIIe siècle, correspondit à ce retournement d'attitude de la part des maîtres des terres incultes ?

2. L'ÉLARGISSEMENT DES TERROIRS ANCIENS

Pour la plupart, sans doute, les champs nouveaux s'étendirent en bordure même des anciennes « coûtures » du village, et gagnèrent sur la ceinture des friches et des pâtures par un simple et progressif élargissement de la clairière. Cette manière de défricher était la plus aisée et la plus discrète. On peut concevoir même qu'elle fut menée quelquefois à la dérobée, à l'insu du seigneur. Mais pour cette raison même, elle a laissé peu de traces dans les archives ; elle est donc la plus difficile à déceler. Pour repérer cette première forme de l'extension agraire, il faut collecter divers indices épars, explorer le terrain aux lisières des

1. LAMPRECHT, 17.

espaces boisés qui subsistent aujourd'hui, enfin interpréter les micro-toponymes, les noms de champs ou de quartiers qui, dans le cadastre actuel, évoquent soit le défrichement lui-même (« les essarts », « artigue vieille », « les plans »), soit la végétation primitive et sauvage sur laquelle furent gagnés les labours (« les brosses », « les vernes »).

Quelques textes pourtant portent directement témoignage sur cette extension furtive du terroir. Certaines seigneuries ont laissé des séries d'inventaires ou de comptes successifs, à travers lesquels on peut voir se multiplier peu à peu dans tel terroir les champs soumis à redevances. Ainsi, dans les villages que l'évêché d'Ely ou l'abbaye de Ramsey possédaient en lisière des *Fens*, le montant des cens s'est accru considérablement entre la fin du XIIe et la fin du XIIIe siècle par la constitution de nouvelles tenures sur des terres aménagées aux dépens du marécage [1]. Des indications plus explicites sont fournies par les pièces de certains procès. Parfois, les communautés villageoises durent en effet poursuivre en justice les défricheurs pour défendre les terrains de parcours collectifs. Les archives des cours publiques anglaises conservent de nombreuses traces de telles plaintes. Il arrivait aussi que la communauté soutînt ses membres en quête d'essarts contre les possesseurs privés des forêts et des friches. D'autres conflits enfin opposèrent les exploitants des nouveaux quartiers cultivés, paysans ou seigneurs, aux décimateurs qui prétendaient y lever les dîmes « novales ». Mais, à vrai dire, presque tous ces documents écrits datent du XIIIe siècle, d'une époque où les bois et les pâtures étaient devenus rares, beaucoup plus précieux, et pour cela farouchement défendus par ceux qui en détenaient la jouissance. A ce moment, le mouvement d'expansion parvenait à son terme. Dans sa phase culminante, il échappe à peu près à l'observation.

On réussit à discerner cependant que l'élargissement du terroir ancien provient parfois d'une action collective que menèrent tous les hommes du village sous la conduite du seigneur : ce fut sans doute le cas dans les quelques villages anglais où un nouveau « champ » fut ajouté au XIIIe siècle aux deux anciens quartiers du terroir. Quelquefois aussi, le seigneur stimulait direc-

1. MILLER, 187, p. 95 et suiv. ; RAFTIS, 190, p. 74 et suiv.

tement les efforts des paysans en installant dans le village de nouvelles familles. Suger agit de la sorte, et se vanta d'avoir accru de vingt livres le revenu annuel d'une « cour » adjacente à l'abbaye de Saint-Denis en établissant quatre-vingts nouveaux hôtes « dans les terres neuves qui y étaient contiguës »[1]. Le drainage, l'aménagement des eaux nécessitaient d'ailleurs très souvent une discipline, de l'entraide et la mise en commun des efforts ; ils impliquaient par conséquent une intervention seigneuriale.

Celle-ci demeurait cependant limitée. Les champs créés au voisinage des anciens labours, dans la zone extérieure du terroir (l'*outfield* des campagnes anglaises, la « terre gaste » des seigneuries de Provence), sur une aire soumise traditionnellement à de simples écobuages temporaires, furent sans doute pour la plupart aménagés séparément par des pionniers isolés. Le fait apparaît nettement dans les villages avoisinant la forêt de Bragny-en-Chalonnais, au sein de laquelle s'installa l'abbaye cistercienne de La Ferté, et dont on connaît fort bien l'histoire au XIIᵉ siècle, du fait de ce voisinage et de l'extension du temporel monastique. Lorsque l'on quittait le cœur de ces terroirs en direction du bois, on pénétrait bientôt dans des quartiers où les parcelles, les « essarts », portaient un nom de personne, celui du paysan qui le premier s'était attaqué aux arbres ou aux broussailles. Ajoutons que les alleux de petites gens, fort rares dans le voisinage du village, se multipliaient dans la partie récemment défrichée. Les rustres revendiquaient ici la possession entière des champs qu'ils avaient gagnés sur la grande forêt comtale, et sans doute subrepticement, en trompant la garde des forestiers. On peut penser en effet que de telles entreprises individuelles de défrichement ont, d'une manière générale, fait proliférer aux XIᵉ et XIIᵉ siècles la petite propriété paysanne en bordure des espaces boisés mal surveillés[2].

* *
*

Ainsi fut progressivement rongée la ceinture des terres incultes. Aux lisières des landes ou de la forêt,

1. SUGER, *Liber de rebus in administratione sua gestis* (éd. LECOY DE LA MARCHE), I, p. 158.
2. DUBY, 247, p. 305 ; BOUTRUCHE, 173, p. 76 et suiv. ; GENICOT, 178, p. 63.

qui d'ailleurs à l'époque était généralement fort clairsemée, on dressait d'abord ici et là quelques clôtures
pendant les loisirs d'hiver. Les lopins ainsi protégés
et réservés à l'usage du paysan qui avait là brûlé les
buissons et extirpé les souches portaient d'abord de
l'herbe. Le plus souvent, un pré de fauche occupait,
pour plusieurs années, l'essart [1]. Puis, lorsque la terre
se trouvait bien drainée, on la labourait pour la semer en
grain. De tels enclos dispersés trouaient et morcelaient
les bois et les pâtures. Ils constituaient pendant quelque
temps cette zone intermédiaire entre la friche et la
campagne que Wolfram von Eschenbach décrit dans
son *Parzival* : à Gauvain qui avait longtemps chevauché
dans le bois, « peu à peu la forêt apparut toute mélangée ;
ici une avancée de bois, là un champ, mais si étroit
qu'on eût pu à peine y dresser une tente. Puis, regardant
devant lui, il aperçut un pays cultivé... [2] ». Mais les
parcelles aménagées se multipliaient les unes près des
autres, elles finissaient par se rejoindre, elles formaient
alors un nouveau quartier cohérent de labours. Pendant
quelques saisons encore, on maintenait les barrières
entre les lopins individuels, puis elles tombaient : le
terroir s'agrandissait ainsi d'un nouveau « champ »
ouvert, que rien ne distinguait des plus anciens, sinon
le nom qu'il portait, et parfois le dessin moins régulier
de ses parcelles.

Au terme d'un tel progrès, très lent et insidieux, le
gain fut souvent considérable. Voici des chiffres, extraits
des archives seigneuriales anglaises. Dans la deuxième
moitié du XIIe siècle, trente paysans tenaient cent
quarante hectares d'« essarts » dans le manoir de
Cranfield dépendant de l'abbaye de Ramsey ; les
lopins labourés par les dépendants du manoir voisin de
Holme couvraient cent quatre-vingt-trois hectares à la
fin du XIIe siècle, deux cent quarante-deux ans plus
tard [3]. Il arriva souvent que les bois et les terres incultes
utilisés pour l'élevage fussent de la sorte repoussés fort
loin du village. Parfois, la distance seule et le sentiment
qu'ils perdaient trop de temps, qu'ils fatiguaient leurs
bœufs à labourer des champs trop éloignés de leur

1. Dans le bois de Favières, près de Paris, en 1208 : « Si l'un de ceux
qui ont l'usage dans le dit bois fait un pré... S'il arrive qu'il transforme
le pré en terre arable... » (Archives nationales, S, 117, 530).
2. VIII, vers 18 et 15.
3. RAFTIS, 190, p. 72-74.

manse, arrêtèrent les défricheurs. Mais souvent aussi, lorsque les villages se trouvaient assez voisins les uns des autres, lorsqu'ils étaient séparés par une barrière assez mince d'arbres et de pâturages, celle-ci fut parfois en grande partie détruite, et les terroirs se rejoignirent. Des points de repère, des bornes, des arbres fruitiers, des croix plantées sur le chemin marquèrent désormais les limites entre les terroirs paroissiaux, au milieu des espaces découverts.

La plus commune de toute, cette forme de conquête fut dans aucun doute aussi la plus précoce. Elle s'est poursuivie quelquefois fort avant dans le XIIIe siècle. En 1241, les paysans d'Origgio, près de Milan, laissaient encore incultes 45 % des terres du village ; il n'en restait plus que 16 % dans cet état en 1320 [1]. Il semble que beaucoup de contrées européennes n'aient pas connu au Moyen Age d'autre mode d'extension des cultures. Le Périgord par exemple, où tous les terroirs communaux d'aujourd'hui se formèrent progressivement, par auréoles successives, autour d'un ancien domaine gallo-romain devenu le lieu du village [2]. L'Angleterre presque tout entière paraît bien dans le même cas, puisque, dans la description du *Domesday Book*, les espaces solitaires étaient déjà fort rares, et les hameaux très voisins les uns des autres [3]. Toutefois, en certaines régions, le défrichement revêtit un autre aspect. Les hommes fondèrent de nouveaux villages au milieu des massifs incultes.

3. LES VILLAGES NEUFS

Dans le haut Moyen Age, de vifs contrastes opposaient en effet des pays fortement occupés et semés de villages à d'autres au contraire presque ou même tout à fait vides d'hommes. En 1086 encore, alors que le sud du comté de Warwick se trouvait entièrement colonisé, les bois en recouvraient presque entièrement le nord. Autre exemple d'opposition nette : jusqu'au XIIe siècle, la Brie orientale faisait figure de désert forestier entre la Champagne, couverte de points

1. ROMEO, 444.
2. FÉNELON, 51.
3. DARBY, 33, voir la carte p. 131 ; LENNARD, 253, p. 3 et suiv.

habités dès avant l'époque romaine, et les cantons de
l'Ile-de-France, où, sur les sols légers et mieux drainés,
les hommes, au cours des siècles, avaient pu attaquer
les bois, les expulser des finages, et peu à peu réunir
ceux-ci les uns aux autres en une vaste campagne
ouverte [1]. Ces épaisses solitudes, où la lourdeur du sol,
l'humidité surtout, avaient jusqu'alors interdit aux
laboureurs de s'aventurer, furent quelque peu réduits
sur leurs lisières lorsque les terroirs des villages riverains s'agrandirent. Mais les habitants de ceux-ci ne
pouvaient étendre efficacement leurs défrichements
au-delà d'une certaine distance. Plus avant, certains
« déserts » furent alors colonisés par des pionniers.
Quittant le hameau de leurs pères, ces hommes vinrent
établir leur maison en terrain vierge et luttèrent contre
l'arbre surtout dans le Bassin Parisien, la France de
l'Ouest, les pays de la Garonne, contre les eaux tor-
rentielles dans le Val de Loire ou en Lombardie, contre
les marécages en Germanie du Nord et de l'Est, contre
la mer enfin dans les Pays-Bas.

Ces déracinés, ces « aubains », comme on les appelait,
ces « hôtes », se groupaient, semble-t-il, pour l'aventure,
et menèrent leur combat en équipe. Ils créèrent de la
sorte non point un habitat disséminé, mais de nouveaux
terroirs, de nouvelles paroisses, de nouveaux villages
avec leurs manses rassemblés, bref, un cadre de vie
sociale analogue à celui qu'ils avaient quitté. La réunion
fut parfois spontanée. Ainsi, les paysans, qui s'avancè-
rent depuis les campagnes voisines le long des laies
forestières et qui, dans le milieu du XIe siècle, construisirent les cabanes côte à côte à la Charmée ou à la
Chapelle, au milieu de la forêt bourguignonne de
Bragny, s'étaient apparemment groupés de leur propre
initiative. Il en était de même de ces aubains venus de
l'Ile-de-France, dont le comte de Champagne, cent ans
plus tard à peu près, autorisait l'établissement dans la
forêt de Jouy. Quelques villages ainsi se formèrent
d'eux-mêmes. On les voit apparaître au hasard d'un
texte lorsque l'évêque fut sollicité de transformer
l'oratoire en église paroissiale, lorsque le maître de la
forêt accepta de limiter ses droits de chasse [2].

---

1. HARLEY, 283 ; BRUNET, 40, p. 443 et suiv. ; HUBERT, 292.
2. DUBY, 247, p. 302 ; R. BAUTIER, « Les foires de Champagne »,
dans *Recueils de la Société Jean-Bodin*, *La Foire*, p. 110.

Il est permis de penser cependant que la plupart des « villeneuves » naquirent par la volonté délibérée des seigneurs, qui en préparèrent la création. Ces fondateurs étaient les détenteurs de l'autorité régalienne, les rois eux-mêmes, les comtes, les châtelains, les grands établissements religieux et, en Italie du Nord, les seigneuries collectives que constituaient les grandes communes urbaines. Sauf exception, en effet, les vastes espaces solitaires appartenaient à l'aristocratie la plus haute. Celle-ci, changeant d'attitude, décida d'en organiser le peuplement.

Ce choix fut fréquemment dicté par des considérations politiques. Il s'agissait de renforcer la sécurité d'une route en peuplant les forêts qu'elle traversait, ou bien de raffermir la frontière d'une principauté en établissant, dans les marches boisées et désertes qui jusqu'ici formaient autour d'elle un large glacis protecteur, de fortes communautés paysannes astreintes au service d'armes. C'est ainsi que, dans le bassin de la Garonne, les « sauvetés » des XIe et XIIe siècles jalonnèrent de lieux habités les « chemins de Saint-Jacques », que les « bastides » du XIIIe siècle flanquèrent les frontières de points d'appui militaires [1]. Intervinrent aussi des préoccupations de profit. Le village neuf allait constituer un nouveau centre de perception, où l'évêque pourrait lever la dîme, et le prince, les exactions coutumières, les droits de marché, les tailles, les amendes de justice. Il serait intéressant à ce propos de mesurer, parmi les charges qu'imposèrent les seigneurs aux défricheurs, la part des redevances foncières et celle des taxes publiques. Apparemment, en effet, les fondateurs de « villeneuves », maîtres du pouvoir de commandement, cherchèrent moins à multiplier les tenanciers que les sujets et les justiciables. Ils se préoccupèrent moins de créer une seigneurie foncière que de rendre plus profitable l'exploitation du droit de ban. On peut se demander même

---

1. HIGOUNET, 285 ; encore au XIVe siècle, le bailli, le maire et les échevins de Herstal, dans les Ardennes, confient à un convers de l'abbaye de Valdieu trois bonniers de bois pour les essarter et y édifier un hospice à l'usage des passants, parce que c'était « un lieu périlleux et mal sûr, qu'il y avait meurtriers, robeurs et mauvaises gens », *Cartulaire de l'abbaye cistercienne de Valdieu* (éd. RUWET), n° 190 (1337). Les rois de Germanie encouragèrent le peuplement des bois qui leur appartenaient, pour renforcer la classe des paysans libres sur lesquels ils comptaient s'appuyer, BOSL, 452.

si les initiatives des hauts seigneurs n'ont pas coïncidé avec la naissance et le développement d'une fiscalité efficace, avec l'essor et la consolidation de la seigneurie banale. Des confrontations chronologiques seraient sur ce point révélatrices. De l'élargissement des clairières, de l'extension des cultures autour des anciens villages bénéficièrent à la fois certains paysans et les petits seigneurs fonciers, ainsi que les décimateurs ; cette première forme du défrichement fit en effet se propager les petits alleux et s'accroître le rendement des cens, des rentes et des dîmes. En revanche, le peuplement des solitudes forestières et marécageuses, l'implantation de nouveaux villages profitèrent surtout aux « sires », c'est-à-dire aux membres de la haute aristocratie politique. La création des « villeneuves » ne fournit-elle pas aux seigneurs territoriaux, depuis les plus modestes châtelains jusqu'aux rois eux-mêmes, un remède contre la gêne financière dont ils commençaient, dans la deuxième moitié du XIIe siècle, à sentir durement la pression ? Et l'on peut penser que les entreprises de colonisation menées sur une grande échelle soutinrent très efficacement la croissance de bien des principautés féodales, de celle des comtes de Flandre, par exemple, ou des évêques de la Germanie du Nord-Ouest [1].

* * *

Pour ces seigneurs, le problème consistait à attirer de nouveaux habitants sur un terrain tenu jusqu'alors pour hostile. Ils devaient donc au préalable — et c'est pourquoi l'initiative ne pouvait venir que des détenteurs de la puissance publique — attribuer un statut juridique particulier à l'emplacement choisi pour l'agglomération future, et le doter de privilèges qui pussent tenter des immigrants. Au XIe, au XIIe siècle, on dressait des croix qui délimitaient une « sauveté » ou un « bourg », c'est-à-dire un espace protégé par la paix de Dieu, où les violences étaient interdites et la sécurité renforcée. Plus tard, on rédigeait à l'avance une charte qui limitait les exigences seigneuriales et précisait le régime de

---

1. VAN DER LINDEN, 310. La rareté des villeneuves en Angleterre ne peut-elle être mise en relation avec la très faible extension des pouvoirs seigneuriaux privés ?

faveur dont jouiraient les hôtes. Parfois, le lieu ouvert ainsi au peuplement se trouvait proche de villages surpeuplés, où les paysans trop pauvres et les cadets de famille étaient rapidement avertis des avantages promis. Le transfert s'opérait aisément. Ce qui se produisit par exemple à Bonlieu, en Beauce, vers 1225 : ce furent des hommes du terroir voisin de Grigneville qui répondirent aux invitations des religieuses d'Yères et qui vinrent très vite construire leur hutte sur les « hostises » qui leur étaient offertes [1].

Au contraire, l'entreprise se révélait beaucoup plus difficile lorsque le désert était profond, le site de colonisation solitaire, ou bien quand le terrain, trop ingrat pour tenter les gens du pays, nécessitait l'établissement de techniciens du drainage. De gros efforts s'imposaient alors pour recruter, transplanter les ménages, pour leur fournir l'équipement indispensable, les nourrir même pendant les premiers mois, les aider à édifier leur manse, les encadrer pour les travaux collectifs. Le seigneur, qui souvent était un très grand prince, hésitait à se charger seul de l'organisation de la publicité, du rassemblement des capitaux, de la direction même du lotissement. Il cherchait alors des associés et dressait avec eux des contrats écrits. Voici pourquoi nous sommes beaucoup mieux renseignés sur les formes les plus hasardeuses et les plus délicates de la colonisation que sur la croissance spontanée et sans histoire de la plupart des terroirs de village.

Fréquemment, l'associé était un entrepreneur subalterne, d'un rang social très inférieur à celui du maître, qui pouvait s'occuper lui-même de l'affaire et y trouvait son intérêt. On rencontre souvent dans cette fonction des membres de la « famille » seigneuriale, des ministériaux. Quelquefois, quand il s'agit d'une communauté religieuse, l'un des frères, tel chanoine, reçoit délégation du bois à peupler et l'attribution personnelle d'une part des profits futurs. Mais souvent aussi un cadet de famille chevaleresque trouvait dans une tâche de ce genre l'occasion de s'établir, de créer une petite seigneurie personnelle qui complétait sa part d'héritage, qui lui permettait de s'évader de la maison paternelle, de se marier, de tenir son rang. Tel ce chevalier Eudes, que les moines de Saint-Avit d'Orléans chargèrent en 1207

1. Archives Nationales, LL. 1599 B, p. 143.

de peupler et de mettre en culture leur terre de Cer-
cottes ; il devait en percevoir tous les fruits et verser
seulement une rente annuelle de deux muids de grain [1].
Ce système de coopération a été bien étudié dans les
terres de colonisation d'Allemagne orientale. On voit, à
partir du milieu du XIIᵉ siècle, sur l'Elbe moyenne, se
multiplier les *locatores*, familiers du prince, clercs ou
laïcs, parfois gens de la ville, soucieux de faire fructifier
dans une entreprise foncière un petit capital en deniers.
Un espace désert leur est attribué, qui doit être partagé
entre un nombre d'exploitations fixé à l'avance. A eux
de délimiter les parcelles, de raccoler les immigrants et
de les établir. Ils reçoivent pour leur peine un important lot de terres et une part des droits seigneuriaux
levés dans le village, qu'ils vont contribuer à faire
naître.

Mais souvent aussi le seigneur du « désert » faisait
compagnie avec un autre seigneur par l'un de ces
contrats qu'on appelle, en France, des « pariages ».
Selon ces pactes, chaque contractant s'engageait à fournir une participation. L'un apportait la terre et les
droits de ban sur l'espace inculte, l'autre la puissance
ou les relations qui permettraient de recruter les
hommes, l'argent qui devait assurer leur installation.
Les profits de l'entreprise, et en particulier le produit
des taxes banales, se trouvaient partagés ensuite à égalité. On connaît surtout les associations de ce genre qui
unirent un établissement religieux et un seigneur laïc.
Affaire de documentation encore une fois, les gens
d'Église tenant seuls des archives en ordre.

En réalité, les clercs et les moines furent effectivement souvent sollicités, parce qu'ils possédaient des
réserves de valeurs mobilières. Par le réseau des congré-
gations et des filiales, les établissements religieux se
trouvaient également mieux placés pour organiser la
publicité lointaine dans les contrées surpeuplées. Parfois, le sol leur appartenait. Dans ce cas, ils s'enten-
daient avec le prince pour que celui-ci modifiât le droit
territorial et accordât les franchises qui devaient amorcer le courant d'immigration. Fréquemment, des
moines ou des chanoines, renonçant au faire-valoir
direct, souhaitaient en effet lotir une « grange », un
domaine isolé dans la forêt, et en faire un village. Les

---

1. *Cartulaire de Saint-Avit d'Orléans*, nᵒ 50.

Prémontrés traitèrent de la sorte en 1220 avec le comte de Champagne à propos de leur grange de Septfontaines, et beaucoup de « bastides » d'Aquitaine naquirent de la même manière. D'autres fois, c'était le seigneur de la forêt qui sollicitait un pariage avec des hommes d'Église, bons recruteurs et bien munis d'argent. Ce que fit, par exemple, Bouchard de Meung qui s'associa, en 1160, aux Hospitaliers d'Orléans pour le peuplement de son bois de Bonneville ; il mettait dans l'affaire le droit foncier et le droit banal sur le futur terroir ; il attendait des frères de l'Hôpital qu'ils l'équipent en hôtes et « édifient » soixante arpents [1].

Les villages ainsi créés devinrent à leur tour de nouveaux ferments de colonisation. Leurs terroirs s'étendirent progressivement comme l'avaient fait ceux des anciens hameaux. De cette façon se désagrégèrent peu à peu certaines des grandes étendues qui recouvraient de solitude et de sauvagerie les pays d'Occident. Les agglomérations paysannes nées à cette époque se reconnaissent encore au nom qu'elles portent aujourd'hui : ce sont les « villeneuves », les « neuvilles », les « abergements » et, en pays de langue germanique, tant d'agglomérations dont le toponyme est constitué d'un nom d'homme et d'un suffixe : *berg*, *feld*, *dorf*, *rode* ou *reuth*. Ces villages présentent aussi fréquemment une structure particulière. La photographie aérienne révèle, comme dans tel hameau d'Angleterre, la stricte égalité des parcelles attribuées jadis à chaque ménage de pionniers [2]. Beaucoup de villages de colonisation forestière se développèrent en ligne, le long du sentier de pénétration, et l'attaque du bois fut menée de part et d'autre en longues lanières de labour, qui s'appuyaient chacune sur la maison et son enclos, au bord du chemin.

* * *

Les lignes qui précèdent sont pleines d'allusions à des apports extérieurs de capital. Élargir la clairière villageoise n'en nécessitait point : en transférant sur la frange des essarts une faible quantité de main-d'œuvre, libérée pendant les mortes-saisons de la culture, la croissance naturelle de la population paysanne, conjointe

1. HIGOUNET, 291 ; Archives Nationales, S, 5010 ¹, fol. 43ᵛ.
2. BERESFORD, 36, p. 97.

à de légers perfectionnements de l'équipement agricole, suffisait à entraîner ce lent mouvement de conquête. En revanche, pour créer un village neuf, il fallait que l'entrepreneur engageât de l'argent. L'attitude spéculative des seigneurs, qui décidèrent de prélever dans leur trésor un peu de métal précieux, afin d'accroître le nombre de leurs sujets et de rendre ainsi plus profitables leurs perceptions futures, ouvrit donc cette seconde phase du défrichement. Moment très important dans l'histoire des campagnes médiévales : ce fut alors qu'une part des richesses accumulées lentement dans les maisons aristocratiques entra en circulation pour être directement investie dans la production des céréales. Cette période décisive de la croissance agricole exigerait d'être située très précisément dans le temps.

Il faudrait, à vrai dire, une enquête d'ensemble pour mieux dater le mouvement (ce qui n'est pas possible à l'aide des seuls indices toponymiques et topographiques). On devine qu'il a commencé de bonne heure en certaines provinces. Dans la région mâconnaise, tous les nouveaux villages étaient déjà bien établis avant 1060, et les « sauvetés » du Toulousain furent fondées vers 1100. En Normandie, onze « bourgs » apparaissent avant 1066, puis trente-deux avant la fin du XIe siècle, quarante-six au XIIe, quarante-sept dans les années qui suivirent 1200. Aux villages de structure linéaire, établis dans les forêts briardes aux XIe et XIIe siècles, vint s'adjoindre, entre 1150 et 1225, toute une famille de « villeneuves [1] ». Une carte de tous les nouveaux villages dont la création est attestée par un acte écrit, qui mentionnerait la date de leur apparition et qui couvrirait l'ensemble de l'Europe, serait extrêmement précieuse. Elle révélerait sans doute nombre de discordances régionales ; elle montrerait une extension par vagues successives ; elle ferait apparaître aussi des espaces vides : ainsi dans le sud de la Bourgogne où n'existent ni chartes de peuplement, ni fondations seigneuriales. Une telle entreprise cartographique, qui n'est pas démesurée, fournirait aux historiens de l'économie, à ceux des structures politiques, religieuses, culturelles même, un instrument de travail d'un exceptionnel intérêt.

On devine déjà que le mouvement s'est poursuivi, au XIVe siècle, aux confins septentrionaux et orientaux

---

1. DUBY, 247, p. 302 ; OURLIAC, 302 ; BOUSSARD, 264 ; BRUNET, 40.

des pays germaniques, qu'il était encore vif au milieu du XIIIᵉ dans les pays aquitains, où des préoccupations stratégiques semblent alors l'avoir relancé. Toutefois, presque partout, et spécialement dans le Bassin Parisien, l'une des régions d'élection des villeneuves, l'avance paraît bien définitivement arrêtée en 1230-1240. Après le premier tiers du XIIIᵉ siècle, dans les régions où le semis des communautés villageoises restait très clair, la conquête agraire s'est encore poursuivie. Mais la plupart du temps, les pionniers n'étaient plus groupés. Ils tentaient individuellement l'aventure et construisaient à l'écart leur maison, au milieu des terres qu'ils arrachaient aux friches.

4. Le peuplement intercalaire

Dans le haut Moyen Age, il existait bien déjà entre les hameaux et les villages un habitat isolé. Mais ces gîtes étaient le plus souvent temporaires et mobiles, occupés par des hommes des bois, des ermites, des chasseurs, ou ces éleveurs de porcs qui vivaient nombreux, en particulier dans les forêts anglo-saxonnes [1]. La Gaule franque avait aussi connu, peut-être, quelques cultivateurs solitaires. Au Xᵉ siècle, les montagnes d'Auvergne étaient parsemées de maisons isolées, et certaines fermes de la Brie, écartées des villages, paraissent installées sur le site d'exploitations gallo-romaines [2]. A la fin du XIᵉ siècle et au XIIᵉ, cette forme de peuplement par dispersion se répandit sans doute quelque peu en certaines régions dans les espaces nouvellement mis en culture. Parmi ces nouveaux écarts, beaucoup furent d'origine religieuse. L'essor de la circulation routière fit fonder maisons-Dieu et hôpitaux sur les portions les plus solitaires des itinéraires. Les filiales des ordres érémitiques, comme les chartreuses, essaimèrent au sein des solitudes. Des « granges » enfin furent créées en grand nombre par les chanoines réguliers et les cisterciens, ainsi que par d'anciens monastères, comme Cluny ou Saint-Denis, qui les imitèrent. Ces grosses exploitations s'installèrent toutes en marge des vieux finages. Quelques-unes même se substituèrent

1. Lennard, 253, p. 14-15.
2. Fel, 50 ; Brunet, 40, p. 441.

à d'anciens villages dont les occupants partirent résider ailleurs, après avoir cédé aux religieux leurs droits sur les terres [1]. Mais en certains cas, le nouvel habitat dispersé naquit par l'initiative de quelques pionniers paysans qui choisirent de ne pas se grouper étroitement.

Parfois en effet le cloisonnement des sols cultivables imposait l'éparpillement. Parfois les colons établissaient des exploitations à dominante pastorale, et le souci de demeurer à proximité des terres de pâture les poussait à édifier « vacheries » ou « bergeries » à distance les unes des autres. Ce type de peuplement devint ainsi prédominant dans les pays gagnés sur la mer, où les terres neuves furent vouées essentiellement à l'élevage pendant des années, en attendant d'avoir évacué le sel. Dans les polders flamands, sur les rivages du Lincolnshire, les maisons à la fin du XIIe siècle étaient bâties sur le chemin et sur la digue, mais isolées les unes des autres par la grande pièce de prairies et de marais, enclose et d'un seul tenant, qui les entourait. Il s'agissait au fond de villages-rues, mais de texture si relâchée que la communauté d'habitation se trouvait tout à fait disloquée.

Il serait imprudent de généraliser les résultats d'observations encore beaucoup trop fragmentaires. Il semble bien cependant que les demeures rurales isolées se multiplièrent au XIIIe siècle, et surtout depuis les alentours de 1225. Beaucoup d'écarts fondés à cette époque le furent par des seigneurs et formèrent le centre de grandes exploitations, comparables par leur étendue aux granges monastiques établies au siècle précédent. J'ai décelé au XIIIe siècle en Mâconnais une tendance des demeures de chevaliers à se déplacer depuis le milieu du village, où elles se trouvaient installées de toute ancienneté à proximité de l'église et souvent sans doute sur l'emplacement même d'une *villa* romaine, vers les lisières, vers ce qui subsistait encore de la ceinture forestière [2]. Il vaudrait la peine de vérifier si le phénomène fut commun, et de chercher en ce cas à l'expliquer. Cet éloignement fut-il provoqué par le désir des hobereaux de mieux marquer les distances qui les plaçaient juridiquement au-dessus des paysans, à un moment où leur supériorité économique commençait à

1. Epperlein, 486.
2. Duby, 247, p. 590.

se trouver mise en cause ? Souhaitaient-ils ainsi s'assurer un espace suffisant pour suivre une nouvelle mode aristocratique et creuser un fossé autour de la maison, en faire une « maison forte », la réplique réduite d'un château ? Les motifs n'étaient-ils pas plutôt d'ordre économique ? Les petits seigneurs, dépossédés des terres centrales du terroir par les aumônes de leurs ancêtres, ont-ils voulu rapprocher leurs greniers et leurs étables des nouvelles « coûtures » que leurs domestiques venaient d'aménager par défrichement et des pâtures dont ils se réservaient maintenant l'usage ? Les traces ne manquent pas en effet d'entreprises de conquête agraire qui aboutirent à reconstituer des domaines nobles à l'écart des vieux terroirs. Beaucoup de hobereaux français s'employèrent ainsi à étendre leur patrimoine, comme ces chevaliers qui, en 1219, reçurent du chapitre de Notre-Dame-de-Paris cent arpents à essarter, avec défense de les concéder à des hôtes. Et l'on rencontre, au milieu du XIIIᵉ siècle, dans les campagnes d'Ile-de-France, beaucoup de maisons ou de pourpris, avec jardins clos et fossés tout entourés de bois, nouvellement édifiés par des gens de la petite noblesse [1].

Le déplacement des demeures nobles doit être en tout cas rapproché de la création, par les patriciens des villes, de « gagnages » ou de « bastides ». Ces fortes exploitations cohérentes se constituèrent par le remembrement de parcelles acquises aux confins des quartiers arables, et se maintinrent séparées volontairement de la

---

1. *Cartulaire de Notre-Dame de Paris* (éd. GUÉRARD), I, p. 399 ; II, p. 297. Dans un cours professé à l'École des Hautes Études en 1961, et dans une conférence prononcée la même année à Aix, M. Postan a exprimé le sentiment qu'il fallait aussi comprendre, parmi les moteurs les plus actifs du défrichement, l'épuisement des sols d'ancienne culture. Au XIIIᵉ siècle, en Angleterre, certaines terres des manoirs, victimes d'une exploitation céréalière trop intensive, auraient, selon lui, perdu leur fertilité, et seraient devenues définitivement incapables de produire des céréales panifiables. Pour compenser cette détérioration, les seigneurs auraient alors abandonné ces champs aux paysans, et auraient aventuré la culture sur des terres encore vierges, et pourtant de moins bonne qualité : le défrichement ferait alors pour une part figure de migration. Attendons pour examiner de plus près cette hypothèse la parution prochaine du livre de l'éminent historien économiste. Remarquons tout de suite qu'elle fournirait une explication séduisante au transfert des domaines seigneuriaux dont il est question ici. En revanche, la fixité des sites de la plupart des villages français depuis l'époque gallo-romaine porte à penser que les conditions techniques et pédologiques de l'agriculture évoluèrent différemment de ce côté de la Manche.

communauté agraire du village. Le phénomène a été bien étudié autour de Metz, où, dans un rayon d'une dizaine de kilomètres, de nombreux établissements bourgeois de cette sorte apparurent entre 1275 et 1325 [1]. Mais les quartiers de friches qui ne s'étaient pas résorbés dans l'extension des clairières villageoises ne furent pas seulement parsemés de nouvelles et grosses maisons de riches. La plupart des écarts qui naquirent à cette époque étaient des masures paysannes, comme celles qui s'élevèrent entre deux villages de l'Ile-de-France, Corbreuse et Brétencourt, au milieu de leurs pâtures communes. De celles-ci l'existence est connue par les pièces d'un procès, réglé par enquête en 1224. Les colons venaient de Corbreuse ; les gens de Brétencourt partirent briser les haies des nouvelles cabanes, et leur bétail, en paissant librement, dévasta les jardins et les prés nouveaux. Les témoins requis par les enquêteurs se souvenaient encore qu'une première maison avait été édifiée en 1175, une seconde vingt ans plus tard. En ce lieu, certains paysans avaient donc préféré la solitude au groupement dès la fin du XIIe siècle [2].

Le choix d'une habitation isolée devint, au cours du XIIIe siècle, commun à la plupart des pionniers qui s'établirent dans les régions peu peuplées, au sein des larges intervalles qui séparaient encore les uns des autres les terroirs villageois. Le fait est clair dans la Brie. Après 1225, après qu'eurent été fondées les dernières « villeneuves », une ultime vague de peuplement dissémina les écarts dans ce qui subsistait de « déserts ». Même évidence sur les hautes terres du Massif central. En Margeride, l'organisation actuelle de l'habitat rural fut mise en place à l'approche du XIVe siècle par un semis de maisons isolées. Le Maine fut colonisé de la même manière. En Bresse et dans la montagne beaujolaise, pays de mas et non point de hameaux comme l'étaient les toutes proches collines mâconnaises, on sait que nombre d'écarts furent fondés après 1240. Le phénomène s'observe aussi en Angleterre, sur le pourtour des forêts royales. A la lisière de la forêt de Peak, entre 1216 et 1251, le bailli autorisa cent vingt-six paysans à construire un « pourpris », c'est-à-dire l'enclos isolé d'une maison. Le Devon, le nord du Warwickshire, qui se peuplèrent après 1086, sont aussi des pays d'habitat dispersé. Tout comme le Plateau bavarois, les Alpes autrichiennes, les *kampen* des environs de Bois-le-Duc, où la colonisation paysanne se développa postérieurement au XIIe siècle[1].

* *
*

Ce nouveau mode d'occupation du sol reflète un changement d'attitude de première importance, une nouvelle disposition de l'homme à l'égard de la nature. Il détermine, en effet, l'extension d'un type particulier de paysage, où domine l'enclos permanent.

Le blocage est certainement d'origine complexe. On en repère des exemples dans les temps les plus reculés. On le voit naître aussi à des époques très récentes. Mais nombre de recherches ont montré que la plupart des pays d'enclos en France et en Allemagne correspondent à des zones de peuplement tardif, généralement postérieur au XIIIe siècle. Lorsque le défrichement était mené autour d'un village, les essarts, nous l'avons dit, restaient enclos pendant quelque temps. Mais dès qu'ils s'étaient rejoints pour constituer un quartier compact, celui-ci comme les anciennes pièces de labour devenait une « campagne » par la destruction des haies permanentes. Au contraire, en s'installant à l'écart, au milieu de la friche où il avait pu aménager d'un seul tenant tout son domaine, qui demeurait cerné par les terres de pâture, l'exploitant isolé implantait une clôture durable, en haie vive ou de pierre. En fait, dans les textes médiévaux, l'enclos, sauf exception, va de pair avec l'habitat dispersé. La clôture, en effet, remplit trois fonctions majeures. Résidu du bois et son substitut, la haie procure d'abord certaines des fournitures traditionnelles de la forêt, les branches, les piquets, les feuilles pour la litière des bestiaux ou leur fourrage d'hiver. En outre, elle protège des récoltes qui restent en permanence aventurées, contre la dévastation des troupeaux et des bêtes sauvages. Enfin et surtout, la barrière permanente est un symbole d'appropriation, le signe et le rempart d'une exploitation individuelle isolée au milieu des terres de jouissance collec-

1. BRUNET, 39 ; FEL, 50 ; LATOUCHE, 216 ; DUBY, 247 ; FINBERG, 176 ; HOMANS, 151 ; JANSEN, 622 ; WIESSNER, 505.

tive. Elle place l'ensemble des champs sous le régime protégé dont les jardins avaient jadis le monopole [1].

La colonisation par maison dispersée, donc par enclos, modifia profondément la situation économique de l'exploitation. A la vieille économie collective qui, par l'usage des communaux, par la construction et la destruction périodique de clôtures temporaires, faisait alterner, sur les quartiers labourés, la culture individuelle et l'élevage en commun, se substitua un système d'individualisme agraire. C'est dire le très vif intérêt d'une étude serrée, à la fois chronologique et géographique, du mouvement de dispersion. A-t-il bien partout commencé de se développer aux environs de 1220 ? Quand faut-il situer ici et là sa phase la plus intense ? Je pense que cette étude devrait être menée conjointement à celle de la puissance et de la fiscalité seigneuriales. En certaines régions, en effet, on peut observer, dans le cours du XIIIᵉ siècle, une sorte d'éclatement de la seigneurie de village. L'habitude se prit alors de lever les exactions banales feu par feu, tout en obligeant l'homme soumis aux tailles à faire résidence héréditaire dans le manse qu'il occupait [2]. Ne faut-il pas considérer ce changement comme une adaptation des méthodes de perception au fractionnement nouveau de l'habitat ?

Si l'on s'interroge sur les raisons qui poussèrent les petits exploitants à s'établir à l'écart, on peut invoquer d'abord le simple effet des progrès de l'essartage. Un moment vint où, pour ne pas rentrer chaque soir au village lors des grands travaux, les défricheurs construisirent sur les champs les plus lointains un abri de fortune, qui devint ensuite le lieu d'une occupation permanente. Mais s'agissait-il seulement d'une adaptation à la distance ? On peut penser aussi que, bien souvent, l'acquisition d'un meilleur outillage vint, à partir du XIIIᵉ siècle, autoriser le ménage rural à se risquer seul, à se dégager des anciennes nécessités de l'entraide [3]. N'était-ce pas aussi très fréquemment affaire de sol ?

1. Meynier, 60 ; Brunet, 39 ; Bader, 34, p. 100 et suiv. ; Chaumeil, 42.
2. Voir p. 487.
3. Ainsi, dans l'Italie septentrionale, la diffusion de l'habitat dispersé paraît avoir été favorisée par l'investissement des capitaux urbains qui renforcèrent l'équipement des exploitations paysannes et leur permirent de s'individualiser.

Il conviendrait de vérifier si la dernière phase de la conquête agraire ne s'étendit pas sur des terrains qui exigeaient une coordination différente et plus individualiste de la culture céréalière et de l'élevage, et qui notamment imposaient une prédominance de ce dernier. Enfin, les hommes riches, seigneurs ou bourgeois, qui avançaient de l'argent aux défricheurs, n'auraient-ils pas alors découvert qu'ils pouvaient attendre un meilleur rapport du capital investi en aidant à créer, non point des clairières agricoles exploitées par la collectivité d'un village, mais des exploitations isolées ? Cette ultime forme du défrichement refléterait ainsi un mouvement profond de l'économie rurale, un détournement des investissements vers les productions pastorales.

Il est en effet permis de croire que la modification du système de culture, impliqué par l'allure que revêtit alors la colonisation, fut stimulée par l'ouverture des circuits d'échange, et notamment par un commerce plus actif des viandes, des laines, des cuirs [1]. A l'appui de cette supposition, il apparaît que les initiateurs du changement ne furent pas les paysans, mais les maîtres, engagés les premiers dans les spéculations commerciales. Les cisterciens donnèrent l'exemple, dès le XIIᵉ siècle ; les riches hobereaux et les patriciens les imitèrent. Les humbles, plus tard, suivirent. La maison isolée, un lot compact de terres entourées de haies (qui non seulement protègent les champs contre le bétail étranger, mais enferme celui du maître et lui réserve toute l'herbe) semblent bien répondre en effet à un organisme de production où l'élevage sur la prairie naturelle constitue la principale ressource, et où la culture des grains représente un appoint, de grande importance certes, mais secondaire. Ainsi, la colonisation en ordre dispersé du XIIIᵉ siècle pourrait bien manifester, après la période de fondation des « villeneuves », une sorte de retrait de l'essor proprement

---

1. Il conviendrait de la mettre en relation avec les changements que l'on devine alors dans les régimes alimentaires, avec la demande accrue de viande et de produits laitiers, spécialement forte de la part des milieux urbains et aristocratiques. En Italie du Nord, l'extension à la même époque d'un type de paysage cloisonné, dont la haie constitue l'un des éléments majeurs, se relie à l'essor des cultures arbustives : la pénétration de l'économie urbaine paraît, ici encore, le principal facteur de mutation.

agricole. Pendant la dernière étape de la conquête des sols utilisables, il faudrait voir alors dans l'extension des labours un phénomène second, subordonné à l'essor pastoral et à une exploitation plus intensive des herbages.

* *

Quelle que soit la valeur de ces hypothèses et le sort que leur feront les recherches futures, l'effort d'expansion agricole s'essouffla, selon toute apparence, dès le début du XIIIe siècle. En quelques pays il ne semble pas fléchir jusqu'après 1300, ainsi dans l'est lointain de la plaine germano-slave, en Lombardie où se poursuit la domestication des torrents alpestres, dans la montagne jurassienne, dans le nord du comté de Warwick. Mais on le voit s'arrêter dès 1230 dans la région parisienne, au milieu du XIIIe siècle en haute Provence comme en Picardie, où tout le terrain valable se trouvait à ce moment défriché. L'arrêt s'observe aussi dans le même temps dans les campagnes anglaises où prédominait l'agriculture, sur les domaines de l'église d'Ely par exemple. Et l'on voit la colonisation de la Brie s'achever aux approches du XIVe siècle [1].

A vrai dire, ces termes chronologiques, qui constituent l'un des plus importants jalons de l'histoire rurale européenne, sont loin d'être partout repérés avec exactitude. Leur vérification minutieuse s'impose. Ainsi l'opinion commune considère qu'il ne fut plus créé d'essarts en Artois après 1270 ; on voit pourtant, en 1316, tel seigneur de ce pays lotir l'un de ses bois, y installer sept familles et créer ainsi un hameau [2]. Toutefois, il demeure bien établi que dès les dernières années du XIIIe siècle un mouvement de recul s'était amorcé ici et là. Certains sols, qui s'étaient très vite détériorés après leur mise en culture, commençaient d'être abandonnés. J'emprunte un exemple à la montagne beaujolaise. Un petit seigneur avait voulu créer là vers 1240 une douzaine d'exploitations paysannes dépendantes ; en 1286, trois de ces manses se trouvaient

1. HILTON, 36 ; GAUSSIN, 277 ; BISHOP, 263 ; MILLER, 187 ; BRUNET, 40, p. 446 et suiv. ; SCLAFERT, 76, p. 37.
2. MARTEL, 299 ; *La chronique et les chartes de l'abbaye de Marœil* (éd. BERTIN), n° 195.

délaissés et le maître vendait tout l'essart à des conditions très mauvaises [1]. Il est permis de penser que,
dès cette époque, sauf peut-être dans les nouvelles
exploitations isolées vouées surtout à l'élevage, le
défrichement avait dépassé le seuil pédologique, au-delà
duquel le rendement de l'agriculture céréalière cessait
de payer le cultivateur de ses efforts.

Les réflexions qui précèdent proposent donc un
cadre de recherches. Elles invitent à distinguer des
types d'occupation agricole, à les situer plus exactement dans le temps et dans l'espace. Déjà, ce que l'on
sait aujourd'hui des régions où les documents inventoriés sont les plus denses, en France du Nord et du
Centre, dans les Pays-Bas, en Allemagne rhénane, incite
à se représenter de la sorte, et provisoirement, l'allure
générale du mouvement de conquête agraire. Il semble
bien se décomposer en trois phases successives. L'élargissement des clairières primitives, œuvre surtout
paysanne et menée dans le cadre de la communauté du
village, paraît avoir débuté ici et là dès le Xe siècle ; il se
peut même que cet essor ait prolongé directement,
en certains cas, une lente expansion antérieure. Encou-
ragée par les hauts seigneurs, la fondation de villages
neufs commença plus tard dans la plupart des régions,
et il faut sans doute placer entre 1150 et 1200 le moment
de plus grande intensité de cette seconde vague. Enfin,
une troisième période se caractérise par un ralentissement, progressif mais dans certaines régions fort
brusque ; l'Allemagne du Nord-Ouest mise à part,
où de nouveaux villages se formèrent alors [2], les seuls
progrès notables qui se manifestent encore en quelques
zones forestières paraissent liés au peuplement dispersé
et à l'essor de l'activité pastorale. Mais dresser ce
schéma problématique, c'est bien sûr inviter immédiatement à le rectifier et, s'il le faut, à le détruire.

1. PERROY, 255, p. 129 et suiv.
2. TIMM, 528, p. 98 et suiv.

CHAPITRE II

LES TRAVAUX DES CHAMPS

De tous les aspects de l'expansion agricole, le recul des friches est celui que l'on peut le plus nettement discerner. Pour cette raison, je l'ai décrit d'abord, afin de disposer sur cette esquisse les traits les moins imprécis. Mais cette marche en avant se trouve elle-même étroitement associée à deux mouvements parallèles, qui la poussent, et qu'elle entraîne : un essor démographique et un perfectionnement des méthodes de travail. Ces progrès en vérité se laissent très difficilement observer. Attachons-nous cependant d'abord à cette étude des techniques qui, en histoire agraire, devrait suivre, et du même pas, celle de l'espace cultivé.

* *

Sur l'équipement et sur les pratiques agricoles, des indications abondantes sont fournies par les ouvrages d'agronomie qui furent composés et qui se répandirent dans divers pays européens pendant la seconde moitié du XIIIᵉ siècle. Parmi ceux qui connurent le plus grand succès figurent le traité du Bolonais Pietro de Crescenzi, les divers manuels de *Housebondrie*, c'est-à-dire d'économie domestique, dont le plus célèbre fut écrit par Walter de Henley, enfin le recueil, anglais lui aussi, de la *Fleta*, qui contient à la fois une description fort concrète de l'exploitation agricole modèle, et des conseils aux seigneurs pour l'administration de leur fortune. Tous ces livres sont rédigés en langue vulgaire ; ils s'adressaient à un public de gens instruits, mais qui n'étaient pas tous des clercs.

Fait notable en lui seul que l'épanouissement de cette littérature technique. Elle prolonge et étend la faveur qu'avaient connue, dès l'époque carolingienne, les écrits des rares agronomes latins qui conviaient à pousser la production de la terre, et qui proposaient des méthodes d'exploitation plus efficaces. Elle manifeste ainsi la diffusion progressive de l'esprit d'entreprise parmi les administrateurs de seigneuries. Déjà présent à l'époque franque dans les grands monastères de la Seine et de la Meuse, où les traités de Varron et de Columelle séduisaient les artisans de la « renaissance » intellectuelle, celui-ci pénétra au XIIe siècle dans les abbayes cisterciennes. On y considérait l'agriculture comme un « art mécanique », digne d'intérêt scientifique, et susceptible d'un perfectionnement systématique [1]. Mais que cette curiosité se soit transportée ensuite hors des milieux ecclésiastiques et intellectuels où l'on parlait latin, ait saisi certains représentants de la noblesse et de la haute administration, constitue un fait de la plus grande importance. Il est significatif encore de voir cet intérêt s'étendre et s'aiguiser en certains pays, l'Italie et l'Angleterre, et aux alentours de 1250, c'est-à-dire au moment où la pression démographique, l'accélération des échanges, les mutations sociales qu'elles déterminaient, rendaient plus sensible aux seigneurs l'urgence d'une surveillance attentive et d'une direction rationnelle de la production domaniale. Dans la chronologie très imprécise de l'expansion agricole, l'apparition des traités d'agronomie en langue vulgaire établit un précieux jalon. Elle fournit un solide argument à ceux qui pensent que, dans l'ensemble des campagnes d'Occident, l'agriculture n'a cessé de devenir plus intensive du XIe au XIIIe siècle, dans le temps même où elle élargissait son aire.

Il conviendrait donc — la tâche serait relativement facile et singulièrement utile — d'examiner avec la plus grande attention tous ces ouvrages, d'en mesurer exactement le succès, d'en reconnaître aussi la portée véritable. S'agissait-il vraiment de manuels pratiques et qui furent utilisés comme tels ? Il importerait aussi

1. SÜDHOF, 125.

d'extraire l'enseignement de ces traités, en le dégageant
de ce qui est compilation, copie servile des auteurs
exemplaires et des classiques latins, en établissant ce qui
vient en revanche d'une expérience directe des choses
de la terre. Ceci conduirait enfin à comparer aux
schémas théoriques que proposent ces livres l'état des
techniques réellement en usage. Seule manière de vérifier si cette époque bénéficia réellement d'un progrès
des méthodes de culture.

C'est ici que l'exploration devient en vérité terrible-
ment malaisée, et risque de s'avérer fort décevante.
Elle se heurte à deux difficultés qui se conjuguent.
L'une tient aux sources, presque inexistantes avant le
XIIIe siècle, fort rares ensuite, peu loquaces et surtout
tout à fait discontinues. Mais la complexité même des
techniques agricoles constitue un second obstacle.
Elles se commandent les unes les autres. Elles forment
un système cohérent, dont il faudrait pouvoir observer
simultanément les divers éléments dans leurs progrès
conjoints, ce qui est tout à fait impossible. Pour cette
raison, et aussi pour la clarté de l'exposé, pour proposer
à la recherche un cadre simple, quitte à séparer arbi-
trairement des pratiques associées par leur nature
même, résignons-nous à considérer successivement
deux grands aspects de ces usages agraires. Dans quels
cycles les semailles se trouvaient-elles ordonnées ?
Comment préparait-on la terre ?

I. Les cycles de culture

Les ouvrages d'agronomie conteaient de nombreux
conseils sur la manière de disposer les semailles et d'en
organiser la rotation parmi les champs afin d'obtenir
les récoltes les plus profitables. Dans quelle mesure
étaient-ils suivis ? Pour mieux discerner les pratiques
elles-mêmes à travers une documentation des plus
ingrates, pour ne pas transporter sans précaution dans
le passé médiéval les modèles d'assolements, biennal ou
triennal, familiers à l'agriculture traditionnelle de
l'Europe moderne, il convient d'abord de laisser de
côté le problème obscur de ce qui est à proprement
parler l'« assolement », c'est-à-dire l'organisation dans
le terroir de « soles » homogènes, de quartiers dont
toutes les parcelles sont traitées chaque année de la

même façon, ensemencées en tel blé ou laissées en
jachères [1]. Cet usage collectif n'est nulle part attesté
de façon évidente avant le XIVᵉ siècle ; en outre, il participe étroitement aux rapports des champs et de la
forêt, de l'agriculture et de l'élevage ; il en sera question
plus loin. Considérons ici seulement deux points
distincts.

L'aménagement des cycles est en premier lieu com-
mandé par la répartition, dans les cultures, des grains
qui sont semés en automne, tels le froment et le seigle,
et des blés de printemps, orge et avoine. Mais cette répartition même dépend en grande partie des habitudes
alimentaires. Comme le pain formait alors le fonds de la
nourriture des hommes, ceux-ci se trouvaient incités à
produire d'abord des céréales panifiables, c'est-à-dire
des blés d'hiver. Moins exigeant, plus facile à battre, le
seigle aurait eu souvent leur préférence, d'autant que
sur les sols siliceux il rend bien davantage. Toutefois,
les riches mangeaient du pain blanc, pétri de froment
seul. Qu'il fût moine, noble ou homme de la ville, le
seigneur imposait donc, pour les besoins de sa table, de
semer du froment sur des terres qui, pour beaucoup,
eussent été sans cela vouées au seigle. Et il se peut
même que la culture du froment ait progressé pendant
le XIIᵉ et le XIIIᵉ siècle, en raison de cette vulgarisation
des modes aristocratiques qui caractérise l'histoire des
mœurs en période de croissance économique. Ajoutons
que ce bon grain trouvait acheteur à meilleur prix.
Marchandise de qualité, il faisait l'objet d'un trafic
moins irrégulier. Voilà donc qui poussait à ménager plus
de place au blé d'hiver.

Cependant, le pain médiéval, le mauvais pain noir qui
nourrissait le peuple, les paysans et les valets, contenait
toutes sortes de graines, parfois du mil [2], très souvent de
l'orge, céréale de gros rendement, enfin de l'avoine, que
les hommes consommaient aussi en bouillies. Les seules
nécessités de l'alimentation humaine invitaient donc à

---

1. D. FAUCHER, « L'assolement triennal en France », dans *Études
rurales*, 1961.
2. Le mil semble avoir été le grain le plus cultivé dans le Comminges au XIIᵉ, et au XIIIᵉ siècle dans la forêt d'Orléans, HIGOUNET,
420 ; *Cartulaire de l'abbaye de la Cour-Dieu*, nᵒ 13. Dans la Lombardie
médiévale, le millet occupait dans l'alimentation des hommes une
place considérable, celle même que tient aujourd'hui la *polenta*,
TOUBERT, 603 *a*.

introduire les blés de printemps, de « mars » ou de « trémois », dans le cycle des cultures. Considérons aussi que l'avoine servait à l'élevage des chevaux de combat. Or, la civilisation aristocratique du Moyen Age occidental était essentiellement cavalière. Les chefs de village exigeaient pour leur écurie des redevances en avoine. Au XIᵉ, au XIIᵉ siècle, avant que ne se répandît la taille en argent, les maîtres de châteaux, ceux dont la cavalerie assurait la protection de la contrée, requéraient avant toute chose de leurs sujets des « exactions » en avoine. Ces exigences — ajoutons la substitution en certaines régions, au XIIIᵉ siècle, du cheval au bœuf dans l'attelage de la charrue [1] — contribuaient à étendre la part des grains de printemps dans les emblavures.

Un système qui ne se limite pas à produire des blés d'hiver, mais leur associe le trémois, présente en outre des avantages techniques. Alterner les semailles favorise la croissance des plantes et leur robustesse. Semer du froment ou du seigle sur certains champs, de l'orge ou de l'avoine sur d'autres, permet de répartir les risques de mauvaise récolte sous le climat capricieux que connaît la plus grande partie de l'Europe occidentale. Comme l'ont montré de patientes recherches menées dans les comptes du XIIIᵉ siècle conservés dans les archives de l'évêché de Winchester, un excès d'humidité, et surtout de trop fortes pluies d'automne, se montraient souvent pernicieux pour les céréales d'hiver [2]. Ces années-là, les blés de printemps venaient en renfort. Cette culture mixte enfin, qui introduisait au moment du Carême une nouvelle saison de labour, donnait le moyen d'étaler plus largement dans le cours de l'année les travaux agricoles, de mieux utiliser la main-d'œuvre domestique et les bêtes de trait. Le même équipement se trouvait alors en mesure de tirer parti d'une plus large surface. Les traités d'agronomie rédigés en Angleterre au XIIIᵉ siècle font remarquer qu'une seule charrue peut mettre en culture soixante-quatre hectares de champs semés en froment ou en seigle, mais soixante-douze si ceux-ci se partagent entre l' « hivernage » et le « trémois ».

On peut par conséquent conclure au progrès, à l'aménagement plus judicieux de l'exploitation, lorsqu'on

1. Voir p. 199.
2. TITOW, 78.

voit les blés de printemps pénétrer dans le système agricole et s'y étendre. Or la répartition des semailles peut être observée d'assez près, car les archives médiévales contiennent de très nombreuses indications sur la nature des grains qui parvenaient dans les greniers seigneuriaux. A vrai dire, la composition des redevances perçues par un seigneur est trompeuse ; elle dépend moins de la production paysanne que du désir des maîtres ; pour satisfaire ceux-ci, le tenancier livrait peut-être tout le froment, toute l'avoine qu'il avait moissonnés, et l'on ne sait rien de ce qu'il conservait dans sa grange. Plus sûre est l'étude des dîmes qui, prélevées sur la récolte paroissiale, en reflétaient fidèlement la composition. Les meilleures sources sont évidemment les comptes de seigneuries ou les inventaires domaniaux ; la quantité des différents grains que l'on sema ou que l'on récolta telle année sur tel domaine s'y trouve évaluée, et les documents de cette sorte se multiplient pendant le XIIIᵉ siècle. A ce moment, d'autres renseignements tout aussi précieux peuvent être extraits des contrats de fermage ou de métayage, qui renferment des consignes d'exploitation. Tout un matériel encore très mal exploité, sauf en Angleterre, attend, on le voit, les chercheurs.

Ceux-ci devront peiner beaucoup plus durement pour apercevoir clairement le second élément du cycle des rotations, et peut-être n'y parviendront-ils jamais. Il s'agit de la durée des jachères. La terre était-elle laissée en repos un an sur deux, un an sur trois, davantage ? Le roulement était-il biennal, triennal, ou bien, beaucoup plus lâche, introduisait-il la culture des blés d'hiver et de printemps au sein d'amples phases improductives ? Dans le terroir, l'étendue nourricière se trouvait-elle largement déployée ou bien, faute d'engrais et par la nécessité de ne pas abaisser le rendement de la semence à des taux trop dérisoires, restreinte à quelques parcelles investies de toute part par de larges brousses périodiques ? Question fondamentale. La résoudre, ce serait mesurer l'intensité véritable de l'agriculture médiévale, situer le travail humain dans son vrai milieu naturel, inscrire dans ses justes limites économiques l'effort des défricheurs. Par malheur cette question s'avère à peu près insoluble. Faute de documents, car les enquêteurs, les régisseurs et tous les scribes ne se souciaient guère d'estimer l'étendue des champs non

cultivés. Mais l'enquête butte aussi contre des difficultés insurmontables, parce que la durée de la jachère dépend directement de la qualité du sol, et que celle-ci
varie considérablement d'un lieu à l'autre. Aux temps
modernes, les paysans appliquaient ici et là des rythmes
fort divers. Leurs ancêtres médiévaux ne devaient point
agir différemment. Mais cette diversité même restreint
singulièrement la portée des indices que livrent les
sources. Ceux-ci en effet ne concernent jamais que telle
ou telle terre isolée, dont on ignore absolument le degré
de fertilité.

Il convenait de préciser ces points et d'exprimer ces
réserves. Tentons maintenant de résumer et de classer
ce que, dans l'état de la recherche, l'on peut entrevoir
de cet aspect fondamental de l'économie rurale.

***

Si l'on en croit quelques passages de polyptyques, un
cycle triennal, qui partageait entre les blés d'hiver et de
trémois l'espace mis en culture chaque année, était appliqué, dès l'époque carolingienne, sur certaines terres
des grandes abbayes entre la Loire et le Rhin [1]. L'obscurité tombe ensuite, jusqu'au XIIe siècle. En ce qui
concerne la composition des semailles, les quelques
documents explicites montrent alors l'extrême diversité
des usages. Un inventaire très consciencieux a décrit,
vers 1150, dix des domaines qui relevaient de l'abbaye
de Cluny, tous situés à peu de distance du monastère.
Je l'utiliserai souvent. Voici ce qu'il apprend sur la
question qui nous occupe. Dans deux seulement de ces
exploitations, la place faite aux blés de printemps sur
les terres du maître équivalait à celle des blés d'hiver ;
dans les autres, la proportion se limitait aux deux tiers,
à la moitié, au tiers, au quart ; l'un des domaines même
ne produisait que du seigle et un peu de froment [2]. La
répartition des semailles correspondait donc d'abord
aux besoins domestiques : grosse maison seigneuriale
aux vastes écuries, le monastère consommait avant tout
du froment, et beaucoup d'avoine ; mais, localement,
elle apparaît entièrement gouvernée par les aptitudes

1. Voir p. 81.
2. DUBY, 407.

de la terre. Le système employé était fort souple et complexe.

Pour la même époque, quelques sources renseignent sur la disposition de la jachère. Elles montrent que l'on pratiquait très communément une culture itinérante entrecoupée de très longs repos, en particulier dans les quartiers récemment gagnés sur les friches. En 1116, les habitants de tel village de l'Ile-de-France reçurent le droit de labourer d'anciens défrichements dans une forêt royale, et la permission d'ouvrir de nouveaux essarts ; mais à condition « qu'ils les cultivent en en récoltant les fruits pendant deux moissons seulement, puis qu'ils aillent ensuite en d'autres parties de la forêt [1] ». Cette interdiction visait sans doute à conjurer le risque d'un épuisement total de la nouvelle terre par une culture continue et prolongée ; le seigneur roi, qui prélevait une part des récoltes, en eût pâti. Mais cette prescription implique que la jachère recouvrait normalement beaucoup plus que le tiers des champs. Le fait même qu'elle ait été édictée prouve que les méthodes primitives de l'écobuage périodique étaient loin d'être ici délaissées. La région pourtant n'était pas des plus attardées : un siècle plus tard, elle apparaît à l'avant-garde du progrès agricole. J'évoquerai un second témoignage, qui date du début du XIIIe siècle. Dans leur « villeneuve » de Bonlieu en Beauce, les religieuses d'Yères obligeaient les hôtes à cultiver « selon les saisons », c'est-à-dire selon un rythme régulier ; il ne laissait qu'un an sur trois à la jachère. Leur préférence pour le cycle triennal apparaît donc incontestable. Le règlement autorisait cependant les paysans à maintenir les labours en friche plusieurs années de suite en certains cas : pour « raison de pauvreté » (c'est-à-dire s'ils se trouvaient momentanément privés de bêtes d'attelage), mais aussi « pour l'amélioration de la terre [2] ». Ce texte est fort éclairant. Il prouve qu'une grande liberté régnait dans le choix des rotations et que les petits exploitants se trouvaient moins ligotés qu'on ne le pense parfois par la routine ou les contraintes collectives. Ils étaient maîtres d'organiser le cycle de leurs semailles en tenant compte, autant que des traditions agraires, de la qualité du sol et des conditions clima-

1. Cartulaire de Notre-Dame de Paris (éd. GUÉRARD), I, p. 258.
2. Archives Nationales, LL 1599 B, p. 143.

tiques. Ajoutons que le cycle triennal est présenté, sur ce terroir en plein aménagement, comme la pratique la plus souhaitable, mais aussi comme un usage de riche. Il ne peut être appliqué qu'au sol fertile, et par des cultivateurs bien équipés, capables de retourner la terre assez profondément pour en renouveler la fertilité. C'est une méthode exigeante. Il est probable que, pour cela, sa diffusion demeura plus limitée sans doute qu'on ne croit.

* * *

Nous entrons ainsi dans le xiiiᵉ siècle, que les documents éclairent moins chichement. Vers son milieu surgissent les premiers témoignages formels d'un emploi de rotations tout à fait équilibrées sur trois ans. En 1248, les quelque quatre cents hectares cultivés dans la grange de Vaulerent en Ile-de-France étaient répartis en trois « années », « blé », « marsage » et jachère, en trois soles de superficie très sensiblement égale[1]. Il s'agit là, notons-le, d'une exploitation cistercienne, gérée par conséquent selon les meilleurs principes. Sur ce grand domaine périphérique, établi à l'écart des terroirs villageois, l'alternance des semailles pouvait être organisée très librement. Mais on a la certitude qu'un rythme semblable était généralement suivi en Normandie dans la deuxième moitié du xiiiᵉ siècle[2], et, au seuil du xivᵉ, dans de très nombreuses exploitations de l'Ile-de-France. En 1334-1335 par exemple, sur le domaine que possédait l'abbaye de Saint-Denis à Tremblay, cent trente-six arpents furent semés en blé d'hiver et cent cinquante-quatre en blé de printemps ; on en avait laissé cent soixante-trois en jachère[3]. Rapprochons ces observations de ce que l'on sait des campagnes anglaises où, dans certains villages, les paysans aménagèrent à cette époque un troisième « champ », gagné sur les pâtures de l'*out-field*. Ils se proposaient par là de remplacer le système des « deux champs », dans lequel chaque année la moitié du terroir ne portait pas de moisson, par une organisation moins extensive, qui distribuait également les terres entre les semailles d'au-

1. Higounet, 287.
2. Strayer, 261.
3. Fourquin, 510 a.

tomne, celles de printemps et la jachère. Il s'agit bien
ici de la pénétration progressive d'un cycle triennal [1].

Une observation attentive révèle cependant qu'il ne
faut pas supposer trop étendue l'aire où ce dernier se
trouvait en usage au seuil du XIVe siècle. On peut à ce
propos formuler quatre remarques :

1° Les campagnes du Midi n'ignoraient pas les rotations en trois temps. Telle mention relevée dans un
registre de notaire apprend qu'une terre était alors
concédée, dans un village de haute Provence, « pour les
six ans à venir ou pour quatre saisons ». La formule
exprime que la pratique commune était d'ensemencer
le champ deux ans sur trois. Et l'enquête, des plus
minutieuses, qui décrit les domaines exploités par les
Hospitaliers en 1338 dans les Alpes du Sud, manifeste
que dans nombre d'entre eux les champs seigneuriaux
étaient soumis au cycle triennal équilibré [2].

2° En vérité, les deux documents que j'ai pris pour
exemple montrent aussi fort clairement les limites
d'une telle pratique. La stipulation du premier est
ambiguë ; elle laisse entendre que les quatre années
productives (elles seules importaient en l'occurence,
puisque le texte est un contrat de métayage) pouvaient,
en cas de nécessité, s'étaler sur une période plus ou
moins étendue. Quant à l'inventaire des domaines de
l'Hôpital, il montre surtout la manière extrêmement
souple dont les semailles se trouvaient réparties, et la
place au demeurant restreinte des blés de printemps.
La composition de la dîme levée dans les paroisses
environnantes révèle que les ménages paysans, plus
vivement pressés de tirer de la terre tout ce qu'elle
pouvait rendre, risquaient plus fréquemment la
semaille de mars, hasardeuse en ce climat. Mais un
sur six seulement des domaines seigneuriaux consacrait
à l'orge et à l'avoine la moitié ou plus des ensemen-
cements ; dans quarante-six exploitations sur cent
vingt, on récoltait uniquement des blés d'hiver ;
dans cinquante-deux autres, le froment ou le seigle
occupaient la plus grande place. En outre, les régisseurs
jugeaient le plus souvent nécessaire de laisser en
jachère beaucoup plus que le tiers des champs ; dans
plus des deux tiers des domaines, ceux-ci se reposaient

1. STENTON, 260, p. 122 ; HILTON, 619 ; DARBY, 33, p. 239.
2. Arch. des Bouches-du-Rhône, 369 E 17, f° 71 ; SCLAFERT, 122.

un an sur deux, et davantage encore dans la moitié des autres ; les domestiques de l'une des commanderies abandonnaient même quatre ans sur cinq les terres à la friche.

3° Il apparaît que la production des blés d'hiver l'emportait également dans bien des terroirs septentrionaux. En 1249, dans tel village des Ardennes, la dîme avait rapporté quatorze mesures de froment et quatorze de seigle, contre vingt mesures d'avoine [1]. Il serait du plus grand intérêt de dépister attentivement tous les témoignages qui permettent d'évaluer récoltes et semailles.

4° Ceux qui révèlent l'existence de jachères prolongées sont plus significatifs encore. Ils s'avèrent fort nombreux, car la médiocrité des engrais, l'insuffisance des labours, l'impuissance des hommes à reconstituer artificiellement la fécondité des sols, interdisaient de restreindre outre mesure les temps de liberté octroyés aux champs. Le très raisonnable auteur du traité d'agronomie qu'on appelle *Fleta* n'engageait-il pas ses lecteurs à préférer une seule bonne récolte sur deux ans à deux médiocres sur trois ? Il conseillait de s'en tenir au vieux système des « deux champs », l'un laissé en repos, l'autre cultivé par portions en blé d'hiver et en blé de printemps. En fait, les campagnes d'Angleterre, où les seigneurs s'inquiétaient sans doute alors plus que partout ailleurs d'élever la productivité de leurs terres, furent beaucoup plus lentes qu'on ne l'a dit parfois à adopter le strict cycle triennal. Dans tout le Lincolnshire, on ne découvre pas d'indice certain de son usage avant le XIVe siècle [2]. En France, les documents écrits fournissent d'innombrables traces, encore mal inventoriées, d'une pratique fort commune des longues jachères. A la fin du XIIIe siècle, dans la montagne beaujolaise, tels champs seigneuriaux demeuraient vides pendant une année, après avoir donné de l'avoine ; on les ensemençait ensuite en seigle, pour les laisser encore reposer toute l'année suivante [3]. A la même époque, on connaît dans le Forez des terres qui n'avaient porté moisson que trois fois en trente ans. L'usage des cultures tem-

1. *Cartulaire de l'abbaye cistercienne de Val Dieu*, n° 101.
2. STENTON, 260, p. 123 ; STENTON, *Documents of the Danelaw*, p. XXX-XXXI.
3. PERROY, 255, p. 143.

poraires, dérobées de loin en loin sur la friche et la pâture, se maintenait très vigoureux, et notamment sur les franges qu'entamaient les défrichements par colonisation dispersée, et dont l'aridité avait jusqu'alors rebuté des pionniers. Ainsi, la garrigue provençale et languedocienne était-elle mise en valeur par écobuages sporadiques [1]. La nécessité des jachères prolongées accusa sans doute la vocation herbagère et pastorale des exploitations périphériques, fondées après 1250 dans les nouveaux bocages.

En fin de compte, la plupart des textes actuellement connus, qui attestent expressément pour la France de la seconde moitié du XIIIe siècle une stricte limitation de l'année de jachère au tiers de l'espace arable, proviennent des pays limoneux du Bassin Parisien, c'est-à-dire des régions mêmes où, dès l'époque carolingienne, la terre des grandes abbayes était soumise à une exploitation intensive. Que se passait-il ailleurs ? Tout laisse croire que, sur des sols moins homogènes, le rythme des emblavures demeurait un peu partout beaucoup moins régulier, et qu'une vaste portion de la surface cultivée restait chaque année sans semaille. Certains indices autorisent bien à parler d'un progrès du triennal depuis le IXe siècle. Mais à condition de ne point évoquer une victoire décisive. La pénétration de la rotation en trois temps fut certainement plus profonde qu'on ne le pense d'ordinaire dans les régions méridionales. Sans doute fut-elle, en revanche, contenue au Nord dans des limites plus étroites. Il est sage de conclure que, pendant cette période de croissance agricole, l'extension de l'espace ensemencé résulta beaucoup moins d'une réduction des temps de jachère que du défrichement.

***

Toutefois, tout à la fin du XIIIe siècle, dans des régions qui se trouvaient alors à la pointe de l'expansion économique, certains changements fort remarquables se décelèrent à travers des documents qui deviennent un peu moins laconiques. Ceux-ci manifestent bien la volonté d'aménager la surface cultivée de manière plus rationnelle, et pour de plus grands profits. Remarquons

1. SCLAFERT, 76, p. 25 et suiv.

d'ailleurs que ce souci détermina en quelques points comme un retrait de la rotation triennale. Ainsi dans les campagnes alsaciennes, qui adoptèrent un cycle biennal, fondé sur une seule récolte de froment tous les deux ans, mais beaucoup plus abondante [1]. Cet effort d'adaptation répondait à l'accroissement des besoins alimentaires dans les villes rhénanes alors en rapide développement, et à la hausse consécutive du prix du froment. Ici donc, il parut d'un meilleur rapport de renoncer au blé de printemps, et par conséquent d'étendre la jachère. Des rendements plus élevés, une production concentrée désormais sur les grains de plus forte valeur marchande compensaient, dans l'économie paysanne, la restriction des emblavures.

Ailleurs, en Angleterre, dans la France du Nord-Ouest, en Westphalie, les semailles de printemps furent conservées, mais différemment ordonnées. Souvent, l'orge remplaça l'avoine. Cette substitution fut dictée parfois, et notamment dans les grosses exploitations anglaises, par le souci de maintenir les rendements, car ceux de l'avoine devenaient dérisoires ; ailleurs, des modifications encore mal observées du régime alimentaire la provoquèrent ; dans certains cas enfin, l'appât des profits commerciaux fut vraisemblablement déterminant : l'essor de la fabrication de la bière élevait fortement les prix de l'orge dans les pays riverains de la mer du Nord [2].

On observe aussi que, fréquemment, les légumineuses prirent la place de l'avoine. En 1314, dans le domaine qu'exploitait Thierry d'Hireçon à Roquetoire en Artois, le « trémois » était composé de 25 à 30 % d'avoine, de 50 à 60 % de vesces, de 15 % de pois, de 5 % de fèves [3]. Ce changement affecta beaucoup plus profondément la structure économique de l'exploitation. Non seulement parce que ces « blés » rendent beaucoup, non seulement parce qu'ils possèdent une plus haute valeur nutritive [4], mais parce que, loin

1. JUILLARD, 61, p. 35.
2. RAFTIS, 190, p. 161 ; VERHULST, 128 ; SCHRÖDER-LEMBKE, 121.
3. RICHARD, 437. A l'extrême fin du XIVᵉ siècle, les semailles se répartissaient de la façon suivante sur les champs de l'un des domaines de la seigneurie du Neufbourg en Normandie : blés d'hiver, 20 setiers de froment ; trémois, 2 setiers d'orge, un peu d'avoine, 12 setiers de légumineuses, PLAISSE, 631 a.
4. Au début du XIIᵉ siècle, pour remédier à la pénurie de subsistances, le comte de Flandre « ordonna que quiconque ensemencerait

d'épuiser les sols, leur culture les reconstitue : laissées sur place, les fanes apportent un engrais naturel. Si bien que l'extension des légumineuses put s'effectuer parfois aux dépens de la jachère. Elle aboutit à l'application d'une rotation qui mettait la terre en état de produire des denrées nourricières trois ans sur quatre. Progrès décisif. Voici, par exemple, le système qui fut appliqué pendant tout le XIVe siècle dans le manoir anglais de Crawley : un an de froment ou de seigle, un an d'orge de printemps, une troisième année de vesces et d'avoine, et un an seulement de jachère. Nombre d'exploitants adoptèrent des cycles comparables. L'usage en est attesté, dès la fin du XIIIe siècle, en d'autres villages d'Angleterre et en Normandie [1].

***

Dès qu'elles deviennent suffisamment explicites, les sources révèlent donc d'abord la multiplicité des formules de rotation. C'est le premier point à mettre en évidence. Il détourne des généralisations hâtives ; il manifeste l'infinie diversité des méthodes de production dans les campagnes d'Occident, où les qualités du sol, les composantes du climat, la distribution de la terre ne sont nulle part identiques. Des systèmes fort souples répondaient à l'inégale pénétration de l'économie d'échanges ; ils reflétaient parfois peut-être une évolution divergente des régimes alimentaires. Par eux, l'on sent combien les usages locaux se montraient flexibles. Ils révèlent enfin, chez quelques gros exploitants au moins, la volonté d'améliorer les méthodes, de les adapter aux conditions du marché, autrement dit, un véritable esprit d'entreprise.

Les indications demeurent cependant bien trop rares et trop inégalement réparties pour laisser discerner nettement un progrès général. À plus forte raison, ne peut-on dire avec certitude si ce progrès était au

deux mesures de terre dans le temps des semailles, ensemencerait une autre mesure de terre en fèves et en pois, parce que ces espèces de légumes poussant plus promptement, et dans une saison plus favorable, nourriraient plus vite les pauvres si la famine et la disette ne cessaient pas cette année-là ». GALBERT DE BRUGES, *Vie de Charles le Bon*, éd. GUIZOT, p. 245.

1. N. S. et E. C. GRAS, *The economic and social history of an English village, Crawley, Hampshire*, Cambridge (Mass.), 1930 ; DELISLE, *Normandie*, p. 297.

XIIIe siècle un mouvement nouveau, ou s'il s'agit d'une ample impulsion dont le départ doit être situé aux temps carolingiens. Risquons pourtant l'hypothèse prudente que voici.

Pendant les deux premières périodes du mouvement de défrichement, celle où les clairières s'élargirent, celle où se fondèrent les « villeneuves », c'est-à-dire jusqu'au second tiers du XIIIe siècle, la création continue de champs nouveaux aux dépens d'un espace vierge qui paraissait offrir d'inépuisables ressources dispensa sans doute d'appliquer des cycles de culture plus intensifs sur les vieux terroirs. S'il y eut un perfectionnement des procédés en usage à l'époque carolingienne, on peut penser que celui-ci se propagea selon des cadences fort lentes.

Au contraire, passé le milieu du XIIIe siècle, l'extension de l'espace cultivé ne s'opérait plus guère que par exploitations dispersées et de vocation à demi pastorale. En certains endroits même, des champs étaient abandonnés, tandis que, sur bien des labours récemment aménagés aux dépens des friches, les rendements s'abaissaient lentement. Tout se passe alors comme si, sous la pression d'un besoin soutenu de subsistance, la phase de progrès externe par conquête sur les landes et les bois eût été relayée par une phase de conquête interne, par un effort pour tirer davantage de nourriture d'une même surface, en réduisant autant que possible la jachère. C'est à ce moment en effet, et dans les régions même où le défrichement s'était arrêté plus vite, où la demande d'approvisionnement se montrait plus pressante, que l'on peut déceler les premières applications d'une rotation quadriennale, c'est-à-dire le seul important changement dans le sens d'une intensification qui soit attesté par les sources écrites.

2. Le rendement des semences

Lorsque l'on considère les efforts déployés par les agriculteurs médiévaux pour aménager le cycle des cultures, il apparaît très clairement que leur souci premier était d'élever le rendement de la semence, d'éviter en tout cas qu'il ne fléchît. Cette préoccupation vitale mit partout obstacle à la réduction des jachères ; elle poussa parfois à les étendre. Qui veut se faire une idée juste du perfectionnement des techniques, qui veut suivre l'allure de l'expansion doit donc observer l'évolution des rendements agricoles, établir leur situation progressive par rapport aux taux du IXᵉ siècle, que les estimations les moins hasardeuses font apparaître si dérisoires. Il convient par conséquent de relever tous les indices. Patiemment et sans trop d'espoir, car ce n'est pas avant les dernières années du XIIIᵉ siècle qu'un peu de lumière commence à éclairer ces phénomènes.

A ce moment, l'adoption de procédés de gestion seigneuriale moins primitifs, l'attitude même de certains maîtres, qui se montraient plus attentifs aux oscillations de la production et qui cherchaient à mieux apprécier ce que rapportaient leurs terres, firent se multiplier les données numériques dans les documents de la seigneurie. Les archives des manoirs anglais, en particulier, fournissent des indications fort abondantes, et dont certaines peuvent être ordonnées en séries continues pendant des décennies. Encore ne faut-il pas croire que ce matériel documentaire soit d'un maniement aisé, ni qu'il procure des renseignements tout à fait sûrs. Les mesures de capacité variaient d'un lieu à l'autre, ce qui gêne les comparaisons. En outre, on ne peut jamais savoir avec certitude ce que représentent les chiffres livrés par ces textes sur le montant des récoltes. Celles-ci furent-elles évaluées au moment même de la moisson ? Ou bien plus tard, dans la grange, après qu'elles eurent subi le prélèvement du salaire des moissonneurs et des batteurs, de la dîme, de la nourriture des domestiques [1] ? Mais malgré leur imprécision, ces données paraissent des plus précieuses, au sein de l'obscurité obsédante qui recouvre alors l'histoire de la production agricole. L'impression la plus nette qui s'en dégage est celle d'une extrême diversité, ce qui n'est pas pour surprendre :

1º Sur les mêmes champs, le rendement des divers blés pouvait être fort différent. J'ai parlé tout à l'heure du comportement très dissemblable de l'orge et de l'avoine, qui conduisit certains cultivateurs à modifier la répartition des semailles. Dans tel manoir de l'abbaye de Ramsey, le rendement de l'orge oscillait entre six et

---

1. FARMER, 320.

onze pour un ; de rapport presque nul, la récolte d'avoine excédait à peine la semence [1].

2º De vifs contrastes régionaux marquaient aussi les taux moyens. Dans certaines plaines limoneuses, ceux-ci se tenaient à un niveau élevé et s'approchaient des rendements actuels en terre médiocre. En Artois, par exemple, sur des terres d'Église pourtant en exploitation indirecte, et qui ne semblent pas avoir joui d'une fertilité exceptionnelle, le rapport du froment, au début du XIVᵉ siècle, dépassait parfois quinze pour un ; en moyenne, il se situait autour de huit, celui de l'avoine autour de six. Dans cette même province, les domaines de Thierry d'Hireçon livraient des moissons aussi généreuses : à Roquetoire, le froment rapporta 7,5 grains pour un en 1319, 11,6 pour un en 1321 ; à Gosnay, 11 pour un en 1333, 15 pour un en 1335. Le rendement du froment était également très haut (huit pour un en moyenne) sur les terres qu'exploitait l'abbaye de Saint-Denis à Merville, en Ile-de-France [2]. En revanche, à la même époque, on peut le situer entre trois et quatre pour un sur des domaines seigneuriaux répartis dans l'ensemble des Alpes provençales ; parfois même, il s'abaissait à un niveau carolingien, deux pour un, en certains terroirs de montagne ; c'était seulement dans quelques petits « ferrages » voisins des villes, sur des sols exceptionnellement alimentés d'engrais, qu'il atteignait six ou sept pour un, ainsi que, çà et là, en certaines campagnes de grande fertilité, aux environs d'Arles et de Fréjus [3].

3º Le rendement apparaît enfin fort inégal d'un an à l'autre. Pour une même semaille de 216 mesures de froment, les administrateurs de Merton College en récoltèrent 869 en 1334, 1 040 en 1335, et, dans le domaine bourguignon d'Ouges, le rendement en froment, qui s'élevait à 10 pour un en 1380, tomba l'année suivante à 3,3. Remarquons d'ailleurs que les variations annuelles des différents grains n'étaient pas concomitantes. Sur les terres de Gosnay en Artois, le taux de rendement du froment se situa deux fois plus haut que celui de l'avoine en 1333, trois fois plus haut l'année sui-

1. Faftis, 190, p. 176-178.
2. Fossier, 562 ; Richard, 437 ; Fourquin, 510 a.
3. Duby, 96.

vante [1]. Cette diversité dans l'espace, cette instabilité dans le temps, nettement plus marquées que de nos jours, tenaient à l'efficacité plus restreinte des pratiques agricoles, à l'impuissance à dompter les conditions naturelles. Elles conféraient à l'économie rurale un premier trait, qu'il importait d'abord de mettre en évidence : l'extrême irrégularité de la production céréalière.

Mais, par-delà ces variations, est-il possible de saisir ce qu'était la productivité moyenne ? Les agronomes anglais du XIIIᵉ siècle ont établi, dans leurs traités, les taux qui leur paraissaient normaux. Les voici : huit pour l'orge, sept pour le seigle, six pour les légumineuses, cinq pour le froment, quatre pour l'avoine. En réalité, des études menées sur les très longues séries de comptes de certains manoirs d'Angleterre donnent à penser que ces chiffres étaient, dans les meilleures conditions, fort optimistes. Entre 1200 et 1450, sur les terres bien travaillées de l'évêché de Winchester, le froment rendit en moyenne 3,8 pour un, l'orge autant, et l'avoine, 2,4 [2]. Ces taux sont modestes. Ils apparaissent nettement inférieurs à ceux que révèlent les documents de l'Artois ou de la région parisienne. En revanche, ils se situent au voisinage des taux de rendement que les enquêteurs enregistrèrent en 1338, sur le rapport des régisseurs, dans les domaines provençaux des Hospitaliers. Ils ne diffèrent guère de ceux qui servaient alors de base à l'établissement des baux de métayage dans la région toulousaine [3]. Le rendement moyen du froment, qui atteint aujourd'hui vingt pour un dans la campagne du Neufbourg en Normandie, n'y excédait pas 3,2 sur les champs seigneuriaux, à l'orée du XVᵉ siècle [4]. Toutes ces indications convergentes incitent donc à tenir les champs limoneux du nord-ouest de la France pour exceptionnellement fertiles, à penser que la plupart des cultivateurs d'Occident autour de 1300 s'attendaient à moissonner trois ou quatre fois ce qu'ils avaient semé, et qu'ils n'espéraient guère davantage.

1. J. Saltmarsh, « A college homefarm in the XVth century », dans *Economic history review*, 1937 ; Martin-Lorber, 497 ; Richard, 437.

2. Beveridge, « The yield and price of corn in the middle ages », *E.H.R.*, 1927.

3. Sicard, 572.

4. Plaisse, 631 a, p. 165 et suiv.

_{*}

Les comptes des archives de Winchester ne révèlent pas de changements très notables sur leur longue durée. Dans la première moitié du XIIIe siècle, les rendements moyens du froment, de l'orge et de l'avoine se situaient respectivement autour de 4,3-4,4 et 2,7 ; on peut les établir à 3,6-3,5 et 2,2 dans la deuxième moitié du siècle, et, dans les cinquante années suivantes, à 3,9-3,7 et 2,6. On remarque donc un fléchissement de la productivité après 1250 ; il fut suivi d'un redressement cinquante ans plus tard. Ces deux oscillations, à vrai dire, sont faibles. Mais les rendements eux-mêmes étaient si bas, et la portion utile de la récolte si réduite, qu'une variation apparemment dérisoire se répercutait en fait de manière très sensible sur le volume des subsistances. Ajoutons enfin que ces chiffres concernent des terres seigneuriales exceptionnellement bien soignées, et surtout que la période de fléchissement des taux coïncide ici avec l'abandon des champs marginaux et la concentration du domaine sur les sols de meilleure qualité, où tous les moyens de production dont disposait le seigneur vinrent s'accumuler. Selon toute apparence, la baisse de productivité fut alors plus accusée dans les exploitations modestes. L'affaissement des rendements après 1250 engagea sans doute, en certaines régions au moins, les paysans à ne pas trop réduire l'étendue des jachères, et aiguisa leurs réticences à l'égard du cycle triennal. Il les amena à abandonner les essarts dès que la fertilité de ceux-ci commença de s'épuiser. On est tenté de placer ce phénomène à l'origine du premier repli des cultures les plus aventurées, que l'on voit s'amorcer dans la seconde moitié du XIIIe siècle [1]. Il est probable aussi que ce fléchissement, pourtant fort limité, stimula l'effort d'amélioration des cycles de culture aux approches du XIVe siècle, et déclencha des perfectionnements qui, l'allure de cette courbe

---

1. Mais aussi, selon l'opinion de M. Postan, à l'origine inversement de certains défrichements, qui transférèrent la culture sur des terres moins épuisées.

le montre, suffirent presque à ramener les taux à leur niveau antérieur [1].

Cependant, le redressement fut lui aussi très faible. Au seuil du XIVe siècle, le rapport de la semence demeurait très inférieur à celui que l'on obtient normalement dans les campagnes européennes depuis la révolution agricole des temps modernes. On a calculé pour l'Angleterre qu'il était cinq fois moindre [2]. La sélection des semences restait imparfaite, la moisson incomplète, la préparation des sols insuffisante, et pour cela, les champs médiévaux rendaient fort peu. Notons bien toutefois qu'ils n'étaient guère plus ingrats que ceux du XVIe siècle, ni même, en certaines contrées, que ceux du début du XIXe siècle. Dans son *Théâtre d'Agriculture*, Olivier de Serre remarque que les semences, « même dans les bonnes terres, ne font que quintupler ou sextupler [3] », et, en 1812, le sous-préfet de Marseille répondait à une enquête que « la récolte moyenne sur un terme de dix années est de quatre et demi à cinq [4] ». Ici, la coïncidence est frappante : le rendement considéré comme normal n'était pas sensiblement meilleur que celui des terres exploitées par les Hospitaliers dans cette région même un demi-millénaire plus tôt. Comparaison fort éclairante. Elle prouve que l'agriculture médiévale avait atteint, à la fin du XIIIe siècle, un niveau technique équivalent à celui des époques qui précédèrent immédiatement la révolution agricole.

En revanche, lorsque l'on compare ces rendements moyens à ceux que l'on devine pour les temps carolingiens, la supériorité du XIIIe siècle est manifeste, sauf peut-être pour certains terroirs très disgraciés. Le rapport des semailles, en effet, ne paraît pas avoir beaucoup

1. Remarquons bien que, dans les comptes de l'évêché de Winchester, si les taux du rendement de la semence s'élèvent après 1300, ceux du rendement par acre continuent de fléchir. L'amélioration résulta donc d'un éclaircissement des semailles et de l'adoption de pratiques de culture plus extensives. On sollicita moins vivement cette terre que l'on sentait s'épuiser. Il convient de préciser que les semis avaient toujours été très clairs. Dans toutes les seigneuries françaises et anglaises, des équipes de femmes venaient chaque printemps « sarcler » les blés, et arracher les mauvaises herbes entre les tiges, DUBY, 409 *a*.

2. La différence est pour le froment du simple au sextuple entre 1400 et les temps actuels dans la campagne normande du Neufbourg, PLAISSE, 631 *a*, p. 170.

3. II, 4, § 8.

4. Archives des Bouches-du-Rhône, M. 13.

dépassé deux pour un à l'époque franque [1]. Or, Walter
de Henley estime dans son traité qu'une terre qui ne
rapporte pas plus de trois fois la semence ne rapporte
rien. « A moins, ajoute-t-il, que le prix du blé ne soit
très élevé [2]. » Cette restriction, cette allusion aux prix
sont significatives. Elles incitent à penser que, dans
l'esprit de l'agronome, un rendement inférieur à trois
pouvait permettre tout de même à la famille de l'exploitant de subsister (ne l'oublions pas, les paysans vivaient alors aux limites de la famine). En revanche, les
années où le rapport s'élevait au-dessus de trois pour
un, la récolte laissait un excédent que l'on pouvait
vendre aux marchands. Le jugement de Walter atteste
enfin que, de son temps et dans les campagnes dont il
avait l'expérience, de telles conditions se trouvaient généralement remplies. Cette notation d'un spécialiste,
ainsi que toutes les indications chiffrées que livrent les
archives des manoirs anglais, donnent donc à supposer
qu'une grande mutation de productivité, la seule de
l'histoire avant les bouleversements des XVIIIe et
XIXe siècles, s'est produite dans les campagnes d'Europe
occidentale entre l'époque carolingienne et l'orée du
XIIIe siècle.

La chronologie de ce mouvement demeurera toujours
incertaine, car il s'est développé dans le temps même
où les sources écrites sont les plus pauvres. L'une
d'elles, l'inventaire clunisien dont j'ai déjà utilisé les
données à propos de l'évolution des cycles de culture,
fournit quelques indications pour le milieu du
XIIe siècle. Leur isolement même au sein d'un absolu
désert documentaire leur ôte la plus grande part de
leur valeur. Plaçons quand même ces quelques chiffres
en regard de ceux, tout aussi clairsemés, qui concernent
le IXe siècle. L'année où les enquêteurs visitèrent les
domaines de l'abbaye de Cluny, les moissons n'avaient
pas été bonnes ; ils tinrent compte de cette pénurie
accidentelle dans leur état des revenus, et notèrent que
les régisseurs estimaient le déficit sur la récolte de froment au cinquième d'une moisson normale. Si l'on
compare les quantités de grain engrangées à celles que
l'on consacra aux nouvelles semailles, le rendement
s'avère médiocre et très inégal d'une exploitation à

1. Voir p. 85.
2. Ch. XIX ; BENNETT, 139, p. 86.

l'autre. Dans l'un des domaines — le plus soigné et le mieux équipé —, la récolte avait valu six fois la semence ; le seigle, sur les terres d'une autre « cour », avait rendu cinq grains pour un, le froment quatre. De tels rapports approchent de ceux du XIIIᵉ siècle. En revanche, dans les quatre dernières exploitations dont l'inventaire évalue les récoltes et les semailles, le rendement demeurait, cette année-là, entre deux et deux et demi pour un. Ce niveau-ci correspond à peu près à celui que révèlent les documents carolingiens [1]. De cette source unique, il serait fort téméraire de tirer des conclusions générales. Ne fournit-elle point cependant un argument à ceux qui considèrent la hausse des rendements agricoles comme en pleine marche dans le milieu du XIIᵉ siècle, mais encore imparfaite, et limitée aux domaines les plus attentivement gérés ?

3. La préparation de la terre

On ne peut contester, du moins, que le rapport de la semaille se soit élevé entre le IXᵉ et le XIIIᵉ siècle. Si l'on me pressait à toute force d'estimer cette croissance, je risquerais l'hypothèse suivante : des rendements moyens qu'il est permis de situer aux environs de 2,5 pour un passèrent, dans les cas les moins favorables, aux environs de 4. Autrement dit, la portion de la récolte dont pouvait disposer le producteur doubla.

Il n'apparaît pas cependant que la pratique des fumures se soit entre-temps notablement améliorée. On trouve bien dans les traités d'agronomie de longs passages consacrés aux engrais ; ils montrent que les gros exploitants en reconnaissaient l'avantage. Les seigneurs d'Angleterre exigeaient de leurs tenanciers qu'ils rassemblassent la nuit leurs moutons sur la terre du domaine pour l'engraisser ; ils revendiquaient aussi parfois le privilège d'accueillir sur leurs champs les foires à bestiaux. Ajoutons que les blés étaient moissonnés haut à la faucille ; on enfouissait par le labour, pour nourrir le sol, la paille que les troupeaux n'avaient pas dévorée pendant la vaine pâture ; à en croire Walter de Henley, elle valait pour cela fort cher. Cependant, les techniques d'élevage restaient les mêmes. Dans beaucoup de ré-

1. Duby, 407.

gions, les animaux demeuraient peu nombreux. Le
bétail vivait en plein air, séjournait rarement à l'étable.
Le peu de fumier recueilli était très parcimonieusement
distribué sur les terres arables. Aux environs de Paris,
dans l'une des régions situées à l'avant-garde du progrès économique, tel contrat de bail du XIIIe siècle imposait au fermier de fumer la terre « une seule fois en
neuf ans, la cinquième année [1] ». D'ordinaire, on réservait l'engrais pour quelques champs enclos de petite
taille et constamment cultivés, comme les « ferrages »
de Provence, c'est-à-dire pour des sortes de jardins. Il
se peut que le progrès des clôtures, qui se manifeste
au cours du XIIIe siècle, ait répondu au désir des plus
gros exploitants, riches en bêtes, d'utiliser sur leurs
seules terres, bien à l'écart des autres, le fumier de leurs
vacheries et de leurs bergeries. En tout cas, les cultures
délicates, et, dans les pays vignerons comme l'Ile-de-
France, les clos de vigne, absorbaient presque entièrement les déchets des étables. L'agriculture céréalière
ne paraît pas avoir profité de l'essor de l'élevage [2],
puisque le surplus d'engrais fut détourné vers des productions spéculatives de jardinage, qui se développèrent au même moment. Seule peut-être, la culture
plus large des légumineuses vint, à la fin du XIIIe siècle,
fournir au sol des champs des éléments reconstituants
en plus grande abondance. Il se peut que cette modification des cycles de culture fût en partie responsable du
léger relèvement qu'accuse, après 1300, la courbe des
rendements anglais. Cependant, à la lumière d'une information très indigente, on a le droit de penser que la
hausse de productivité postérieure à l'époque carolingienne fut provoquée principalement par plus d'as-
siduité dans le travail de la terre, que le perfectionnement des instruments aratoires rendait en même
temps plus efficace.

En premier lieu se répandit la pratique du hersage,
dont les effets sont fort bénéfiques. La « tapisserie » de
Bayeux, qui date des environs de 1100, représente déjà
une herse en action ; un siècle et demi plus tard, tous
les documents attestent la généralisation des corvées
« pour la couverture des semences d'hiver ». Les labours
surtout se multiplièrent. Les maîtres des grands do-

---

1. Fontette, 322 ; Bennett, 139, p. 77 et suiv.
2. Voir p. 247 et suiv.

maines carolingiens en exigeaient trois par an de leurs corvéables, deux sur la jachère avant les semailles de froment et de seigle, un autre sur les chaumes des blés d'hiver pour préparer les semailles de mars. Ce rythme ancien se modifia, mais lentement, semble-t-il. Sur les dix domaines de l'abbaye de Cluny, dont on possède au milieu du XIIe siècle la description, les corvées de labour s'organisaient encore comme au IXe siècle ; dans une seule seigneurie, on exigeait un troisième labour de la jachère. Le progrès demeurait par conséquent fort circonscrit. Mais il se révélait aussi très directement profitable : sur le domaine où la semaille d'hiver était préparée par un triple labour, elle rapportait six grains pour un, c'est-à-dire deux ou trois fois plus que dans les autres exploitations [1].

Cent ans plus tard, à Villeneuve-Saint-Georges et à Thiais, c'est-à-dire sur les terres mêmes qu'avait décrites le polyptyque d'Irminon, les paysans étaient requis sur la terre du seigneur, tout comme leurs lointains ancêtres, pour le « premier et le deuxième labour » et pour le « labour de mars ». Toutefois, à Villeneuve, on attendait d'eux double travail pour le second labour de jachère [2]. Amélioration légère encore. Selon toute apparence, ce fut seulement dans la seconde moitié du XIIIe siècle que la pratique du quatrième labour se généralisa dans les campagnes françaises [3].

Le progrès se poursuivit ensuite et plus rapidement peut-être. Sur les exploitations modèles que dirigeait Thierry d'Hireçon, la semaille d'hiver était préparée, dans les premières décennies du XIVe siècle, par quatre labours successifs de la jachère. Il faut remarquer que les indices de tels perfectionnements apparaissent à l'époque même, et peut-être dans les mêmes régions, où l'on cherchait à aménager les cycles de culture pour tirer du sol plus de provende. La multiplication des labours accélère en effet la reconstitution du sol et contribue très vivement à renouveler sa fertilité. Il

1. DUBY, 407.
2. Mêmes constatations pour l'Allemagne, G. VON BELOW, *Die Hauptsache der älteren deutschen Agrargeschichte*, p. 71.
3. RICHARD, 437. Dans les campagnes toulousaines, les baux de métayage des XIVe et XVe siècles imposent à l'exploitant six et sept labours préparatoires à la semaille, SICARD, 572 ; mais il s'agit ici de labours à l'araire, fort peu profonds, et qui, pour être efficaces, réclament d'être croisés et répétés.

n'est donc pas interdit de penser que l'amélioration des pratiques agraires qu'elle constitue put à elle seule élever sensiblement le rendement des semailles [1]. C'est pourquoi toutes les indications qui, dans les documents écrits, permettent de la saisir, de la dater, de la suivre, devraient faire l'objet d'une recension systématique. Or, il se trouve que le rythme des travaux de la terre se répercute directement sur l'aménagement des corvées. On peut espérer pour cela que les documents seigneuriaux, les inventaires, les censiers, les coutumiers, livreront beaucoup sur ce point, même pour les époques de grande pénurie documentaire.

* *
*

Ce fut donc avant tout le labeur des hommes qui parvint à tirer de la terre un surcroît de production et, dans l'état très défectueux de nos connaissances, le renforcement de l'effort humain apparaît bien comme le principal moteur de l'essor agricole. Encore doit-on se demander s'il résulta d'une simple prolifération des ouvriers, ou si ceux-ci purent aussi disposer de moyens plus efficaces. Du nombre des travailleurs, on ne sait à peu près rien ; mais les textes carolingiens font supposer que dès le IXe siècle la main-d'œuvre était surabondante. En revanche, on la sent alors très mal outillée. Ceci conduit à supposer que le grand progrès provint d'abord d'un perfectionnement des instruments agricoles. C'est l'hypothèse la plus séduisante. L'étude de la multiplication des labours doit rejoindre en tout cas celle de l'outillage.

Étude en vérité fort décevante : encore très peu poussée, l'observation se révèle d'une extrême difficulté. Le XIIIe siècle a laissé des images assez nombreuses d'instruments paysans. Par tradition, elles servaient aux artistes à représenter symboliquement les mois dans les calendriers sculptés au portail des églises, ou peints sur les livres pieux [2]. Mais on ne peut être sûr que ces repré-

---

1. On notera que sur les exploitations seigneuriales du Neufbourg en Normandie, où les rendements se tenaient fort bas au début du XVe siècle (3,2 pour le froment, 3,4 pour l'orge, 3,1 pour l'avoine, 2,9 pour le seigle), on ne pratiquait alors que trois « saisons » de labour, PLAISSE, 631 a, p. 147.

2. J. LE SÉNÉCAL, « Les occupations de mois dans l'iconographie du Moyen Age », dans Bulletin de la Société des Antiquaires de Normandie, 1924.

sentations aient copié exactement la réalité, et ne pro-
cèdent pas de types iconographiques figés par les rou-
tines d'ateliers. Quant aux descriptions d'outillage que
l'on trouve dans les œuvres des universitaires philo-
logues comme Jean de Garlande ou Alexandre
Neckham, ou dans des fantaisies littéraires comme le
Dit de l'outillement du vilain, elles ne livrent à peu près
rien. Reste, source majeure, très abondante et très
riche pour le XIIIe siècle, la masse des inventaires, des
comptes, des règlements de fermage. Elle demeure encore à peu près inexplorée.

Seuls, ou presque, la diffusion et le progrès des instruments hydrauliques ont fait l'objet d'études attentives.
Celles-ci établissent que les moulins à grain actionnés
par le cours des eaux n'ont cessé de se répandre pendant toute cette période. On les voit pénétrer dans les
campagnes qui jusqu'ici en étaient mal pourvues,
comme le Devon, où les abbés de Tavistock firent beaucoup d'efforts au XIIe siècle pour en équiper leurs domaines [1]. On les voit surtout se multiplier dans les villes,
où de vastes entreprises de meunerie se concentrent sur
les fleuves, souvent autour des ponts. Il existait deux
moulins sur un ruisseau dans un quartier de Rouen au
Xe siècle ; au même endroit, on en construisit cinq nouveaux au XIIe siècle, dix autres au XIIIe, quatorze au
XIVe siècle. Onze moulins furent établis à Troyes entre
1157 et 1191. A Toulouse, les bourgeois soucieux d'un
bon placement achetaient alors des parts dans l'exploitation des grands moulins du Bazacle. N'oublions pas
les moulins à vent, signalés à Arles pour la première
fois en 1162-1180, et dont l'usage commençait à se
répandre aussi à la fin du XIIe siècle en Normandie, en
Angleterre, en Flandre [2]. Les vieux moulins à bras,
pourchassés et détruits par les sergents seigneuriaux
partout où régnait l'obligation de porter les grains
au moulin banal, devinrent des outils de pauvres, ou
des instruments de remplacement, comme les dix moulins à bras et le moulin à cheval qui travaillaient en
temps de siège à la fin du XIIIe siècle dans la cité de
Carcassonne [3]. Il faut ajouter enfin que le jeu des aubes

1. FINBERG, 176.
2. GILLE, 102 ; SICARD, 635.
3. G. J. MOT, « L'arsenal et le parc du matériel de la cité de Carcassonne », dans *Annales du Midi*, 1956.

et des pignons fut alors également utilisé pour actionner d'autres machines, pour brasser la bière ou presser l'huile dès le XIIe siècle, pour animer des marteaux et des battoirs. Ces derniers apparaissent pour la première fois, dans les textes aujourd'hui inventoriés, au milieu du XIe siècle, et en Dauphiné, où ils servaient à fouler les textiles. On les rencontre partout cent ans plus tard. Au même rythme se répandaient martinets et moulins à fer. Les premiers que l'on connaisse fonctionnaient à Issoudun en 1116, en Catalogne en 1138 [1]. Leur diffusion témoigne du progrès de la métallurgie.

Ce progrès-ci est certain ; il fut décisif pour l'économie rurale. A partir de la fin du XIe siècle, les textes livrent, en effet, un faisceau d'indices dont il serait passionnant d'entreprendre l'inventaire systématique. Ils attestent que le fer tenait alors dans les usages quotidiens des ruraux une place beaucoup plus importante qu'aux temps carolingiens, et que celle-ci s'étendit très vite. Dans les règlements de marchés, dans les tarifs de péages, par exemple, les mentions se multiplient de fer en barres ou en lingots, ou d'objets de métal façonné, en particulier d'instruments agricoles. La production du métal était très dispersée, car le minerai, alors utilisable dans l'état des techniques métallurgiques, se trouvait à peu près partout. Mais le bois de feu constituait la matière première la plus nécessaire, ce qui localisait les forges dans la forêt. Les fabricants de fer vivaient donc dans les espaces boisés, comme les ouvriers itinérants des forêts royales anglaises, ou ce « fèvre » que Louis VI possédait dans la forêt d'Othe, et dont il fit don en 1131 aux Hospitaliers [2]. Le comte de Champagne exploitait autour de Wassy de nombreuses « forges à faire le fer » ; il en offrit en aumône en 1156, à l'abbaye de la Crète ; en 1157, à celle de Clairvaux ; en 1158, à celle d'Igny ; en 1171, à celle de Trois-Fontaines [3]. Ces donations répétées prouvent peut-être que la production se développait alors ; elles montrent en tout cas que les monastères cisterciens, centres de grosses exploitations rurales, ressentaient à ce moment le besoin de mieux assurer le ravitaillement en fer de leur atelier d'outillage.

---

1. GILLE, 101 ; JORIS, 326 ; E. CARUS-WILSON, « An industrial revolution of the XIIIth century », dans *Economic history review*, XI, 1941.

2. LENNARD, 253, p. 13, 242 ; A. LUCHAIRE, *Études sur les actes de Louis VII*, nᵒ 479.

3. MAAS, 66.

La fabrication des outils, en effet, n'était pas, elle, installée en forêt. Il semble qu'elle se trouva un moment concentrée dans les villes. Le pauvre homme que le comte d'Anjou, Geoffroy Martel, rencontra un jour dans un bois, où il faisait du charbon pour les forgerons, allait le vendre à Loches, la bourgade la plus voisine [1]. Dans la ville de Metz, la « socherie » constituait le « métier » le plus important au XIIe siècle ; sept sochiers tenaient leur office de l'évêque contre une redevance annuelle de vingt-huit socs de charrue ; l'évêque retenait douze de ceux-ci, qu'il destinait à ses domaines hors de la ville et vendait les autres [2]. Mais les artisans du fer se trouvaient sans doute, dès cette époque, disséminés dans les villages. Au dire de Guibert de Nogent, un autre charbonnier — de marque, celui-ci, puisque c'était l'ancien sire de Puiset, retiré du monde par pénitence — vendait, vers 1100, le charbon de forge *per rura et oppida* [3]. Parmi ces forgerons ruraux, on rencontrait sans doute beaucoup d'anciens domestiques seigneuriaux. Chargés jadis de ferrer les chevaux du maître et de réparer ses harnais, ils avaient mis leur enclume au service des paysans ; continuant de payer redevances au châtelain, ils façonnaient, moyennant salaire, des outils champêtres pour une clientèle rurale. Contre ces ouvriers de villages, les sochiers de Metz ne pouvaient plus, au XIIIe siècle, défendre leur monopole. Au XIVe siècle, on les rencontre partout au travail ; ils recevaient alors souvent de leur client la matière première, et souvent aussi ils assuraient contre une pension annuelle en céréales [4] tout l'entretien du matériel des grosses exploitations agricoles. L'activité croissante des forges de campagne constitue l'indice le plus sûr du perfectionnement de l'outillage paysan. C'est dire l'intérêt d'une enquête approfondie qui, dans les comptes de manoirs, dans les tarifs de péage, les baux

---

1. *Historia Gaufredi Ducis* (éd. HALPHEN), p. 134.

2. SCHNEIDER, 333, p. 227.

3. Guibert DE NOGENT, *De vita Sua*, I, IX. Les articles de métal occupent une place considérable dans un tarif de péage rédigé à Poitiers dans la seconde moitié du XIIe siècle ; il fait état de vente de serpes, scies, couteaux, faucilles, clous, fers à cheval, mais aussi de lingots, de marteaux et d'enclumes, que les artisans des environs venaient peut-être acheter à la ville. D. CLAUDE, *Topographie und Verfassung der Städte Bourges und Poitiers bis in das 11. Jahrhundert*, Lubeck-Hambourg, 1960, p. 141.

4. DUBY, 409 *a* ; RICHARD, 437.

de fermage, les registres des notaires, dans l'onomas-
tique même (en repérant l'apparition et la diffusion des
patronymes significatifs, Schmidt, Smith ou Lefèvre),
chercherait à mieux établir l'histoire du forgeron
médiéval.

Les outils eux-mêmes, en effet, se laissent mal discerner. Les inventaires de seigneuries — qui sont le
plus souvent tardifs, et postérieurs à 1300 — enre-
gistrent bien des instruments de fer incomparablement
plus nombreux que sur les grands domaines royaux et
monastiques du IXᵉ siècle. La grange que Thierry
d'Hireçon possédait à Bonnières en Artois était équipée,
en 1315, de huit fourches longues et de huit courtes, de
cinq fourchets de fer, de cinq pelles ferrées, de quatre
bêches, un pic, une serpe, une cognée et deux herses [1].
Mais que valaient ces outils ? Peut-on les croire meilleurs
que ceux du paysan carolingien ? Que savons-nous en
particulier de l'arme principale du laboureur, la
charrue ?

Elle était encore construite presque tout entière en
bois : un prieuré de Marmoutier reçut, en 1180, le droit
d'usage dans un bois pour ses tenanciers, qui iraient y
prendre le matériau « de leurs charrues, de leurs mancherons et de leurs haies [2] ». Mais des indications fréquentes apprennent qu'au XIIᵉ siècle sa partie tran-
chante se trouvait toujours renforcée de fer, même
dans les pays arriérés comme la Balagne corse [3]. En
revanche, on ignore tout de la forme des socs, qu'il
s'agisse de ceux que l'on forgeait à Metz pour l'évêque,
ou des autres. Aucune information sur ce point essentiel : les paysans employaient-ils communément de
ces instruments qui, comme certains de ceux que les
illustrations représentent dans les manuscrits, possédaient un versoir [4] ? L'étonnement de Joinville, qui,

---

1. RICHARD, 437.
2. *Cartulaire des possessions de l'abbaye de Marmoutier dans le
Dunois*, CXC ; Archives des Bouches-du-Rhône, B. 161, fol. 53 2ᵘ
(1341) : des bourgeois de Digne reçoivent l'usage d'un bois « *causa
edificandi, aratoria et alia quacumque* ».
3. Archives de la Corse, H. 9 ; dans tels contrats de métayage établis
en Toulousain dans la seconde moitié du XIVᵉ siècle, il est enjoint à
l'exploitant de « tenir l'araire en bon état, suffisamment muni de fer et
de bois ». SICARD, 635 ; en 1338, les Hospitaliers de Provence fournissaient aux forgerons qu'ils employaient du fer et des « fustes »,
Arch. des Bouches-du-Rhône, H. (OM) 156.
4. Voir planche I, p. 312.

à la décrue du Nil, vit les paysans égyptiens « chacun
labourer en sa terre à une charrue sans rouelle », prouve
que l'outil de labour possédait normalement des roues
dans la Champagne du XIII⁽ siècle. Indication fugitive.
Suffirait-il de scruter de plus près les textes, et surtout
l'iconographie, pour en découvrir beaucoup d'autres,
pour dissiper un peu les ténèbres épaisses qui masquent
l'histoire de l'araire et de la charrue, pour assurer l'hypothèse d'une diffusion progressive de celle-ci dans les
pays du Nord ? Il est douteux que les sources puissent
sur ce point fournir jamais des lumières assez vives.

Un autre perfectionnement cependant se laisse mieux
suivre, et qui eut de grandes conséquences. Il permit
peut-être à lui seul de pousser les labours au-delà des
sols les plus faciles, où se limitait la culture aux temps
carolingiens. Ce progrès affecte non pas la forme de
l'instrument, mais sa puissance. Il consiste en une triple
amélioration de la traction. Il semble bien d'abord
que furent adoptés, au cours du XI⁽ siècle, de meilleurs
procédés d'attelage, le collier d'épaule pour les chevaux,
le joug frontal pour les bœufs, ainsi que, pour les uns
comme pour les autres, la ferrure. En second lieu, un
peu plus tard, on vit dans une partie de l'Europe occidentale (mais c'était celle-là même qui, depuis
l'époque carolingienne, tenait la tête du progrès agricole) le cheval se substituer au bœuf pour le labour.
Quand ? Non point sans doute avant le XII⁽ siècle. Les
chevaliers qui prêtèrent un serment de paix à Verdun-
sur-le-Doubs en 1016 promirent bien de ne pas com-
mettre d'agression contre le *caballarium ad carrucam*[1],
mais le mot *carruca* dans ce texte désignait sans doute
encore une voiture. En Ile-de-France, une donation
royale de la fin du XI⁽ siècle évoque une terre « que
peuvent labourer six bœufs ». Cent ans plus tard, on
devine la transformation en marche, mais encore incomplète. Un document orléanais parle d'animaux de
labour « soit bœuf, soit cheval, soit âne », et Jean de
Garlande, dans sa description de la charrue, la présente
munie soit d'un joug, soit d'un collier. En revanche, en
1218, les « coûtures » de Palaiseau, près de Paris, étaient
toutes labourées par des chevaux ; ces derniers paraissent seuls en 1277 dans une enquête menée tout près

1. Éd. Bonnaud-Delamare, dans *Bulletin philologique et historique*,
1955-1956, p. 151.

de là, à Gonesse, aussi bien que sur les dessins qui
vinrent décorer à la même époque le *Veil Rentier* des
seigneurs d'Audenarde [1]. Il n'est pas aventuré de penser
que la mutation s'est opérée dans les plaines de France,
de Picardie, de Flandre et de Lorraine, aux alentours
de 1200.

Elle se révélait avantageuse. Moins sans doute sur la
frange des essarts, où l'extirpation réclamait la force
des bêtes bovines, que sur les « campagnes » aménagées.
L'adoption du cheval de trait convenait moins à
l'extension de l'espace agraire qu'à l'intensification de
la culture. Ce changement apparaît ainsi, contemporain
du ralentissement des défrichements, comme un nouveau signe d'une conversion générale de l'économie
rurale au cours du xIIIᵉ siècle. Le cheval en effet est
rapide, beaucoup plus que le bœuf. L'employer, c'était
accélérer considérablement les façons de la terre, donc
se donner les moyens de multiplier les labours, et aussi
de passer la herse que, dès le xIᵉ siècle, la « tapisserie »
de Bayeux montre traînée par un cheval. L'abandon de
l'attelage bovin engageait aussi à étendre la culture de
l'avoine ; il semble ainsi lié à une pratique plus régulière de la rotation triennale. Dans les campagnes qui
s'y résolurent, il permit surtout d'améliorer notablement la préparation de la terre, donc sa fertilité, de
réduire les temps de jachère, de hausser le rapport des
semailles. Il marque l'avènement d'un système agraire
plus hautement productif [2].

Pourtant, dans beaucoup de régions, les paysans
continuèrent d'atteler des bœufs. Délimiter les contrées
où régna cette réticence apprendrait beaucoup. Cette
étude géographique n'est pas faite. On sait toutefois que
le cheval de labour ne pénétra pas dans les pays du
Midi, peut-être parce que l'avoine y venait trop mal.
Mais on pourrait discerner dans les contrées septentrionales de larges zones réfractaires. En Bourgogne, au
milieu du xIIIᵉ siècle, on voit encore travailler des charrues à huit bœufs. En 1274, des paysans briards astreints

1. *Recueil des actes de Philippe Iᵉʳ*, nᵒ 121 ; Archives Nationales,
48 J. fol. 80ʳᵒ ; Archives Nationales, L. 885, 114 et 115 ; S. 196 B ;
Veil Rentier, éd. VERRIEST.

2. « Le bœuf chaque fois disparaît parce que trop lent à répondre à
une culture conquérante du blé, exigée le plus souvent par une pro-
gression démographique », F. BRAUDEL, *La Méditerranée au temps de
Philippe* II, p. 298.

à la corvée étaient censés atteler des chevaux et des ânes, mais aussi des bœufs. Toutes les évaluations dans les enquêtes normandes furent faites à cette époque en fonction de « bêtes bovines ». Quant aux traités anglais d'agronomie, ils déconseillaient l'usage du cheval, qui coûtait trop cher, car il fallait beaucoup dépenser pour les fers et pour l'avoine [1]. La substitution du cheval au bœuf fut donc peut-être au XIIIe siècle, elle aussi, plus limitée qu'on l'a dit. D'où l'intérêt de mieux la circonscrire et de chercher à établir les rapports entre cette modification et les rares aspects de l'économie et de la technique qui se laissent entrevoir.

L'amélioration de l'attelage revêtit enfin un troisième aspect : qu'il fût composé de chevaux ou de bœufs, il se renforça. On ne peut rien savoir certes de la vigueur même des bêtes, qui sans doute s'accrut alors dans bien des campagnes par la sélection progressive des races et l'octroi d'une nourriture moins chiche. Du moins peut-on assez facilement dénombrer les animaux et mesurer, grâce à certains comptes et certains inventaires, le progrès de l'équipement en bétail de trait dans les plus grosses exploitations. Pendant les deux générations qui suivirent la rédaction du *Domesday Book*, le nombre des animaux de labour s'était accru de 20 à 30 % dans neuf des manoirs de l'abbaye de Ramsey [2]. L'attention que portaient les enquêteurs seigneuriaux au gros bétail est ici significative. Au milieu du XIIe siècle, lorsque l'abbé de Cluny fit dresser un inventaire des domaines afin d'accroître la production, ses envoyés prirent grand soin de noter le nombre de « charrues » supplémentaires dont il leur paraissait souhaitable de munir telle ou telle cour en acquérant des bœufs [3]. Pour ces administrateurs, de bons attelages en nombre suffisant constituaient la condition même du progrès économique. Pourquoi ne pas considérer comme eux que l'essor agricole du Moyen Age central résulta d'abord d'une plus grande efficacité de l'instrument de labour, due moins peut-être au perfectionnement de l'outil lui-même qu'à la puissance renforcée des animaux qui l'actionnaient ?

1. *Cartulaire de Saint-Étienne de Dijon*, 117 ; Archives Nationales, S. 11 583 ; DELISLE, *Normandie*, p. 302.
2. RAFTIS, 190, p. 66 ; DARBY, dans 33, p. 197.
3. DUBY, 407.

Toutefois, ces améliorations de l'équipement ne pénétrèrent pas dans toutes les exploitations agricoles. Il est probable que leur très inégale diffusion accusa les diversités économiques, et d'abord entre les régions. Des recherches précises feraient sans doute apparaître un contraste de plus en plus vif entre l'Ile-de-France, par exemple, et ces campagnes de la France du Midi, où des bœufs étiques traînaient comme autrefois des araires sans coutre, où le fer même restait rare. Dans les villages de haute Provence, une faux valait une fortune au XIVe siècle, et l'équipement en outils métalliques de la commanderie des Templiers de Sainte-Eulalie-du-Larzac demeurait d'allure carolingienne : on y trouvait seulement, comme au IXe siècle dans l'atelier d'Annapes, des chaudrons, des crémaillères, des doloires, des tarières, des limes [1]. Il est probable aussi que le progrès technique ne put pas s'introduire dans la masse des ménages paysans, trop dénués de ressources pour améliorer leur « outillement ». Il ne suffisait pas en effet de reconnaître les avantages de la charrue à versoir pour abandonner l'araire. Encore fallait-il pouvoir acquérir le soc, et surtout des bêtes capables de le tirer. L'infiltration des perfectionnements techniques dans les maisons des humbles demeura certainement très lente, et pour cette raison des différences plus profondes que jadis se marquèrent pendant longtemps entre les exploitations des riches et celles des pauvres [2].

1. Archives des Bouches-du-Rhône, 396 E 18, f° 109 ; HIGOUNET-NADAL, 421.
2. Le médiéviste ne considérera pas sans intérêt combien fut lente l'adoption générale de la charrue dans le cours du XVIIe siècle au Canada. Ici, des sources précises nous renseignent. Les premiers pionniers travaillèrent pendant plus de vingt ans à la bêche. « Jusqu'à ce qu'un habitant du pais recherchât les moyens de relever de peine les hommes qui travailloient ordinairement à bras, pour labourer la terre, laquelle fut entamée par le soc et les bœufs le 27 avril 1628 » (Œuvres de Champlain, 6 vol., Québec, 1870, I, ch. v). L'emploi de la charrue ne se généralisa pas avant le milieu du siècle. R. L. SEGUIN (L'Équipement de la ferme canadienne aux XVIIe et XVIIIe siècles, Montréal, 1959, p. 21) donne trois raisons à ce retard. La charrue est fabriquée à la ferme, mais certaines pièces et, en particulier le versoir (en bois revêtu de fer jusqu'au XIXe siècle), doivent être façonnées par un artisan spécialisé. D'autre part, l'équipement en bœufs de trait est insuffisant. Enfin, la charrue est difficile à manœuvrer entre les souches calcinées par le feu des abatis. Il importe que les emblavures soient assez nettoyées pour que l'on puisse labourer régulièrement à la charrue. En fait, en 1672, encore les terres étaient remuées partiellement « à la pioche ».

CHAPITRE III

L'EXPANSION AGRICOLE
ET LES STRUCTURES DE LA SOCIÉTÉ

L'histoire de l'expansion agricole médiévale est trouée d'énormes lacunes. Toute observation se trouve ainsi pour le moment interdite dans les pays italiens, en dépit de conditions documentaires que l'on devine très favorables. Pour l'ensemble des campagnes d'Occident, c'est à peine si l'on entrevoit quelques orientations de l'histoire des techniques. Plus urgente que toute autre, une tâche immense requiert ici des chercheurs, et d'abord des archéologues attentifs aux vestiges de la civilisation matérielle, des demeures et des terroirs, de l'alimentation, de l'outillage et du cheptel. En revanche, tous les changements conjugués qui ont affecté les moyens de production déterminèrent au sein de la société des modifications dont on peut moins malaisément découvrir les traces dans les archives des seigneuries, et qui retentirent à leur tour sur les rapports économiques. Il convient d'évoquer brièvement ce que nous en savons.

I. La condition paysanne

Le progrès agricole suscita d'abord certains aménagements des structures juridiques. L'expansion vers les terres neuves hâta l'allégement des charges seigneuriales, et les aires de défrichement apparurent généralement comme des zones de liberté. Prenons encore un

exemple anglais : au XIIIe siècle, les *free tenants* composaient la moitié environ de la paysannerie dans le nord
du Warwickshire, pays d'essarts, mais ils n'en représentaient que le tiers dans le sud ; deux villages sur
cinq, au nord, échappaient à toute corvée ; un village
seulement sur cinq au sud jouissait de cet avantage.
Les *liberi tenantes* pullulaient également sur les terres
de l'église d'Ely qui avoisinaient les marais en voie de
colonisation. On sait d'autre part que les lisières des
grandes forêts du XIIe siècle se trouvaient parsemées
de petits alleux, dérobés à la surveillance seigneuriale,
et que les chartes de peuplement établirent dans les
villeneuves un régime banal fort assoupli. En 1159, les
« hôtes » installés sur les polders de l'abbaye flamande
de Bourbourg bénéficiaient de la liberté personnelle
et relevaient directement de la justice publique du
comte ; ils possédaient une tenure héréditaire et alié-
nable, et ils devaient seulement au haut seigneur un
cens léger de reconnaissance. Dans une semblable
condition se trouvaient les *Freibauern* que les rois
saliens avaient établis dans les forêts de Saxe et de
Thuringe, ainsi que tous les censitaires, affranchis
de servitude, qui défrichèrent dans les Vosges les
terres abbatiales de Saint-Dié ou de Remiremont,
ainsi que tous les pionniers qui peuplèrent le plateau
bavarois, les montagnes d'Autriche et de Styrie [1].
Enfin, pour empêcher leurs hommes de se laisser tenter
par la publicité des entrepreneurs de colonisation
et de déguerpir vers les terres nouvelles où leur était
promis un meilleur traitement, les seigneurs des vieux
villages durent relâcher sur eux leur pression.

N'a-t-on pas trop dit cependant que le défrichement
signifiait liberté ? Dans les pays neufs, l'immigrant
arrivait souvent les mains vides, sans appui, sans même
de quoi manger avant que l'essart ne fructifiât. Il lui
fallait d'abord se faire admettre, obtenir une aide, se
soumettre à la discipline collective, sans laquelle le
nouveau terroir ne pouvait être aménagé. Il est frappant
de voir un peu partout les hôtes qui, venus de loin, se

1. HOMANS, 151 *a* ; MILLER, 187 ; BOUTRUCHE, 173, p. 65 ; MOLLAT,
301 ; BOSL, 452 ; VAN DEN LINDEN, 310 ; PERRIN, 189, p. 662 et suiv. ;
DOLLINGER, 149 ; HARLEY, 283. On peut admettre que la condition
juridique reconnue au pionnier en Flandre et en Germanie au
XIIe siècle procédait du statut primitif des *Königsfrein*, réunis à
l'époque franque dans la *centena*, BOSL, 476 *b*.

disaient tous libres, bientôt se « recommander », se placer sous la protection et sous la coupe du seigneur local. En Auvergne, les corvées les plus lourdes se rencontrent dans les cantons d'occupation récente, et c'est là qu'elles persistèrent le plus longtemps. Nulle part la seigneurie ne se montra plus tenace qu'en Combraille ou dans le Jura, régions de défrichements très tardifs [1].

A vrai dire, si la pression du pouvoir seigneurial se révèle fort inégale dans les diverses régions d'essarts, le fait tient sans doute à ce que celles-ci ne furent pas colonisées au même moment, ni de la même manière. Pendant les premières phases du mouvement de défrichement, au XI⁰, au XII⁰ siècle, la libre migration vers les terres immenses que des attelages moins chétifs permettaient de mettre en culture dut sans doute, en relâchant la pression démographique, desserrer sensiblement les contraintes seigneuriales. Mais qu'advint-il au XIII⁰ siècle ? Il est possible que les formes nouvelles de peuplement par exploitation isolée aient favorisé l'indépendance personnelle du paysan. Loin du maître et caché derrière la haie du bocage, le tenancier pouvait plus aisément dissimuler les gerbes dont il lui fallait abandonner une part. Mais en revanche, la terre devenait alors de plus en plus rare. Pour obtenir le droit d'installation, on devait maintenant payer une lourde taxe d'entrée, parfois même se résoudre à abandonner sa liberté et celle de sa descendance. Il semble bien que, dans certaines régions au moins, les colons de ce temps fussent de pauvres hères, dont le maître des friches exploitait durement le dénuement.

*
* *

La condition paysanne fut modifiée d'une autre manière. Le perfectionnement de l'instrument aratoire et de son attelage, ainsi que la multiplication des façons de la terre, qui constituaient l'essentiel du progrès technique, accrurent notablement l'importance du labour dans le travail agricole. A travers les comptes des Hospitaliers provençaux, on voit que le labourage coûtait en 1338 quatre fois plus cher que tous les

1. DUBY, 247, p. 13 ; GAUSSIN, 277 ; FOURNIER, dans *Cahiers d'Histoire*, 1959.

autres travaux du domaine [1]. Le progrès fit croître également la valeur relative de l'équipement, de l'outil, du train de culture. Dans l'Italie du XIIIᵉ siècle, une paire de bœufs valait autant que toutes les terres d'une exploitation familiale. Facteur de l'élévation des rendements, l'amélioration des instruments et des pratiques agraires entraîna dans les sociétés rurales un lent déplacement du capital d'exploitation : les terres perdirent de leur prix par rapport au cheptel. Ce transfert, qu'il conviendrait d'observer d'après les stipulations des baux à ferme, mérite lui aussi réflexion. On en perçoit en tout cas quelques effets.

Le fossé qui, dès le Xᵉ siècle, séparait les « laboureurs » des gens de bras, s'est creusé après l'an mil. L'organisation des taxes seigneuriales en donne la preuve : au XIᵉ siècle, les exactions levées par le maître du ban sont moins lourdes pour les paysans pauvres dépourvus d'attelage, qui manient la houe, qui vivent du jardinage et d'un emploi temporaire dans les grandes maisons, que pour « ceux qui font leur ouvrage avec des bœufs ou autres bestiaux [2] ». Entre laboureur et manouvrier, l'opposition devint alors sans doute plus marquée dans les pays du Nord qu'au Midi, où l'araire demeurait facile à manier, à construire, à tirer, et muni de peu de fer [3]. La dévalorisation des corvées manuelles par rapport à celles de bêtes, et, de ce fait même, la dépression sociale des « cottiers », des « bordiers », de tous les manouvriers, se discernent en effet plus nettement dans les seigneuries septentrionales. Cependant, de l'Angleterre à la Provence, le « bouvier », c'est-à-dire le conducteur d'attelage, était devenu dès le XIIᵉ siècle le domestique de ferme par excellence [4]. La « charrue » — entendons l'équipe constituée par l'outil, par les bœufs ou les chevaux capables de l'animer et par l'homme qui les menait — achevait alors de s'imposer comme la cellule économique de base, comme la mesure permettant au seigneur d'estimer la valeur de ses paysans dépendants et des services qu'il en attendait.

1. Duby, 409 a.

2. *Cartulaire de Saint-Vincent de Mâcon* (éd. Ragut), nᵒ 476.

3. A Manosque, le seigneur exigeait pourtant deux corvées de labour par an de ceux « qui travaillaient avec un araire, des bœufs, des ânes ou d'autres bêtes », et seulement des services de portage et des journées de main des autres dépendants, *Livre des privilèges de Manosque* (éd. Isnard), p. 20.

4. Postan, 380 ; Duby, 409 a.

C'est par charrues que les corvées se trouvaient dénombrées dans l'inventaire clunisien du milieu du XIIe siècle, tout comme dans ceux qui furent dressés un peu plus tard pour les seigneurs anglais [1].

En revanche, pour tous les travailleurs manuels, dépourvus d'animaux de trait, point de progrès technique, point de hausse de rendement, mais au contraire un affaissement relatif de leur condition. Or, ils constituaient à la fin du XIIIe siècle une forte proportion de la société villageoise. On peut l'évaluer dans quelques régions grâce à certains documents : les seigneurs qui levaient l'impôt tenaient à connaître la fortune mobilière de leurs sujets et ordonnaient parfois de recenser leur cheptel ; on conserve aussi des registres où furent inscrites les taxes perçues sur l'héritage des dépendants. Une des recherches récentes qui jettent les lumières les plus vives sur la situation du paysan médiéval, et qui se fonde sur les archives de l'évêché de Winchester, montre que dans certains villages de cette seigneurie, 40 $^0/_0$ des villains payaient en argent le *heriot*, qui normalement obligeait à livrer au maître le meilleur animal de l'étable : ils ne possédaient donc point de bétail [2].

Il est indéniable enfin que la valeur accrue du matériel dans l'exploitation renforça l'emprise des riches sur la paysannerie. Par des prêts, des avances pour l'achat du bétail, ou par des locations de bœufs, la puissance du capital urbain s'insinua dans le *contado* des villes italiennes. Partout, le seigneur maintenait son autorité sur ses hommes en les aidant à accroître leur cheptel, ou en les menaçant de le confisquer. Lorsque, au XIIIe siècle, naquit et progressa dans certaines provinces un nouveau servage, ce fut certainement le désir de recevoir un équipement agricole, efficace mais coûteux, qui poussa bien des paysans pauvres à se reconnaître en dépendance ; le même souci les retint dans la servitude, puisqu'ils avaient le droit de déguerpir, d'avouer un autre maître ou de se proclamer libres, à condition toutefois d'abandonner leurs biens meubles, donc leurs bêtes de labour. En fait, l'essor agricole apparaît de la sorte comme un très puissant agent de différenciation sociale.

1. POSTAN-TITOW, 500.
2. Voir p. 484 et suiv.

2. L'EXPLOITATION FAMILIALE

En hâtant la désagrégation du manse, il bouleversa d'autre part les cadres très anciens où s'inscrivait la vie quotidienne des familles paysannes. Il est difficile en effet de penser que la dissolution de cette cellule fondamentale fut provoquée par un changement des structures familiales, par la dislocation du groupe de parenté : déjà des ménages de type conjugal occupaient en effet les manses décrits par les inventaires carolingiens [1]. Le fractionnement résulta en partie de l'effet conjugué de la pression démographique et d'un renouvellement des cadres utilisés pour les perceptions seigneuriales. Mais son principal agent fut incontestablement le meilleur rendement du travail humain : pour vivre, chaque maisonnée n'avait plus besoin de terres aussi étendues. L'amenuisement du lot de terres considéré comme suffisant à nourrir une famille, et, d'une manière plus générale, la réduction des dimensions moyennes de l'exploitation paysanne, apparaissent ainsi comme l'un des critères du progrès agricole. Leur chronologie vaut d'être précisée.

En Lorraine, où l'étude se trouve poussée plus loin qu'ailleurs, le « quartier » (fraction de l'ancien manse qui, d'ailleurs, ne correspondait pas toujours à son quart) apparaît déjà sporadiquement dans les polyptyques de la fin du IXe siècle. Cependant, les seigneurs adoptèrent décidément ce type de tenure comme nouvelle assise des redevances au XIIe siècle. La superficie moyenne des terres adjointes à chaque « quartier » atteignait alors de quinze à seize journaux, c'est-à-dire de trois à quatre hectares. En fait, l'exploitation était à peu près quatre fois moins vaste que le manse du haut Moyen Age [2]. Comme rien n'atteste alors un quelconque amenuisement du groupe paysan qui vivait dans chacune de ces tenures familiales, il faut bien admettre que la réduction des périodes de jachère, jointe à la hausse des rendements agricoles, avait à peu près quadruplé la productivité des sols labourables entre le IXᵉ et le XIIᵉ siècle. Ou bien supposer que les tenanciers, par l'essartage des lisières de la clairière villageoise, avaient acquis la disposition, en alleux ou en censives, de parcelles supplémentaires qui complétaient les « appendices » du « quartier ». Ou bien encore, et c'est l'hypothèse la plus vraisemblable, que les ressources de la famille paysanne s'étaient accrues à la fois par le défrichement et par l'intensification de la culture.

Le morcellement des unités agraires du haut Moyen Age s'observe très généralement dans toutes les régions qui bénéficièrent de l'expansion agricole. La poursuite du mouvement tendait d'ailleurs à désagréger à son tour le « quartier » lotharingien : dans le pays de Namur au XIIIᵉ siècle, certaines de ces nouvelles tenures nourrissaient chacune plusieurs familles, qui les tenaient et les exploitaient conjointement [1]. Ici et là, la résistance du manse fut plus ou moins tenace. Il avait tout à fait disparu dès le XIᵉ siècle dans les campagnes normandes. Vers 1150, dans tel village de la Bourgogne méridionale, trois manses seulement parmi les dix-neuf que les documents font connaître possédaient encore des « appartenances » labourables et constituaient véritablement des exploitations cohérentes ; tous les autres se trouvaient complètement décomposés, et la toponymie seule en conservait le souvenir. Au XIIIᵉ siècle, tous les anciens manses, entièrement découpés et éparpillés en parcelles, s'étaient désagrégés dans la région parisienne et en Flandre, comme en Alsace ou en Souabe [2]. Dans d'autres contrées, cependant, les unités d'exploitation familiales maintenaient alors solidement leur cohésion. Parfois, elles avaient été mieux protégées par les méthodes de gestion de la seigneurie, ou par les pratiques successorales. Ainsi en Bavière, où le partage des tenures nées du défrichement était interdit, en Allemagne du Nord-Ouest où l'institution du droit d'aînesse fut précoce en milieu paysan [3]. Mais il est

1. GENICOT, 178, p. 231 et suiv.
2. DUBY, 247, p. 373 ; BLOCH, 3, p. 166 ; DUBY, 408 ; DUBLED, 223 ; FOURQUIN, 510 a.
3. DOLLINGER, 149 ; WITTICH, 199. En Westphalie, l'allusion la plus ancienne au droit d'aînesse apparaît dans le Hofrecht de l'abbaye d'Abdinghof, qui date de 1152, ROTHERT, Westfälische Geschichte, I.

remarquable que les manses les plus vigoureux, ceux
qui survécurent au Moyen Age et dont les photographies aériennes révèlent aujourd'hui encore la cohésion
intacte, soient d'ordinaire situés, ou bien dans les
campagnes méridionales dont la rénovation ne fut jamais
aussi poussée, ou bien dans les zones les plus tardive-
ment gagnées par le défrichement, le haut Beaujolais,
la Bresse, les pays de l'Ouest français, les montagnes
du Massif central [1]. Or, dans ces dernières régions, les
cadres de l'exploitation s'implantèrent, en effet, à une
époque où les progrès techniques avaient développé
toutes leurs conséquences, et sur des sols plus ingrats
où la productivité n'eut point possibilité de s'accroître
ultérieurement. Ces considérations renforcent l'impression que la désintégration du manse, entre l'an mil
et le milieu du XIIIe siècle, fut pour une bonne part
déterminée par le perfectionnement des techniques
agricoles.

Ces progrès enfin, et les mutations démographiques
qui leur sont étroitement liées, ont travaillé de l'intérieur les structures de la communauté villageoise. Les
terroirs plus productifs purent nourrir davantage de
ménages, accueillir les immigrants et les nouveaux
foyers fondés par les enfants du pays restés sur place.
De la sorte, à l'écart du cercle traditionnel et restreint
des chefs d'anciennes maisons, qui s'estimaient seuls
détenteurs légitimes des droits d'usage sur les communaux [2], grossit le groupe des nouveaux venus, des
« hôtes ». Leurs « cabanes », leurs « bordes », leurs
« cottages », qui apparaissaient déjà çà et là dans quelques inventaires carolingiens, se multiplièrent au XIe
et au XIIe siècle, construits les uns après les autres
aux flancs des vieux enclos. Puis, à partir du second
tiers du XIIIe siècle, des exploitations isolées s'établirent
en marge du finage ; elles rompirent tout à fait les solidarités du village ; on ne voyait plus leurs habitants

---

Das Mittelalter, 1949, p. 266. On notera qu'en Angleterre, la *hide* a
fait place au XIIe siècle à des unités agraires plus petites, la vergée,
qui en est le quart, la bovée, qui en est le huitième ; mais l'une et l'autre
servaient toujours, dans le manoir, d'assiette aux charges paysannes,
ce qui les maintenait stables, et bloquait à ce niveau le fractionnement
des tenures. Toutefois la possession des familles de tenanciers ne
s'inscrivait pas exactement dans ces cadres des perceptions seigneuriales. Voir document n° 124, p. 703.

1. HIGOUNET, 56 ; FOURNIER, dans *Cahiers d'Histoire*, 1959.
2. BADER, 475, p. 51.

qu'à la messe paroissiale ; ils fermaient leurs terres à la dépaissance collective et limitaient ainsi le terrain de parcours du troupeau commun. Cette dernière forme d'implantation modifia profondément les cadres coutumiers de l'existence. Provoquant la contraction défensive de la communauté villageoise, elle opposa désormais les zones d'individualisme à celles où se renforçaient les contraintes collectives [1].

3. L'ESSOR DÉMOGRAPHIQUE

Le perfectionnement des techniques agraires accrut de manière considérable la production des subsistances. Tout comme l'élargissement de la surface cultivée, il recula les obstacles qui contenaient la poussée démographique. Il ouvrit un libre champ à celle-ci, qui d'ailleurs stimulait elle-même puissamment l'effort de défrichement et d'amélioration des méthodes de culture. Incontestablement, les campagnes d'Occident se peuplèrent alors davantage. Mais l'historien manque de moyens pour mesurer de près cette croissance.

Fort nombreux, tous les indices convergent pour évoquer un vif essor du peuplement pendant le XIᵉ et le XIIᵉ siècle ; mais les données qu'ils fournissent demeurent imprécises : les chiffres font tout à fait défaut [2]. Ceux-ci apparaissent au XIIIᵉ siècle ; on les voit se multiplier après 1250, lorsque la fiscalité devint moins rudimentaire. Les princes et les seigneurs se soucièrent alors de dénombrer ceux qui leur devaient les taxes, ou plus exactement les « feux », les foyers, les ménages, qui servaient désormais presque partout d'assise aux perceptions. L'enseignement de ces documents fiscaux peut être utilement complété par les descriptions de seigneuries, les censiers, les cadastres, les registres des cours judiciaires, qui révèlent ici et là le mouvement des terres et de leurs occupants, qui permettent aussi parfois l'analyse de certaines structures familiales. Ces sources restent certes beaucoup trop imparfaites pour que l'on puisse espérer jamais connaître de manière satisfaisante les mouvements démographiques de cette époque. Elles méritent

1. Voir p. 262 et suiv.
2. GENICOT, 278.

toutefois grande attention. En fait, on a commencé en quelques endroits à les exploiter. L'histoire de la population a partout fortement progressé ces derniers temps.

La plupart des données sûres et convenablement analysées sont tardives et locales. Mais elles indiquent avec netteté le sens et la vigueur du mouvement. Je prends l'exemple de la Provence, où l'on voit doubler le nombre des feux entre le milieu du XIIIe siècle et le début du XIVe [1]. Si l'on admet que le dénombrement par feu n'était pas un simple artifice de perception et que la consistance du ménage n'avait pas subi de modifications notables, cette indication prouve que les hommes devinrent en cinquante ans deux fois plus nombreux dans ces cantons, dont beaucoup pourtant étaient fort pauvres. Dans neuf villages de la viguerie de Nice, on recensa quatre cent quatorze feux en 1263, sept cent vingt-deux en 1315. Encore la hausse affectait-elle ici fort inégalement les différents villages ; si l'un d'eux, avec vingt-cinq feux, restait stagnant, tel autre passait en deux générations de soixante-six à cent cinquante-sept, tel autre encore de trente à cent trois [2].

Il n'est pas possible de mesurer avec autant de précision la poussée démographique sur des champs plus vastes, et les évaluations des historiens divergent pour cela beaucoup. W.C. Robinson a pu nier récemment que le taux moyen annuel de croissance ait alors dépassé 0,2 % pour l'ensemble de l'Europe, alors que W. Abel l'évalue à 0,39 % pour la France, à 0,48 % pour l'Allemagne [3]. En réalité, le royaume d'Angleterre paraît bien le seul pays où les hypothèses démographiques peuvent s'appuyer sur une base documentaire solide, grâce à des enquêtes d'ensemble d'une richesse exceptionnelle, comme le *Domesday Book* ou les registres de la *Poll tax* levée en 1377. Les estimations les plus sérieuses font penser que la population du royaume s'éleva de 1 100 000 habitants en 1086 à 3 700 000 en 1346. Selon W. Russell, le taux moyen de croissance annuelle se situerait ici autour de 0,46 % [4]. Cependant, cette fois encore, si l'on examine le phénomène de plus

---

1. BARATIER, 84.
2. BARATIER, 84, p. 180.
3. ROBINSON, 88 ; ABEL, « Wachstumsschwankungen mitteleuropäischer Völker seit dem Mittelalter », dans *Jahrbücher für Nationalökonomie und Statistik*, 1935.
4. RUSSELL, 89, p. 246.

près, il apparaît que la poussée fut très inégalement répartie entre les diverses régions anglaises. D'un village à l'autre, l'expansion suivit des cadences fort dissemblables. Certains furent entraînés dans un mouvement très vif : dans quelques hameaux établis en bordure des marais du Holland, on a pu estimer que le nombre des hommes s'était multiplié par six ici, par vingt-quatre là, pendant les deux siècles qui suivirent la rédaction du *Domesday Book* [1].

De telles inégalités locales incitent donc à la prudence. Elles interdisent en particulier d'étendre à l'ensemble de l'Europe occidentale les taux d'accroissement que l'on peut calculer pour l'Angleterre, puisque ce pays était encore sauvage au temps de Guillaume le Conquérant, et relativement vide par rapport notamment à certaines provinces françaises. Il n'est pas impossible que quelques villages de la région parisienne aient nourri au IXᵉ siècle déjà presque autant d'hommes qu'au XIVᵉ siècle. En revanche, dans tel terroir bourguignon, un sur cinq des quatre cents habitants recensés en 1248 était un essarteur, qui venait de conquérir sur les friches ses champs nourriciers [2]. Considérer par conséquent que, dans toutes les campagnes, la population a triplé uniformément aux XIIᵉ et XIIIᵉ siècles serait aussi fallacieux que d'attribuer à l'ensemble de la Gaule carolingienne les fortes densités que permet d'établir, pour Villeneuve-Saint-Georges ou Palaiseau, le polyptyque d'Irminon. Mieux vaut s'attacher à explorer minutieusement les secteurs limités où l'observation s'avère possible.

***

La poussée démographique latente, que comprimaient seules au haut Moyen Age les insuffisances de la technique agraire, semble bien, dès qu'elle fut libérée par les perfectionnements de l'outillage et par l'élévation de la productivité, avoir d'abord répandu les hommes dans les espaces vides ou peu peuplés. On estime que vingt à trente mille nouveaux habitants se répandirent ainsi dans la Brie forestière entre 1100 et 1250. De toute évidence, le taux d'accroissement

1. HALLAM, 282 *a*.
2. MARTIN-LORBER, 497 ; FOURQUIN, 510 *a*.

de la population fut beaucoup plus élevé dans les secteurs de grands défrichements. Entre 1086 et 1279,
la population des villages n'avait que très faiblement
progressé dans le sud du Warwickshire, déjà fortement
colonisé à l'époque saxonne ; elle avait même décliné
dans sept paroisses ; en revanche, elle doublait et tri-
plait dans le nord du comté[1]. La conquête agraire
provoqua donc d'abord d'amples déplacements ruraux.

L'étude de ces migrations est l'une des moins malai-
sées pour les époques anciennes. Parmi les hommes du
XII⁰ siècle dont le nom figure dans les documents seigneuriaux, beaucoup portent en effet, pour se distinguer des autres, un surnom qui évoque leur pays d'origine. On aperçoit de cette manière qu'un bon nombre
de paysans émigrèrent et partirent peupler les faubourgs, en croissance continue, des villes et des bourgades voisines. Mais beaucoup d'autres aussi quittèrent
le vieux terroir de leur père pour les terres pionnières
et les pays d'essarts. Ce fut le cas de cet homme qui
vint s'établir, au milieu du XI⁰ siècle, dans un village
du bord de la Saône et s'y maria avec une fille qui, elle
non plus, n'était pas née dans le pays, mais avait
émigré là, seule de sa famille, depuis un village dis-
tant d'une quinzaine de kilomètres. La population
rurale se révèle à cette époque beaucoup plus mobile
qu'on ne croit d'ordinaire. Dans tel canton de Lombardie, en 1181, 12 °⁄₀ des exploitants agricoles, et
parmi eux de très humbles, ne résidaient pas dans le
village de leurs ancêtres. On repère d'autre part à cette
époque même des mouvements de grande ampleur qui
conduisirent Flamands et Hollandais vers les pays
allemands du Nord et de l'Est, et qui peuplèrent de
Vendéens et de Bretons l'Entre-deux-mers, entre
Garonne et Dordogne[2].

Toutefois, ces déplacements depuis les contrées
surpeuplées vers les zones vides, le dégorgement des
anciens villages vers les « villeneuves », n'atténuèrent
guère l'inégalité des densités régionales. On l'aperçoit
toujours très brutale au XIV⁰ siècle parmi les divers
comtés d'Angleterre ; elle oppose aux campagnes
pleines de l'Est-Anglie ou du Leicestershire les déserts

1. BRUNET, 39 ; HOMANS, 151 bis.
2. *Recueil des chartes de l'abbaye de Cluny*, V, n⁰ 3649 ; CIPOLLA,
479 ; BOUTRUCHE, 85 ; EPPERLEIN, 386.

du Devon, les demi-solitudes des Midlands. En 1328, le Hurepoix apparaît presque vide, alors que la plaine de France toute voisine, avec dix-neuf feux par kilomètre carré, peut être tenue alors pour la campagne la plus peuplée d'Europe. Il est visible donc que les bonnes terres d'occupation ancienne, pépinière des aventuriers du défrichement, n'alimentèrent pas seulement la colonisation des zones incultes ; elles connurent aussi une croissance interne, si vive qu'elle détermina l'extension des vieilles clairières, qu'elle suscita l'effort de progrès technique, et cette même hausse des rendements qui l'entretint. La région parisienne, déjà trop pleine d'habitants au IXe siècle, en nourrissait pourtant deux fois plus un demi-millénaire plus tard [1].

* *
*

Il faut considérer enfin que l'attitude démographique ne fut peut-être pas identique dans les différents groupes sociaux, et l'étude de ces disparités, dans les très rares cas où la documentation la permet, devient passionnante. Les historiens anglais viennent d'établir que les variations de la mortalité étaient plus accentuées dans le petit peuple des « cottiers », ces gens presque sans terre, qui vivaient d'embauche sur les domaines seigneuriaux [2]. Ces ménages dont le salaire constituait la principale ressource n'étaient-ils pas tentés, en revanche, d'élever davantage d'enfants, leur vraie richesse ? Les taux de nuptialité étaient-ils les mêmes aux différents niveaux de la hiérarchie des fortunes ? L'étude économique des campagnes médiévales appelle des recherches approfondies sur la structure de la famille rurale, qui ne sont certainement pas toutes impossibles.

Notons enfin que les mouvements de populations se trouvaient freinés ici, accélérés là par les conditions juridiques, et notamment par les divers régimes successoraux. On a récemment reconnu des structures de la population fort dissemblables à la fin du XIIIe siècle dans deux villages dépendants du prieuré bénédictin de Spalding, situés l'un et l'autre en bordure des *Fens*, et sur des sols de même qualité. Ici, beaucoup de jeunes ménages ; là, des mariages tardifs, moins

1. Fourquin, 533.
2. Postan-Titow, 500.

d'enfants, une tendance nette à chercher fortune ailleurs. Or, le premier village était peuplé de *sokemen*, de libres paysans qui pouvaient diviser sans contrainte leur bien entre leurs héritiers ; en outre, chaque portion d'héritage libre, si menu fût-il, conférait un droit de pâture dans les marais voisins ; tout ménage pouvait donc vivre sans terre en élevant une centaine de brebis ; aussi tous les enfants avaient le moyen de fonder un foyer et de s'établir dans le village même. C'est pourquoi un puissant dynamisme interne animait la population. Dans le second village, au contraire, vivaient des *operarii*, des gens de condition servile à qui leur seigneur interdisait de partager le patrimoine ; ils étaient par là contraints au célibat prolongé, à la restriction des naissances, ou bien à l'émigration [1].

4. Le surpeuplement

Poussé en avant par la croissance continue de la population, le progrès agricole paraît bien cependant avoir été finalement impuissant à dégager tout à fait la paysannerie de la pénurie alimentaire. L'histoire des famines le prouve.

Au XIe, au XIIe siècle, l'irrégularité des récoltes entretenait ici et là la disette, et des troupes d'affamés, en quête de secours en nourriture, assaillaient périodiquement la porte des monastères. Dans ces établissements religieux, l'aumône faisait figure d'institution et remplissait une fonction économique régulière : les moines de Cluny partageaient chaque année, à l'entrée du Carême, deux cent cinquante porcs salés entre seize mille indigents ; ceux de Saint-Benoît-sur-Loire nourrissaient, bon an, mal an, parfois cinq cents mendiants, parfois sept cents [2]. Aux échelons inférieurs de la société rurale, vivaient des groupes tout à fait démunis ; ceux-ci souffraient durement des écarts de récolte, de la chute des rendements en année trop pluvieuse, des étés trop chauds, où la consommation de nourritures de fortune devenait plus nocive, et pendant lesquels régnaient les dysenteries meurtrières. Il semble pour-

1. Hallam, 282.
2. Duby, 406 ; *Recueil des Chartes de Saint-Benoît-sur-Loire* (éd. Prou), I, nos 149-150.

tant que les grandes famines généralisées, encore terribles au premier tiers du XIᵉ siècle, se soient ensuite espacées, affaiblies, pour disparaître même tout à fait. Une dernière menace fut parée en 1217-1218 dans la vieille Germanie par l'importation des grains des terres nouvelles de l'Est. On ne connaît plus de pénuries générales en Allemagne et dans les Pays-Bas entre 1215 et 1315, mais seulement quelques disettes qui frappèrent surtout des provinces relativement arriérées comme l'Autriche[1].

Des crises frumentaires catastrophiques paraissent toutefois avoir de nouveau frappé les campagnes de France et d'Angleterre à partir du milieu du XIIIᵉ siècle. Notre connaissance des famines demeure à vrai dire incertaine. Quelle valeur accorder aux témoignages des chroniqueurs, naturellement portés à romancer et à amplifier les drames, dont les échos leur parvenaient déjà déformés ? Tout se passe pourtant comme si la pression démographique, relâchée depuis l'an mil par l'ouverture de nouveaux labours, s'était renforcée lorsque les défrichements cessèrent de progresser après 1250. La hausse soutenue du prix des céréales, depuis l'époque où les documents permettent de l'observer (c'est-à-dire en Angleterre depuis 1160 environ), fournit une preuve de la tension croissante de la demande ; on peut en voir une autre dans la stagnation et même la légère baisse des salaires. Dans la seconde moitié du XIIIᵉ siècle (et cela tient peut-être à la soudaine abondance de l'information), le surpeuplement des campagnes devient en tout cas manifeste.

On peut en trouver les signes les plus nets dans les documents seigneuriaux qui décrivent la terre paysanne. Les partages successoraux répétés ont alors éparpillé les petites exploitations. « Dans l'essart des Jeannenque, il y a des parts dont la sixième a été donnée à ceux de Lactote ; des cinq autres, on a fait cinq parts, et l'une de ces parts de parts a été divisée en trois, et dans l'une de ces trois parts, ils ont la moitié, et Bertrand Carbonnel l'autre[2]... » Le sort de cette parcelle des environs d'Arles n'est point singulier.

---

1. Curschmann, 561.
2. Archives communales d'Arles, authentique du chapitre, fᵒ 116 (1182).

Dans un village du Norfolk, soixante-huit tenanciers vivaient au temps du *Domesday Book* ; on en comptait cent sept en 1291 entre lesquels se répartissaient neuf cent trente-cinq tenures, elles-mêmes disloquées en deux mille vingt et une parcelles ; dix tenanciers se partageaient une pièce de deux hectares et demi ; dans tel autre village de l'Est-Anglie, un lopin se fractionna en vingt fragments entre 1222 et 1277 ; à Rozoy en Ile-de-France, un héritage de cent soixante arpents se trouvait dispersé en soixante-dix-huit parcelles [1]. Cette pulvérisation donne la mesure de la prolifération familiale, qui a rompu entièrement les cadres administratifs de la seigneurie. Les documents de la deuxième moitié du XIIIe siècle montrent aussi l'accroissement rapide de la population sur les tenures. Dans un village lombard, on dénombrait quatre-vingt-neuf censitaires en 1248, une centaine vingt ans plus tard. A Weedon-Beck, dans l'est de l'Angleterre, le nombre des familles tenancières passa, sans qu'il y ait eu extension du terroir par défrichement, de quatre-vingt-un à cent dix entre 1248 et 1300 [2].

L'évolution des taux de mortalité porte un dernier témoignage, le plus probant, sur la charge démographique excessive qui accablait certaines campagnes d'Occident à la fin du XIIIe siècle. En fait, la seule étude sérieuse concerne l'Angleterre pour les années 1240-1350 et repose sur les extraordinaires séries de comptes conservées dans les archives épiscopales de Winchester [3]. Elle atteste la précarité de l'existence dans la population paysanne, qui après 1300 paraît en certains cantons dépasser de 20 $^0/_0$ celle du XVIIIe siècle. En 1245, l'espérance de vie pour un homme de plus de vingt ans était de vingt-quatre ans. Pour l'ensemble de la période on peut évaluer le taux de mortalité à quarante pour mille. Comme les documents ne prennent en considération que les adultes, et comme on ne sait rien de la mortalité infantile, le taux pour l'ensemble de la population devait alors se situer aux environs de soixante-dix pour mille, c'est-à-dire beaucoup plus haut que dans toutes les populations, même les

1. BENNETT, 139, p. 47 ; D. C. DOUGLAS, *The social structure of medieval East-Anglia*, Oxford, 1927 ; FOURQUIN, 510 *a* ; MORGAN, 374.
2. ROMEO, 444 ; MORGAN, 374.
3. POSTAN-TITOW, 500.

plus arriérées, que les statistiques modernes permettent d'observer. En outre, ce taux s'élève encore à partir de 1290. Il devient, pour les adultes, de cinquante-deux pour mille entre 1297 et 1347, et l'espérance de vie tombe alors à vingt ans. Comme les oscillations de la courbe de décès sont très vives et expriment la sensibilité aux épidémies d'une population en état de déficience physique, comme elles apparaissent en étroite correspondance avec celles de la courbe des moissons, comme une analyse sociale plus poussée montre que les paysans riches mouraient moins que les pauvres, ces données numériques, de précision tout à fait exceptionnelle pour l'époque, fournissent la preuve la plus éclatante de l'insuffisance des perfectionnements agricoles. En dépit des aménagements mis au point dans les dernières années du siècle, le progrès technique ne parvenait pas à répondre aux besoins d'une population trop nombreuse, que la faim tenaillait tout entière aussi cruellement peut-être qu'aux temps carolingiens.

CHAPITRE IV

L'ESSOR DES ÉCHANGES ET SES EFFETS

Mais sur tout son cours l'expansion agricole fut accompagnée par un autre mouvement de longue amplitude, une ouverture progressive des relations économiques et la lente croissance des activités commerciales, qui peu à peu pénétrèrent le monde des campagnes. Elles contribuèrent à soutenir sa prospérité, et aidèrent efficacement le milieu rural à supporter une charge excessive de population. En effet, les exploitations rurales furent sollicitées de produire, outre leur propre subsistance, de quoi répondre à la demande constamment plus pressante des acheteurs. Car, depuis la période obscure qui suit l'époque carolingienne, le niveau de la civilisation matérielle ne cessa de s'élever en Occident. Les quelques rassemblements d'hommes riches qui, au IXe siècle, attendaient du travail paysan leur nourriture et la fourniture des matériaux servant à façonner les ornements de leur vie de parade, devinrent plus exigeants, et surtout de plus en plus nombreux. En conséquence, les échanges s'animèrent. Tous cependant n'impliquaient pas des transactions à proprement parler commerciales. Pendant tout le Moyen Age, l'essor de la circulation économique s'ordonna dans deux systèmes parallèles, et d'ailleurs étroitement imbriqués. Dans le cadre de la seigneurie, les courants qui véhiculaient les produits des champs et des bois vers les cours et vers les résidences urbaines de l'aristocratie prirent à la fois de l'ampleur et de la rapidité ; en même temps, on vit

s'étendre et se ramifier un réseau d'échanges fondés
ceux-ci sur l'achat, sur la vente et sur le maniement de
la monnaie.

1. La demande

Cette circulation plus active répondit d'abord à
l'extension des consommations de luxe. Deux parures
majeures faisaient alors l'agrément de la vie noble : les
vins de qualité et les draps de belle laine, teints de cou-
leurs éclatantes. Dans les assemblées chevaleresques, la
mode de boire du vin s'était répandue largement jusqu'aux confins les plus brumeux et les plus froids de la
chrétienté ; quant au goût pour les tissus précieux, il
commandait toutes les attitudes économiques de la noblesse ; à tel point que les princes du XIIIe siècle, pour
empêcher leurs vassaux de se ruiner, durent limiter par
ordonnances le nombre et la qualité des vêtements dont
l'achat était permis chaque année aux différents niveaux de la haute société. Ces lois somptuaires sont
significatives, mais plus encore la vulgarisation progressive de tous ces ornements, dont l'usage pénétra
d'un mouvement continu dans les couches moins éle-
vées de la hiérarchie sociale, s'insinua peu à peu dans
les habitudes des hobereaux de villages, des patriciens
des villes, et jusque dans les mœurs de la paysannerie.
Vers 1330, dans tel village perdu des montagnes de
haute Provence, lorsqu'un rustre mariait sa fille, la coutume lui imposait de la parer d'un manteau en drap
d'Ypres ou de Champagne, et s'il était vraiment trop
pauvre, s'il n'avait pas trouvé d'usurier qui voulût lui
avancer l'argent en prenant un gage sur ses brebis,
c'était le mari qui partait acheter l'étoffe dans la bourgade voisine [1]. Tout ce que le dépouillement systématique des registres des notaires, des livres de comptes
des négociants ou de la littérature descriptive, tout ce
que l'archéologie de la vie matérielle apprendront sur
la diffusion du luxe enrichira singulièrement notre
connaissance de l'économie rurale depuis le XIIe siècle.
Car la matière première de ces breuvages et de ces
vêtements venait entièrement des campagnes, et celles-
ci furent sollicitées de développer, parallèlement à la

1. Archives des Bouches-du-Rhône, 396 E 17.

culture des céréales, d'autres productions. La structure
de la société médiévale, dont tous les axes convergeaient vers une aristocratie toute-puissante et dépen-
sière, animée principalement par le souci de paraître,
concentrait entre les mains des seigneurs tous les nouveaux revenus engendrés par l'expansion agricole. Elle
les détournait vers des achats de luxe. On s'explique
donc que la circulation des denrées somptuaires se soit
amplifiée la première et le plus largement. Ainsi,
lorsque les capitaux formés par le progrès des cultures
retournèrent s'investir à la campagne, ce ne fut point
la production des céréales qui en profita d'abord, mais
celle des biens de consommation noble, comme le vin
ou la viande, et des matières premières de l'artisanat
de qualité.

Cependant, l'activité proprement agricole fut également stimulée par une demande accrue de produits
alimentaires, car le nombre des hommes qui ne produisaient plus eux-mêmes, par le travail de leur propre
terre, l'approvisionnement de leur maison, ne cessa de se
multiplier. Les renseignements numériques manquent
tout à fait, qui permettraient d'entrevoir la croissance
de ces groupes de consommateurs. Mais on devine leur
composition. Ils étaient formés d'abord de tous les spécialistes, de tous les gens de « métier », que la hausse
générale du niveau de vie et la progressive division du
travail rendaient constamment plus nombreux. Certains vivaient dans les châteaux et les demeures aristocratiques, comme ces artisans qui, précisément, fabriquaient les objets de luxe, ou bien comme ces soldats
professionnels, dont les compagnies s'accrurent dans
toute l'Europe à partir du XIIe siècle [1]. Toutefois, les
plus grosses demandes de ravitaillement venaient des
villes. Leur croissance fut, ici et là, plus ou moins précoce, et plus ou moins vive : on découvre les premiers
indices d'un développement urbain dans les dernières
années du Xe siècle à Marseille et à Toulouse, mais seulement soixante ans plus tard en Mâconnais ; très ancienne et très intense en Italie, la poussée d'urbanisation
n'affecta l'Angleterre et l'Allemagne centrale qu'au

---

1. Il fallait assurer le ravitaillement des garnisons et des armées en
campagne. En 1203 deux mille deux cent dix porcs fumés furent envoyés d'Angleterre à Rouen, pour l'armée du roi. A. L. POOLE, *From
Domesday Book to Magna Carta*, Oxford, 1945.

XIIIᵉ siècle, et faiblement. Les historiens de l'économie
rurale attendent donc de ceux qui étudient les phénomènes urbains qu'ils précisent dans chaque région la
chronologie et l'ampleur du renouveau d'activité que
connurent alors les villes. Car, sans considérer celles-ci,
leur situation, leur taille, leur fonction, on ne saurait
observer valablement ni comprendre les mécanismes de
la production ou de la circulation des biens dans les
campagnes voisines à partir du XIᵉ siècle.

***

L'un des effets les plus importants de l'expansion
urbaine fut d'absorber en partie le surcroît de la population rurale, et de soulager dans les villages environnants la pression démographique. On sait maintenant
que les villes et les bourgades ont grandi surtout par
une immigration paysanne proche [1]. On sait aussi que
ces agglomérations ne cessèrent d'attirer des gens de
la campagne. Pour cette raison, beaucoup des nouveaux
« bourgeois » restèrent plus qu'à moitié des ruraux et
continuèrent à travailler leur terre familiale, à en tirer
de quoi se nourrir, et même de quoi nourrir leurs voisins. La part des activités paysannes demeura toujours
considérable dans l'économie des villes médiévales, et
le bourg, surtout lorsqu'il restait petit, n'était en fait
qu'une simple excroissance très engagée dans la campagne qui l'avait fait naître. En raison de cette étroite
symbiose, chaque ville produisait donc elle-même une
bonne part de sa subsistance. Toutefois, dans chacune
d'elles, quelques hommes au moins devaient acheter
leur pitance. C'était le cas des étrangers de passage
d'abord. Toute ville constituait un nœud de la circulation routière, et celle-ci n'avait cessé de s'intensifier.
Dans toute la France, au XIᵉ et au début du XIIᵉ siècle,
les documents font apercevoir la naissance d'hospices
ou d'auberges aménagés pour les passants. Ils montrent
aussi que certains des habitants sédentaires de la ville
abandonnaient peu à peu le travail de la terre, pour
s'adonner à des « métiers » spécialisés plus profitables ;
nombre de documents des seigneuries urbaines relatent
les embarras des maîtres obligés, par la défection de
leurs tenanciers, de reprendre l'exploitation de par-

1. PLESNER, 499 ; DUBY, 247, p. 340.

celles jadis cultivées, mais laissées à l'abandon dans les
faubourgs. Enfin, certaines agglomérations devinrent
vite trop peuplées pour pouvoir tirer tout leur approvisionnement du *suburbium*. Une ville de trois mille âmes
— et beaucoup atteignirent et dépassèrent cette taille
au XIIIe siècle — consommait chaque année au moins
mille tonnes de grains ; pour produire une telle quantité de nourriture, il était nécessaire, dans l'état des
techniques agricoles et des rendements, d'ensemencer
quelque mille cinq cents hectares, et par conséquent,
pour ménager à la terre les repos nécessaires, de disposer
d'une superficie arable au moins deux fois plus vaste.
La zone pourvoyeuse devait s'étendre fort loin des
murs. Ainsi, la Florence du trecento ne pouvait vivre
plus de cinq mois par an des terroirs proches ; le surplus de son ravitaillement dépendait de trafics établis
sur des distances parfois fort longues. Ces trois raisons
expliquent que l'on aperçoive dans les villes du
XIe siècle, et que l'on voie prospérer ensuite, des marchands de denrées alimentaires. Ainsi, j'ai reconnu à
Mâcon que d'anciens domestiques de l'évêque s'étaient
mis à gérer le four à l'entrée du pont et à vendre du
pain aux voyageurs. Ils firent rapidement fortune [1].
Même réussite partout pour les bouchers, qui formèrent souvent les premières associations profession-
nelles urbaines, et les plus puissantes. Au XIIIe siècle,
ils étaient une douzaine à Montbrison, petite bourgade
du Forez qui ne comptait pas plus de deux mille habitants, et ils s'enrichissaient en vendant des viandes,
mais aussi du sel, du cuir, des laines, des bêtes sur
pied [2].

Toutefois, même lorsqu'il était de provenance lointaine, l'approvisionnement des centres de consommation échappait en très grande part aux activités
commerciales proprement dites ; il était assuré par le
jeu des institutions seigneuriales. Toutes les villes,
en effet, abritaient une ou plusieurs grosses seigneuries.
Vers ces « maisons » convergeaient les surplus d'un
grand nombre d'exploitations rurales petites et grandes ;
ils venaient remplir les granges dîmières des évêques et
des chapitres, les celliers des demeures nobles. Domestique ou cliente de ces centres seigneuriaux, une forte

---

1. *Cartulaire de Saint-Vincent de Mâcon* (éd. RAGUT), no 13.
2. PERROY, 330.

proportion de la population urbaine se trouvait nourrie
par eux ; ils entretenaient aussi nombre d'indigents ; des
domaines ruraux, des rentes foncières fournissaient les
hospices en provende. Les spécialistes du négoce et des
fabrications artisanales eux-mêmes se préoccupèrent
très vite d'utiliser le pouvoir seigneurial pour approvisionner leur étal ou leur atelier, pour éviter de traiter
avec les producteurs des campagnes et de débattre avec
eux le prix des denrées. Ils prirent à ferme les revenus
domaniaux ; ils se substituèrent aux seigneurs dans
l'exploitation des vignobles, dans la perception des
dîmes ; ils cherchèrent à tenir par le crédit les paysans
et les petits nobles, tissèrent dans la campagne envi-
ronnante un réseau de contrats, d'engagements, de
rentes, qui les rendirent maîtres, ici d'une part des
moissons, là de la moitié d'un troupeau. Enfin, ils ache-
tèrent de la terre, devinrent eux-mêmes seigneurs dans
les biens aliénés par des nobles endettés, ou dans de
nouveaux « gagnages » créés par remembrement [1].

Cependant, les mouvements de plus en plus vifs que
suscitait l'accroissement de la demande déterminèrent
l'ouverture générale des relations économiques et leur
rapide assouplissement. La monnaie était nécessaire et
commode, l'usage s'en répandit de plus en plus, et la
part du négoce s'étendit. Les documents de la seigneurie
montrent qu'il intervint de plus en plus au sein même
des organismes seigneuriaux. J'ai parlé déjà de ces
convois qui, dans le haut Moyen Âge, acheminaient
vers l'abbaye de Saint-Bertin le produit des vignobles
qu'elle possédait près de Cologne ; un moine les accompagnait ; à la fin du XIIe siècle, on voit que celui-ci
ne ramenait plus avec lui des tonneaux, mais l'argent
qu'avait produit sur place la vente des vendanges [2].
Certaine année, vers 1100, le religieux qui gérait un
doyenné clunisien dans les Dombes avait vendu des
chevaux et du blé pour près de deux mille deniers.
Quant à l'abbaye de Cluny elle-même, qui nourrissait
alors plusieurs centaines de personnes, elle avait cessé,
vers la même époque, d'attendre tout son ravitaillement
de sa seigneurie ; pour acheter du grain, elle dépensait
chaque année une somme énorme, plus de mille livres ;
deux cent quarante mille pièces de monnaie étaient ré-

1. Voir p. 163-164.
2. DION, 95, p. 419.

pandues de la sorte parmi les producteurs ruraux d'alentour [1]. Ce recours progressif à l'achat et à la vente provoqua dans les campagnes l'aménagement de courants commerciaux réguliers et l'implantation de l'équipement nécessaire aux échanges.

2. LES INSTRUMENTS DU COMMERCE :
LA MONNAIE ET LES MARCHÉS

Sera-t-il jamais possible de suivre d'assez près l'histoire de la monnaie dans le milieu rural ? De nombreux indices attestent cependant que l'emploi du numéraire y devint peu à peu moins exceptionnel. On devine que les ateliers monétaires se multiplièrent depuis le haut Moyen Age dans tous les pays qui en étaient mal pourvus ; ainsi les empereurs saxons et saliens en créèrent-ils des quantités au-delà du Rhin, où il n'en existait pas encore [2]. Il semble aussi que les émissions soient devenues plus fréquentes, et peut-être plus abondantes, sans parvenir pourtant à suffire tout à fait aux besoins nouveaux. Une enquête a récemment montré que, dans les chartes de l'Europe méridionale, lorsqu'il est question de prix ou de paiement, les mentions d'équivalences en bétail ou en denrées deviennent de plus en plus fréquentes jusqu'à vers 1075, puis se raréfient ensuite et disparaissent vers 1140 [3]. On peut y voir le signe que les échanges se développèrent d'abord plus vite que ne s'accélérait la circulation des deniers, puis que l'intensification de la frappe parvint ensuite à réduire la pénurie de numéraire.

Plus évidente est la diffusion dans le monde des campagnes de la notion du « change », d'une valeur diverse et variable, des différentes pièces en circulation. On sait maintenant que l'habitude se répandit entre 1050 et 1100, dans l'ensemble des provinces françaises, de distinguer dans les actes écrits les espèces émises par tel ou tel atelier, de spécifier la nature des pièces exigées pour tel règlement, de parler d'une monnaie « courante [4] ». A la même époque s'accrut la part des deniers

---

1. DUBY, 406.
2. SUHLE, 135.
3. HERLIHY, 323.
4. DUBY, 247, p. 357 ; *Les origines des villes polonaises*, Paris, 1961, p. 230.

dans les pensions viagères, dans les prébendes, dans les gages ; à Cluny, dès 1080, les domestiques de l'infirmerie, entièrement entretenus par leurs maîtres, recevaient en outre chaque année un petit salaire de quarante deniers ; dans l'un des domaines de l'abbaye, on avait distribué en 1155 trois cent soixante deniers aux travailleurs des vignes [1]. Toutes ces indications concordent. Mais il faut souhaiter qu'un examen approfondi des sources et qu'une renaissance de la recherche numismatique viennent préciser dans chaque région de l'Occident la chronologie d'un mouvement, qui ne connut certainement pas partout le même rythme. On remarque que la conscience de l'instabilité des valeurs monétaires s'éveilla plus tôt en Aquitaine que dans la vallée de la Saône, pourtant traversée par l'un des axes majeurs de la circulation routière. On entrevoit aussi que les deniers étaient relativement très abondants dès le début du XIe siècle en Normandie et dans les pays anglais [2], pourtant sans villes, ce qui interdit, notons-le, de relier trop étroitement à l'essor urbain l'accoutumance au maniement de la monnaie. En 1115, un seigneur mâconnais pouvait extorquer cinq cents deniers d'un paysan, et mille deux cents d'un autre [3] ; mais deux cents ans plus tard, l'argent était encore fort rare parmi les montagnards de la haute Provence, dont le bétail formait encore la seule richesse mobilière. Réunir les éléments d'une géographie de la pratique monétaire, voici encore une tâche délicate que réclame l'histoire économique des campagnes médiévales.

L'installation de nouveaux péages, la hausse constante des revenus qu'ils procurèrent, constituent d'autres symptômes de l'adaptation des ruraux à des relations économiques moins contractées. La phase principale se situe en France dans la seconde moitié du XIe siècle : le profit du tonlieu de Saint-Lô était quatorze fois plus élevé en 1093 qu'en 1039 ; vers 1075, les châtelains du Mâconnais commencèrent de lever des taxes sur les négociants qui traversaient leur district, tandis que dans l'Ouest on rédigeait les premiers tarifs de péages [4]. Une seconde vague

1. DUBY, 406.
2. MUSSET, 329.
3. DUBY, 247, p. 359.
4. MUSSET, 329 ; DUBY, 247, p. 335.

se dessina au milieu du XIIIe siècle, dans le Midi français au moins. Des protestations s'élevèrent alors contre les exactions routières que les seigneurs de haute Provence venaient d'instituer sur les chemins ruraux menant vers Aix ou vers Marseille ; à la même époque, sur la Garonne, un hobereau s'avisait de barrer la rivière et de taxer les barques de vin [1]. Toutefois, ces innovations fiscales intéressaient surtout les spécialistes du trafic à longue distance, et n'affectaient qu'indirectement le milieu paysan. Sur les activités de celui-ci, la multiplication des marchés hebdomadaires et des foires, dans les bourgades et dans les villages même, porte un témoignage plus immédiat.

On observe ce phénomène dans l'ensemble de l'Occident, l'Italie mise à part. Là, le réseau des marchés campagnards s'était en effet installé beaucoup plus tôt, dès le Xe siècle ; mais, au XIe siècle, la croissance précoce de l'économie urbaine concentra vers les villes l'essentiel du trafic des denrées agricoles, et fit s'atrophier très vite les marchés de villages [2]. En revanche, on peut suivre la prolifération continue de ceux-ci en Germanie, à travers les diplômes royaux d'abord, au XIe siècle et pour les provinces de l'Ouest, puis, au XIIe siècle, à travers les actes de fondation des nouveaux villages dans les terres neuves de l'Est. En France, les documents les plus riches sur ce point sont les chartes de liberté accordées après 1100 aux petites bourgades, et dont les clauses principales concernent toujours l'activité marchande, que la communauté des habitants souhaitait pouvoir exercer sans contrainte. Un marché hebdomadaire fut établi ou réglementé. On réduisit les monopoles commerciaux du seigneur, son privilège de vendre le vin à certaines saisons, son droit d'acheter à crédit dans le village. Les habitants réclamèrent l'autorisation de détenir chez eux des mesures pour le vin ou les céréales. Parfois, une foire à bestiaux fut fondée.

Toutes ces stipulations manifestent l'intérêt croissant des sociétés rurales pour le négoce des fruits de la terre, et leur inventaire minutieux serait des plus éclairants. On devine déjà que ces préoccupations nouvelles durent s'introduire vers la fin du XIe siècle,

1. SCLAFERT, 76, p. 69 ; HIGOUNET, 325.
2. SKASKIN, 602 ; LUZZATTO, 19, p. 127.

mais qu'il faut sans doute situer au seuil du XIIIe siècle dans l'ensemble de l'Europe occidentale la phase culminante du retournement d'attitude. A ce moment s'implanta dans la Provence intérieure une constellation serrée de petites foires saisonnières. A ce moment, dans le Sud-Ouest français, on fonda toutes les « bastides », dont la fonction principale était d'abriter, autant que des garnisons, des marchés ruraux. A ce moment, l'Angleterre se couvrit d'un réseau très dense de marchés établis dans les bourgs et les villages, et qui, dans ce pays sans villes, jouèrent un rôle d'une importance extrême : on peut dénombrer trente-trois marchés actifs dans le comté de Leicester, c'est-à-dire un pour soixante-cinq kilomètres carrés ; on en repère vingt-sept (un pour cent quinze kilomètres carrés) dans le Gloucestershire, et quatre-vingts dans le Devon[1].

Dans les localités qui abritaient des réunions marchandes périodiques s'établirent à demeure quelques spécialistes, qui servaient d'intermédiaires entre les entrepreneurs de trafic à longue distance, au service d'une clientèle lointaine, et les producteurs locaux. Ils sont souvent appelés *mercatores*, comme ces deux boulangers et ces deux bouchers « qui achetaient et vendaient tout le nécessaire à la nourriture », et dont, autour de 1100, une charte de peuplement du pays blésois prévoit l'installation dans la future « villeneuve[2] ». A Ferrières-en-Gâtinais, des taverniers remplissaient cette fonction d'entremise vers 1180, et le seigneur leur imposait de fermer boutique pendant la période où il détenait seul le droit de vendre le vin, parce qu'ils pratiquaient le courtage pour les acheteurs étrangers au pays[3]. Auprès de tous ces marchés locaux prospéraient des trafiquants de toutes choses, tel Armanno de Bonifacio qui, lorsqu'il mourut en 1238, conservait en stock dans sa demeure neuf cent quarante-sept peaux d'agneaux et de chèvres, achetées par petits trocs aux éleveurs du sud de la Corse[4].

Il est certain cependant que, malgré les limitations instituées par les chartes de franchise, la seigneurie jouait

1. SCLAFERT, 76, p. 83 ; HILTON, 547.

2. *Cartulaire de l'abbaye de Marmoutier pour le Dunois*, p. 56 (1064-1119).

3. PERROY, 255, p. 87.

4. LOPEZ, dans 5, p. 326.

à la campagne un rôle plus étendu et plus efficace encore
qu'à la ville, dans les transactions qui assuraient la mise
en circulation des produits du sol. Les seigneurs
tenaient en très grande partie les moyens de transport,
grâce aux corvées de charrois et de portage, qui furent
d'ordinaire les dernières à disparaître [1]. Ils tenaient aussi
dans les bourgades bon nombre des points de vente.
A Montlhéry, par exemple, les religieux des Vaux-
de-Cernay exploitaient une taverne en 1265, où ils
vendaient non seulement du vin, mais du blé ; le
prieuré de Saint-Pierre-de-Jusiers possédait une maison
sur le marché de Mantes qui lui servait à négocier le
produit de ses vignes, jusqu'à ce que la commune,
lasse de supporter cette concurrence, la lui rachetât
en 1290 [2]. Les seigneurs enfin réunissaient entre leurs
mains, par le produit des cens et des dîmes, les cargaisons marchandes les plus importantes, et aussi les plus
précieuses, puisque d'ordinaire ils exigeaient des
paysans en redevances les denrées qui pouvaient se
vendre le mieux, le froment ou le vin [3]. Les gros acheteurs venus des villes traitaient donc d'abord avec eux,
et c'était souvent par leur intermédiaire que les petits
producteurs écoulaient les surplus de leur exploitation.
On peut voir ainsi que les abbayes anglaises vendaient
aux trafiquants italiens ou flamands des quantités de
laine bien supérieures à celles que livraient dans leurs
manoirs la tonte de leurs propres moutons ; elles
achetaient donc la production des petits exploitants
pour les revendre à bénéfice [4], et dès 1214, le concile
général de Cîteaux s'inquiétait des profits que les
communautés d'Angleterre pouvaient tirer de ces
trafics intermédiaires [5]. Toutefois, le fait important,
celui qui modifia peu à peu de fond en comble la
situation économique de tout le monde rural, fut la
dispersion, l'extrême décentralisation de l'activité
commerciale que permit l'implantation d'innombrables

---

1. DUBY, 409.
2. OLIM, I, 206, 3 ; *Cartulaire de Saint-Père de Chartres* (éd.
GUÉRARD), II, p. 721. Les chanoines de Saint-Paul de Saint-Denis vendaient le vin dans leur cellier, Archives Nationales, LL. 1157, p. 234
(1243).
3. A Origgio, saint Ambroise de Milan percevait au XIIIᵉ siècle des
cens en vin, dont le produit était vendu au marché voisin. ROMEO, 444.
4. CARUS-WILSON, dans 5, p. 375 ; HILTON, 619.
5. MARTÈNE, IV, col. 1249.

marchés locaux entre l'an mil et les premières années du XIIIᵉ siècle. De la sorte, un système de circulation très souple et très complexe s'instaura. On peut le tenir pour responsable de la grande diversité des prix d'un canton à l'autre, dont témoignent les documents du XIVᵉ siècle, et dont jouèrent sans doute les trafiquants les plus avisés, achetant ici et vendant ailleurs.

En tout cas, partout, de petites bourgades actives devinrent, pour la dizaine, la vingtaine de villages environnants, le foyer d'une activité commerciale qui intéressait même les ménages les plus modestes, et qui ne cessa de s'amplifier. Les paysans y trouvaient le fer des outils, le drap pour les noces. Ils allaient y porter du grain que venaient acheter régulièrement les négociants des villes ou bien, pour leur propre consommation, les communautés monastiques. On sait que, dès 1120, le ravitaillement du monastère de Cluny dépendait des bourgs proches, tout comme, au XIIIᵉ siècle, celui des abbayes du Leicestershire [1]. Cependant, les textes mentionnent plus fréquemment les transactions qui portent sur deux denrées. Sur le vin d'abord, dans les pays français et rhénans. Ainsi la bourgade de Ferrières-en-Gâtinais apparaît-elle avant tout en 1185 comme un marché du vin ; les « viniers » venus d'ailleurs devaient acquérir au cellier seigneurial une part de leur chargement, mais ils s'adressaient pour le reste à d'autres vendeurs, et ceux-ci étaient sans doute des paysans. Il apparaît bien d'autre part que, dans l'ensemble de l'Occident, l'activité la plus manifeste des marchés locaux concernait les produits de l'élevage. Les foires étaient d'abord des foires aux bestiaux, aux laines, aux cuirs, dont la date s'établissait en fonction du calendrier pastoral, les unes en automne, les autres au printemps. Les conditions de l'élevage imposaient en effet aux petits exploitants de vendre leurs bêtes aux premières de ces réunions, d'en acheter de nouvelles aux secondes. C'est ainsi qu'agissaient les paysans d'Orsonville, qui avaient coutume d'aller à Étampes ou à Gaillardon au début de la saison pour acquérir des bœufs de travail, dont ils se débarrassaient ensuite à l'entrée de l'hiver [2]. Faut-il se fier entièrement au témoignage, encore très

1. HILTON, 619.
2. Archives Nationales, LL. 1351, fᵒ 82ʳᵒ.

partiellement recueilli, des documents écrits ? Ils
donnent en tout cas à penser que l'essor des échanges
et les sollicitations des négociants stimulèrent surtout
dans les campagnes des activités extérieures et parallèles à la culture des céréales.

3. Le commerce des blés

Il ne faudrait pas pour autant sous-estimer l'extension
du commerce des blés. Mais la trace doit en être cher-
chée surtout dans les archives urbaines. A vrai dire,
elle est difficile à discerner et, dans les documents
qui ont été jusqu'ici exploités, elle n'apparaît guère
avant la fin du XIIe siècle. Ajoutons que le mouvement
qui s'opérait par mer se laisse beaucoup mieux observer,
car dans les ports on a très tôt levé des taxes douanières,
donc évalué les cargaisons et tenu des registres. La
nature des sources explique que, dans l'état des recherches, la circulation soit plus évidente en deux régions
de l'Europe. En Angleterre d'abord. Voici, à titre
d'exemple, trois indices, parmi les plus précoces, qui
proviennent des archives de ce pays : en 1198, un droit
frappait des blés exportés vers la Flandre ; l'année
suivante, des marchands entreprirent de transporter
en Norvège des grains récoltés dans l'Est-Anglie ;
on sait d'autre part qu'un réseau de corvées de charrois
reliait alors les domaines de l'église d'Ely au port
d'embarquement de Lynn, et servait expressément
à « vendre le blé du maître »[1]. Le second secteur actif
est méditerranéen. Dès la fin du XIIe siècle, les trafiquants gênois fréquentaient les foires de Fréjus[2],
et les seigneurs de Provence aménageaient les corvées
pour faire descendre, par longs convois muletiers, le
blé des moissons montagnardes vers les ports où l'on
trouvait toujours acheteurs. En dehors de ces deux
franges maritimes, il faut attendre que les progrès
de l'histoire urbaine révèlent l'orientation et l'ampleur
des trafics céréaliers.

D'ores et déjà, il est cependant permis d'affirmer que
le blé fit l'objet, à cette époque et dans toute l'Europe,

1. Miller, 187.
2. Février, 569.

d'une demande soutenue. La preuve en est la hausse que connurent alors les prix, et que la documentation permet d'observer en certains points privilégiés à partir du XIIIe siècle. L'étude de ce phénomène n'a été poussée qu'en Angleterre. Il est douteux qu'elle soit possible ailleurs, sauf peut-être en Italie et dans la France du Sud, grâce aux archives notariales. Sur des séries anglaises qui s'étendent de 1208 à 1325, on a pu remarquer d'abord que les prix des quatre « blés », froment, seigle, orge et avoine, se comportaient sensiblement de la même manière [1], et que les uns comme les autres subissaient de très fortes fluctuations à court terme. Les prix se trouvaient donc fort étroitement liés à la variation saisonnière des récoltes, ce qui ne surprend pas dans une société surpeuplée, qui savait mal conserver les grains et accumuler les réserves, dans un monde, qui, peu ou prou, tenait le pain pour la nourriture fondamentale et qui ne disposait pas de beaucoup de nourritures de remplacement. En longue période, la hausse apparaît continue. Elle fut rapide avant 1250, et semble alors prolonger un flux dont il faut sans doute situer le départ au milieu du XIIe siècle. Cette montée brusque représenterait « le plus violent mouvement de prix de l'histoire anglaise » ; en effet, le prix moyen des blés doubla ou même tripla entre le troisième quart du XIIe siècle et le premier quart du XIIIe. L'élévation se poursuivit ensuite, mais plus lentement : en 1320, les prix se tenaient, semble-t-il, quatre fois plus haut qu'en 1180 [2]. L'allure de la courbe donne à penser que les exploitants furent constamment sollicités de produire davantage pour répondre à l'accroissement de la consommation.

Peut-on généraliser l'enseignement des sources anglaises ? Quel était ailleurs le degré réel de la fluidité

---

1. Du moins les courbes de leurs fluctuations sont-elles parallèles ; mais pour les grains consommés par les plus pauvres, comme leur prix se tenait à un niveau inférieur, ce parallélisme traduit en réalité des écarts de plus forte amplitude. Le relevé des prix moyens par année entre 1266 et 1277, transcrit dans les statuts urbains de Brescia, montre que la valeur des céréales pauvres était plus instable, TOUBERT, 603 a.

2. BEVERIDGE, 130 ; FARMER, 320 ; Documents n°s 62 et 63, p. 350. La correction et l'interprétation des indices, fournis surtout par les rouleaux de comptes où les administrateurs des manoirs transcrivaient le montant des ventes de récolte, s'avèrent très difficiles. D'où les divergences entre les courbes tracées par les divers historiens.

des prix ? Dans les Alpes du Sud, une enquête de 1338 montre ceux-ci extrêmement cloisonnés ; ils variaient du simple au double ou au triple d'un marché de village à l'autre, sans que la géographie commerciale parvienne à rendre compte de telles disparités, et l'on peut se demander si la force des coutumes ne leur conférait pas une grande rigidité [1]. Dans quelle mesure enfin les ruraux furent-ils sensibles à ces variations de longue durée ? A ce propos, il conviendrait de distinguer certainement entre la masse des petits exploitants et les gros. Si la production céréalière se trouva stimulée directement par le mouvement des prix, ce fut d'abord sur les grands domaines. Encore faut-il penser que les avantages du marché ne furent point perçus par les seigneurs eux-mêmes, mais par leurs intendants, par ces gérants en faveur desquels furent mises au point, précisément pendant cette période, de nouvelles formes d'association aux profits d'exploitation. Venue des villes consommatrices, l'incitation fut transmise au monde des campagnes par ce groupe d'entrepreneurs, investis de grands pouvoirs économiques, mais encore incomplètement gagnés par les modes et les préjugés nobiliaires condamnant l'esprit de lucre, et qui représentèrent sans doute, nous y reviendrons, le principal élément de dynamisme et de progrès au sein de l'économie rurale. Quoi qu'il en ait été, les documents seigneuriaux montrent (en Angleterre au moins, parce que les sources se montrant beaucoup plus clairsemées ou moins accessibles, l'étude est à peine entreprise ailleurs) que, dès le début du XIIIe siècle, la part des grains récoltés sur les grands domaines, et que l'on destinait à la vente, était considérable. Dans les trente-deux manoirs dépendants de l'évêque de Winchester, les opérations commerciales portaient en année moyenne sur cinq mille hectolitres, c'est-à-dire sur près de la moitié du produit brut des champs domaniaux ; elles touchaient par conséquent 80 % du produit net, déduction faite des blés réservés pour les semences [2].

Cependant, ce fut, semble-t-il, aux alentours de 1300 que le grand commerce des céréales atteignit dans toute l'Europe sa période culminante. C'était, notons-le,

1. DUBY, 409 a.
2. POSTAN, dans 5, p. 195.

le moment précis où les administrateurs des grandes exploitations se préoccupaient d'améliorer les procédés de la culture. Tout ce qui n'est pas seigneurial ou bourgeois dans le mouvement économique échappe, on le sait, à l'observation. Du moins peut-on voir à ce moment que les seigneuries, même de rang modeste, se sont toutes adaptées à produire pour le commerce. En Provence, chaque commanderie des Hospitaliers tirait ses meilleures ressources de la vente des grains, et dans les six manoirs que le duché de Lancastre possédait en Wiltshire, douze cents mesures de blé étaient vendues sur les treize cents qui restaient disponibles après les semailles [1]. Le trafic maritime s'était amplifié, profitant du progrès des techniques de navigation qui avait fortement accru la capacité des navires : des trafiquants de Méditerranée convoyèrent, en 1317, vingt mille hectolitres de froment vers Bruges où régnait la famine [2] ; les barques de l'Elbe, les « cogues » de la Baltique, commençaient alors à conduire vers l'Occident les excédents de blé produits sur les terres neuves de la chrétienté orientale : dans les années 1260 en Brandebourg, vingt ans plus tard en Prusse, on repère les premiers indices d'un trafic d'exportation [3]. On discerne partout des courants réguliers d'approvisionnement qui s'établissent en direction des régions plus urbanisées. Thierry d'Hireçon, gros exploitant de l'Artois, dont on a conservé certains comptes d'administration, négociait directement l'écoulement des surplus de ses récoltes avec des négociants venus de Gand ou de Bruges ; parfois, il organisait lui-même des convois par voie d'eau vers la Flandre ; celui qu'il dirigea vers Gand en 1329 lui rapporta deux cent vingt-cinq livres, dont trente-neuf devaient être déduites, pour couvrir les frais de transport [4]. Une aire de ravitaillement dont les limites se rapprochent ou reculent, selon que l'année est de pénurie ou d'abondance, se dessine alors autour de chaque ville, petite ou grosse. A Nice, par exemple, l'achat du blé constituait le souci premier de la municipalité, sa dépense

1. Duby, 409 *a* ; Postan, dans 5, p. 195.
2. Van Werveke, 565.
3. Malowist, 652 et 653 ; Carsten, 7. C'est alors, par exemple, que les bourgeois de Prenzlau aménagent la rivière Ucker pour conduire les convois de grains jusqu'à la Baltique, Zientara, 559 *a*.
4. Richard, 437.

principale ; on allait le chercher partout, dans la montagne voisine, à Marseille ou à Montpellier, à Gênes ou à Pise, parfois jusqu'en Flandre. Paris s'approvisionnait normalement dans la plaine de France ; mais en cas de disette, les subsistances parvenaient de régions plus éloignées : en 1304, les réseaux nourriciers s'étendirent dans le Vexin, l'Orléanais, et jusqu'à Sens et Tours [1].

4. Le vin

L'instabilité saisonnière des itinéraires marchands qui ravitaillaient en blé les villes, comme les fortes saccades qui, d'année en année, perturbaient la courbe des prix, montrent avec évidence que le commerce des céréales manquait tout à fait de régularité. Il semble en revanche que les produits de la zone des enclos, des jardins, des cultures manuelles, soignées, protégées par les haies, ou bien ceux des terres vagues, domaine du bois et de l'herbe, aient fait, au XIIIᵉ siècle, l'objet de trafics beaucoup plus stables. Même si elles n'étaient pas toujours les plus fructueuses, ces ventes alimentaient beaucoup plus régulièrement en deniers les coffres seigneuriaux et les ménages paysans.

Les jardins nourrissaient nombre de ces plantes précieuses, délicates, exigeantes, qui servaient à préparer les produits de luxe. On y cultivait d'abord certains végétaux producteurs de fibres textiles, et des plantes tinctoriales. « Les chanvres, lins, guesdes et pastel, garance, gaude, charbon à bonnetier, roseau et autres matières servant à faire des toiles, à teindre, à préparer et draps et peaux et autres services, se logeront, dit encore au XVIIIᵉ siècle le dictionnaire de Trévoux, dans l'enceinte du jardinage [2]. » Jadis, on les soignait pour la fabrication domestique des vêtements destinés à la maison, ou à celle du seigneur. Lorsque l'artisanat textile commença de se concentrer dans certaines villes, on eut l'occasion de les vendre. Produite d'abord dans les jardins de la vallée de la Somme, introduite ensuite dans le cycle des cultures céréalières sur les champs limoneux du plateau picard, triturée dans les

1. Fourquin, 510 a.
2. Meuvret, 115.

moulins qu'animait la rivière, puis exportée jusqu'à Londres, la guède faisait au XIIIᵉ siècle une large part de la forte prospérité des environs de Nesle, de Corbie, d'Amiens surtout [1]. Toutefois, la production essentielle des clos, en France du moins et en Lotharingie, c'était le vin.

Du vignoble français, R. Dion vient d'écrire magnifiquement l'histoire [2]. Ce qui permet ici d'évoquer seulement le très précoce épanouissement de la vigne autour de toutes les cités, séjours des nobles et des élites religieuses, puis la croissance dès l'époque franque d'un vignoble orienté vers l'exportation. Autour de Laon, de Paris et sur les côtes de Moselle, c'est-à-dire au plus près des provinces défavorisées par le climat mais où le goût du vin se répandait, on produisit en quantité, pour des consommateurs lointains, ce vin blanc et léger, le plus apprécié alors sur les tables aristocratiques. Après l'an mil, les vignerons de ces contrées furent sans cesse sollicités davantage par les négociants : la clientèle s'étendait en effet, notamment dans les villes, où le vin devint vite l'une des gloires de la fortune bourgeoise. Les vignobles gagnèrent donc du terrain, le long des voies d'eau qui seules offraient alors le moyen de convoyer les tonneaux à bon compte, et sans les disloquer par les cahots [3]. Les premiers progrès de la viticulture marchande s'observent depuis la Moselle en direction du Rhin (les trafiquants de Cologne exportaient le vin rhénan vers les Pays-Bas, l'Angleterre et la Scandinavie), depuis Paris et depuis Laon en direction de Noyon, Soissons et Beauvais. Cependant, dans ces régions fort aventurées vers le Nord, les vendanges produisaient peu lorsque la saison n'avait pas été très favorable. L'irrégularité de la récolte conduisit les marchands à chercher plus loin vers le Midi leur ravitaillement. Au XIIᵉ siècle, on voit s'affirmer la renommée des vins d'Auxerre, d'Anjou, de Saint-Pourçain, et de ceux qui parvenaient des lisières maritimes de l'Aunis et de la Saintonge [4]. Cent ans plus tard, le jeu de la politique, qui ne laissait plus aux souverains anglais qu'une seule possession

1. CARUS-WILSON, dans 5, p. 376 et suiv. ; JORIS, 326.
2. DION, 95.
3. RENOUARD, 134.
4. Première mention des vins de La Rochelle à Liège en 1198.

continentale, la Guyenne, fit naître et croître très vite le grand vignoble bordelais, dont les ramifications profondes se poussèrent le long des rivières [1]. Au même moment, les ducs de Bourgogne travaillaient à la popularité des vins de Beaune, dont l'expansion avait été longtemps contrariée par leur mauvaise situation par rapport aux réseaux fluviaux, ainsi que par leur épaisseur, leur force jugée excessive, et qui surprenait la clientèle. Mais, au milieu du XIIIe siècle, un voyageur reconnaissait en France trois grandes régions productrices, autour d'Auxerre, de La Rochelle et de Beaune. Dans une seule province française, le Midi rhodanien et méditerranéen, pourtant la plus favorisée par la nature, la production du vin pour la vente ne connut point d'essor. Elle était trop éloignée des gros centres de consommateurs. En outre, au seuil de la Bourgogne et du Languedoc, des communautés vigneronnes puissamment soutenues par leurs princes barraient jalousement la route à ses produits.

D'innombrables ceps furent donc plantés. Cette entreprise apparaît certes plus localisée que les grands défrichements agricoles, dont elle fut d'ailleurs tout à fait contemporaine. Elle leur est pourtant très comparable par l'ampleur des moyens mis en œuvre, comme par les effets qu'elle exerça sur le milieu rural. La « plante » réclamait, elle aussi, une étroite coopération entre les seigneurs de la terre et les paysans, dans des conditions cependant sensiblement différentes. Car il s'agissait d'un jardinage, d'une culture patiente et de rapport lointain ; exigeant de longs travaux de bras, la viticulture n'imposait pas un effort d'équipement en matériel et en bêtes, mais appelait plutôt un gros apport de main d'œuvre. Dans les régions qui en bénéficièrent, le développement du vignoble revalorisa donc les tâches manuelles. De la sorte, il offrit du travail aux brassiers, à tous les paysans dépourvus d'attelage que le perfectionnement des instruments aratoires refoulaient vers des tâches incertaines. Au plan de l'emploi, l'essor viticole fit, dans une certaine mesure, compensation aux progrès des techniques agricoles.

Il s'opéra parfois directement aux dépens des friches : en Bordelais, les « palus » se couvrirent de ceps, et le

---

1. Higounet, 324.

roi Édouard Iᵉʳ ouvrit sa forêt aux planteurs de vignes nouvelles. Mais très généralement, au XIᵉ, au XIIᵉ siècle, le vignoble gagna sur les labours. Des contrats d'égaux à égaux furent conclus, non point entre seigneurs, comme les « pariages » qui préparaient la fondation des villeneuves, mais entre le maître du champ et le travailleur qui acceptait de le transformer en une vigne. Au terme de tels contrats, dits de « méplant » ou de « complant », et dont l'usage était général depuis le Mâconnais jusqu'à l'Aunis ou au pays de Trèves, le lot devait être partagé en deux moitiés au bout de cinq ans, lorsque les ceps commençaient à rendre, et l'une des parts revenait en alleu, pour sa peine, au paysan créateur du clos. L'aménagement du vignoble comme celui des nouveaux quartiers de labours, mais de manière plus légitime, fit progresser ainsi l'allodialité paysanne. Il s'ensuivit que les petites gens, ces hommes trop pauvres pour tenir des bœufs de labour chez eux et qui possédaient seulement leurs bras et une bêche, participèrent très largement à la production des vins et à ses profits directs. Dès qu'elle se répandit dans la paysannerie, la vocation viticole revêtit un caractère démocratique, qui la distingua du labourage. Certains traits originaux de la société rurale en France, pays des plus grands vignobles, viennent de là.

Les meilleurs crus, toutefois, ceux que recherchaient les négociants et qu'ils payaient plus cher, provenaient des clos des riches, des dignitaires de la haute Église, des nobles ou, au XIIIᵉ siècle, des patriciens de la ville. Ces gens de qualité mettaient en effet leur point d'honneur à maintenir et à améliorer la dignité de leur vin. Ils tenaient à surveiller de près la préparation de la terre et la vendange. Les bonnes vignes n'étaient donc point sans réticence abandonnées à des exploitants paysans, en tenure ou en métayage. On les confiait à des domestiques ou, et de plus en plus, à des travailleurs gagés. À l'expiration du contrat de complant, le seigneur prenait en main l'exploitation de sa part de la vigne nouvelle. Beaucoup plus étroitement que la production du blé, la viticulture se trouvait liée au faire-valoir direct. Dès le XIIᵉ siècle, elle paraît aussi beaucoup plus étroitement associée au salariat et au maniement de la monnaie. En 1148, l'abbé de Cluny affectait à l'entretien du vignoble les gros cens en argent que lui rapportaient ses seigneuries d'Angleterre [1]. Au XIIIe siècle, la meilleure pratique consistait à établir sur la vigne un « closier », régisseur domestique, nourri et logé par le maître, qui dirigeait le travail de « laboureurs de vignes », rétribués en deniers à la journée. Soutien du petit alleu, le vignoble le fut donc aussi du petit peuple des salariés. Les clos seigneuriaux fournirent leur principal gagne-pain à d'innombrables petits ménages sans capitaux, riches seulement d'un petit clos personnel où, rognant sur les heures de salaire, l'homme allait, le soir ou le matin, piocher sa propre terre.

Les maîtres tenaient à ce que leur vigne demeurât à portée de leur surveillance. Pour cette raison, le vignoble de qualité resta cantonné dans la banlieue des villes, où les principaux seigneurs ecclésiastiques étaient établis de toute ancienneté, et qui redevenaient, dans la France du XIIIe siècle, la résidence de prédilection pour toute la haute société, ainsi que le siège des grandes entreprises de commerce. Les clos formaient autour d'elles une vaste ceinture. Aussi, les petits vignerons et les salariés viticoles, les « affaneurs », comme on les appelait à Lyon, n'étaient pas répandus dans toute la campagne ; ils constituaient des groupes à demi urbains, ou du moins fortement localisés sur quelques terroirs de banlieue. De ces zones, il arrivait que les cultures vivrières fussent presque complètement expulsées. Passant à Auxerre en 1245, fra Salimbene s'étonnait : « Les gens de ce pays ne sèment point, ne moissonnent point, n'amassent point dans les greniers. Il leur suffit d'envoyer leur vin à Paris par la rivière toute proche, qui précisément y descend. La vente du vin en cette ville leur procure de beaux profits qui leur paient entièrement le vivre et le vêtement. » Cette notation fait sentir à quel point l'établissement des vignobles d'exportation perturba l'économie rurale, suscitant de nouveaux et larges besoins d'approvisionnement en céréales, animant des courants d'échanges entre pays de vigne et pays de blé, entre la Picardie, par exemple, et le Laonnais, entre les coteaux parisiens et la plaine de France, excitant ainsi l'activité des petites bourgades qui assuraient la liaison entre les cantons de vocation complémentaire.

1. DUBY, 406.

5. LES PRODUITS DE LA FORÊT ET DES PATURAGES

En même temps que celle des jardins fut vivifiée la mise en valeur des terres incultes. En ceinture de chaque terroir, ou exploités en commun par plusieurs communautés villageoises riveraines, le bois et ces formations végétales dégradées nées des écobuages périodiques, la lande, la « terre gaste », la « gâtine », avaient toujours été nourricières, et des systèmes de participation à leur exploitation avaient été très anciennement mis au point. La communauté du village fixait combien de bêtes chaque chef de maison pouvait envoyer sur la pâture. Ou bien le seigneur, en échange de quelques prestations, de la fourniture de deniers, d'un porc, d'un mouton ou d'une certaine quantité d'objets façonnés, abandonnait à ses propres tenanciers et aux paysans voisins des droits d'usage de nature bien précise sur les parties incultes de sa réserve. Les coutumes distinguaient soigneusement le « pasnage », c'est-à-dire le droit d'envoyer paître les porcs en forêt ; la « glandée », le droit de récolter les glands ; enfin l' « usage », le droit de ramasser le bois mort, ou l'autorisation de couper dans telle partie de la forêt une certaine quantité de bois vif. Après l'an mil, comme dans le plus haut Moyen Age, le petit élevage constituait un appoint indispensable, un complément souvent fort important des profits de la culture.

Les textes indiquent que les ménages paysans élevaient surtout des porcs : la forêt suffisait à les nourrir. Dans tel village de l'Essex que décrit le *Domesday Book*, le domaine seigneurial nourrissait quarante porcs, mais les tenures deux mille deux cents. En revanche, les gros troupeaux de moutons, qui broutaient l'herbe des jachères et les engraissaient de leur fumier, appartenaient alors pour la plupart aux maîtres, en Angleterre du moins. Des treize cents moutons inventoriés à la fin du XIe siècle dans le village de Southminster, proche du précédent, sept cents étaient conduits par les bergers de la cour seigneuriale [1]. A cette époque enfin, il existait encore des pays de bois et d'herbage, où l'élevage ne fournissait pas seulement un complé-

---

1. LENNARD, 253, p. 260-264.

ment mais la principale ressource. Au XIe siècle certains des domaines de l'abbaye de Fécamp, en Normandie, offraient l'aspect de clairières toutes pastorales ; ces seigneuries avaient reçu du duc en aumône, comme premier établissement, des vaches avec leur veau, des bœufs, des porcs [1]. Toute l'Angleterre du *Domesday Book*, l'Est-Anglie mise à part, paraît foncièrement vouée à l'élevage. Dans le Weald, on rencontrait alors, isolés en forêt, des établissements spécialisés dans l'engrais des porcs, qui livraient au manoir du maître des redevances en viande séchée, et la grande enquête place à part des autres paysans les « porchers » du Devon et du Wiltshire. Même dans les régions plus agricoles de l'Est, de larges étables, de vastes bergeries flanquaient toujours les exploitations seigneuriales. Le manoir que possédait l'évêque d'Ely à Doddington contenait cent vaches et vingt-quatre juments, et le domaine de Colne en Essex, de petite taille pourtant (on évalue dans l'enquête son labour à trois charrues et ses prés à vingt acres), nourrissait vingt vaches, dix-neuf bœufs, trois chevaux, cent vingt moutons et soixante porcs [2].

Les documents font entrevoir cependant que, dès la fin du XIe siècle, la mise en valeur des terres vaines, spécialement par l'activité pastorale, commençait à s'intensifier. Cette stimulation résultait en partie directement des progrès de l'essartage. On sait que les défricheurs aménagèrent d'abord des pâtures encloses, des prés producteurs de foin. Le mouvement de conquête s'est manifesté dans ses premières phases comme un effort pour tirer meilleur parti de l'herbe des bois et des gâtines. Longtemps, les polders de la mer du Nord, les marais des *Fens* d'Angleterre nourrirent en terrain humide des moutons d'abord, puis des vaches lorsque les prés furent dessalés. Longtemps, l' « hôte » vécut de laitages et des légumes de son jardin enclos, et c'était également le régime alimentaire des ermites comme de tous les religieux qui, solitaires ou en communautés, partirent, à la fin du XIe siècle, pour le « désert ». Les cisterciens vécurent en pasteurs, et mirent en valeur avant tout par l'élevage les espaces vides qui

1. MUSSET, 429.
2. LENNARD, 253, p. 258 et suiv. ; MILLER, 187, p. 79 et 83 ; DARBY, 33, p. 204.

leur furent concédés. Les moines de la Grande Chartreuse possédaient une cinquantaine de vaches très peu
de temps après leur établissement. En 1226, ils soi-
gnaient sept cent cinquante brebis, trois cents agneaux,
cent quatre-vingts chèvres. Les archives de tous ces
nouveaux monastères sont pleines de titres qui leur
assuraient la possession de droits de pacage sur les
terres d'autrui, domaines seigneuriaux ou terroirs de
villages, de droits de libre passage pour la transhumance ;
elles sont remplies aussi de l'écho des chicanes qui
opposèrent les religieux, à propos du fourrage, aux
communautés paysannes d'alentour, et même à leurs
frères d'autres abbayes. Pour l'utilisation des alpages,
d'âpres rivalités dressèrent la Grande Chartreuse,
dès sa fondation, contre Chalais, les templiers de
Lus contre les chartreux de Durbon [1]. Moines et
convers des « déserts » paraissent gagnés, au XIIe siècle,
par cette agressivité conquérante, procédurière et
batailleuse, qui caractérisait les éleveurs. Très tôt
également, on les voit se préoccuper d'exemption
de péage : dès 1195, l'abbaye de Boscaudon, dans
l'Embrunais, obtenait un privilège de commerce à
Marseille [2]. Ces religieux, en effet, ne pouvaient eux-
mêmes utiliser tous les produits que les friches où
ils étaient installés livraient en abondance. Aussi devin-
rent-ils très vite gros vendeurs de bêtes, de laine et de
bois, de cuir et de souliers. Activité fort lucrative :
complètement isolés du monde, perdus dans les solitudes inaccessibles, les premiers chartreux pouvaient,
en 1173, disposer de cinq cents sous viennois et acheter
ainsi le désistement d'un concurrent [3] ; à la même
époque, la richesse des cisterciens, leur habileté
commerciale étaient proverbiales dans la noblesse
française, qui dissimulait mal à leur égard sa méfiance
et sa jalousie.

Il semble bien d'ailleurs que les dernières années du
XIIe siècle marquent l'orée d'une période particulièrement favorable à la vente de ces denrées. L'étonnante
précision des archives seigneuriales anglaises permet
de repérer, aux alentours de 1180, une hausse très

1. *Recueil des plus anciennes chartes de la Grande-Chartreuse*
(éd. BLIGNY), Grenoble, 1960, n°s 26, 27, 28, 42, 43.
2. SCLAFERT, 76, p. 13.
3. *Recueil des plus anciennes chartes de la Grande-Chartreuse*, n°s 30,
43.

sensible des prix du bétail, qui depuis quelque temps étaient demeurés stables. Un bœuf, qui valait trois sous à la génération précédente, se vendait presque deux fois plus cher ; il fallait maintenant six deniers au lieu de quatre pour avoir un mouton [1]. Un essor semblable à celui que connut, pendant tout le XIIIe siècle, le commerce du vin entraînait, au même moment, celui du bois d'une part, et des divers produits de l'élevage.

***

Dans les forêts du haut Moyen Age, très claires, fort mal tenues et que dégradait une exploitation désordonnée, les beaux arbres, le bois d'œuvre pour les amples constructions, avaient toujours été rares. On connaît l'aventure de Suger qui, pour ses bâtiments de l'abbatiale de Saint-Denis, cherchait vers 1130 douze grosses poutres. Il comptait les trouver sur le domaine du monastère, dans la grande forêt d'Iveline. Les charpentiers parisiens s'étonnèrent : le sire de Chevreuse, qui tenait la moitié du bois en fief de l'abbaye, avait utilisé tous les beaux arbres pendant ses guerres contre le roi et Amaury de Montfort « pour faire ses fortifications ». Ils conseillèrent donc à l'abbé d'envoyer prendre les poutres dans le Morvan. Suger tint bon, trouva les arbres. Mais on parla de miracle [2]. Plus tard, au XIIIe siècle, on avait à peu près cessé de construire des châteaux en bois. En revanche, d'innombrables maisons se bâtissaient dans les villes en plein essor ; sur les fleuves et les rivages des mers, d'innombrables nefs étaient mises en chantier, de ces navires légers qui s'usaient très vite et qu'il fallait reconstruire au moins tous les dix ans. Tous ces besoins multipliés par le progrès de la civilisation matérielle firent constamment monter le prix du bois d'œuvre.

La forêt fournissait également quantité de matériaux qui s'avéraient de jour en jour plus nécessaires, à mesure que les conditions d'existence devenaient moins frustes : fagots pour le feu, pour les fours et les ateliers, résine pour les torches, écorces qu'utilisaient les cordiers, cire des cierges, chaux, cendres, charbon

1. A. L. POOLE, « Livestock prices in the twelfth century », dans *English historical review*, 1940 ; RAFTIS, 190, p. 62.
2. SUGER, *De consecratione* (éd. LECOY DE LA MARCHE), p. 221.

des forges. De l'extension du vignoble résultait une très forte demande de bois pour la fabrication des tonneaux et des cuves, de cette vaisselle vinaire qu'il importait de renouveler partiellement à chaque vendange, pour la taille des échalas dont l'emploi permet seul aux plants de résister aux gelées blanches et que, chaque saison par quantités énormes, on façonnait dans le cœur de chêne ou de châtaignier. Des liens étroits unissaient de la sorte la viticulture à l'exploitation forestière. Un clos était-il créé ? Aussitôt, on craignait dans le voisinage « qu'à cause de la vigne, il n'y ait des dommages dans les bois [1] », et les maîtres de la forêt renforçaient le taux des amendes qui punissaient l'usage abusif des arbres.

En fait, il apparaît bien dans les sources écrites que les hommes, dès la fin du XIIᵉ siècle, commencèrent à considérer l'espace boisé comme une valeur précieuse qui méritait une protection spéciale [2]. Or, à ce moment même, il était attaqué et rétréci par les entreprises des défricheurs, qui jamais sans doute ne furent plus nombreuses et plus conquérantes. D'autre part, les paysans usagers ne se contentaient plus de s'y servir de bois « pour leur cuisine, leur maison et leur clôture » ; tentés par les profits du négoce, ils allaient y charger leur âne ou leur char pour conduire jusqu'au bourg voisin fagots et bûches. Après 1160, on rencontre de plus en plus nombreux dans tous les dossiers d'archives de la France et de la vieille Allemagne les parchemins qui réglementent les usages de la forêt, qui les restreignent, qui délimitent les droits des forestiers en renforçant leur autorité sur les paysans et sur les pâtres, qui associent parfois aux revenus du bois, pour que celui-ci soit mieux défendu, un haut seigneur du voisinage, aux forts pouvoirs de justice, avec le titre de gardien [3]. Voici, choisi parmi tant d'autres, l'acte par lequel les religieuses de Chelles confièrent, en 1205, la protection de leurs taillis à Guillaume de Garlande, et qui réglait en même temps le rythme de l'exploitation : au bout de cinq ans, on ferait une coupe ; puis, pendant les sept années suivantes, le bois serait

1. *Cartulaire de l'abbaye de Val-Dieu*, nᵒ 262.
2. LAMPRECHT, 17, I, 1, p. 137.
3. TIMM, 528 ; Philippe Auguste fit en 1183 clore le bois de Vincennes, RIGORD, *Gesta Philippi regis*, 21.

laissé intact et protégé ; on le mettrait ensuite aux
enchères ; quatre années durant après chaque coupe,
nulle brebis n'y aurait accès [1].

Modification profonde. La forêt du haut Moyen Age
avait été une large réserve ouverte à tous, où chacun
selon ses besoins pouvait venir puiser, plus encore
une vaste pâture où vagabondaient, en toute liberté,
les bêtes domestiques, les porcs, les moutons, les bœufs
et les chevaux de ces grandes hordes sauvages où se
reconstituait la cavalerie des grands seigneurs. Elle
devint, au XIIIᵉ siècle, comme une culture protégée
de l'arbre, destinée à pourvoir aux besoins de la construction, de l'artisanat et du chauffage. En fait, dans les
revenus seigneuriaux, la part fournie par la vente du
bois s'élargit alors considérablement. L'étude systématique de ces profits mériterait d'être entreprise,
et les sources sont moins rares qu'il ne paraît. Dans les
recettes du comté de Beaumont-le-Roger, le rapport
des forêts dépassait, après 1250, celui des cens fixes
de la terre [2]. Par ces ventes, les gros possesseurs fonciers
entrèrent en rapport étroit avec les professionnels du
négoce, qui parfois, jouant sur le manque de numéraire
qui tenaillait en permanence la plupart des seigneurs
ruraux, achetaient les coupes à l'avance à meilleur
compte. Les religieux de Saint-Denis, qui avaient
aliéné de la sorte en 1201 le droit d'exploiter une part
de bois, touchèrent cent trente-trois livres à la Saint-
Jean pendant les sept années suivantes [3]. Cependant,
on vendait le plus souvent les coupes à la criée et à
« renquiérissement ». Il fut décidé par exemple, en 1307,
que la portion boisée du domaine abbatial de Saint-
Benoît-sur-Loire, à Varty, serait « criée » au marché
de Clermont, et « que qui plus en vourra donner viegne
avant et on li recherra ». Thierry d'Hireçon procédait
de la même manière, ou bien chargeait ses forestiers
d'embaucher des tâcherons à la semaine et de vendre
par petits lots le bois d'œuvre et le bois de feu [4]. Tout
comme la viticulture donc, l'exploitation forestière

    1. Bibl. de Meaux, ms. 59, p. 105.
    2. STRAYER, 439, p. 77. En 1289, Pierre le Bouvier, de Verrières,
achète à Notre-Dame de Paris dans le bois de Chatenay, la coupe
de deux lots couvrant un et onze hectares, pour une somme très élevée,
994 livres. *Cartulaire de Notre-Dame de Paris* (éd. GUÉRARD), II,
nᵒ 63.
    3. Archives Nationales, LL 1157, I, p. 529.
    4. RICHARD, 437 ; BRUWIER, 445.

attirait, à la fin du XIIIᵉ siècle, les marchands et leur monnaie jusque dans les contrées les plus retirées : elle accroissait les profits du faire-valoir direct ; elle procurait enfin des emplois et l'appoint d'un salaire aux gens de bras, qui n'avaient pas assez de terres ni d'outils suffisants pour produire eux-mêmes tout leur pain.

***

Au moment même où la forêt commençait à se fermer aux bestiaux, l'enrichissement progressif du régime alimentaire que l'on entrevoit à travers quelques textes, l'accroissement de la consommation de viande et de fromage qu'il détermina, les besoins toujours plus pressants de cuir et surtout de laine, conviaient aussi, et de manière plus vive encore peut-être, les gens des campagnes à étendre leur activité pastorale. Les bouchers, si actifs dans toutes les petites bourgades, les pressaient de s'engager dans cette voie. Dans le cours du XIIIᵉ siècle, l'élevage ovin accomplit des progrès très rapides, qui ont été observés de près en Angleterre. Ils firent en grande partie la prospérité de ce pays, où tous les exploitants prirent alors conscience des gros profits qu'ils pouvaient tirer de la vente des peaux aux parcheminiers et de celle du lait (pour Walter de Henley, vingt brebis peuvent rapporter autant que deux vaches et donner chaque semaine deux cent cinquante livres de fromage et un demi-gallon de beurre). Mais c'était surtout la laine que recherchaient partout des acheteurs, venus de Flandre et d'Italie. Pour les satisfaire, les races furent améliorées. Par l'élargissement progressif de leurs dimensions, les parchemins que l'on conserve aujourd'hui dans les dépôts d'archives portent un témoignage très concret sur la croissance biologique des bêtes dont la peau vervit à les fabriquer. Elle se poursuivit pendant tout le XIIIᵉ siècle, et les abbayes cisterciennes, où l'on pratiquait les méthodes d'élevage les plus rationnelles, jouèrent sans doute un rôle déterminant dans ce perfectionnement. Des races à longue laine furent peu à peu constituées dans certaines provinces, comme dans le Lincolnshire et le Shropshire [1].

1. E. Power, *The Medieval English Wool Trade*, Oxford, 1941 ; Pelham, dans 33 ; Trow-Smith, 28.

Cette spécialisation régionale introduisit de la diversité dans les prix des laines. Dans les contrées comme le Devon, où celles-ci étaient les plus mauvaises, et par conséquent les moins chères, l'essor de l'élevage resta très limité : en 1420, dans les comptes de l'abbaye de Tavistock, le rapport des ventes de blé l'emportait encore sur celui des ventes de laine [1]. Ceci montre à quel point l'activité pastorale était dépendante du marché. Et les éleveurs le sentaient bien, qui n'hésitaient pas à consacrer de fortes sommes d'argent à renforcer la qualité de leurs bêtes. En 1196, le manoir de Sulby, dans le Northamptonshire, dépensa trente-trois sous quatre deniers pour remplacer par des sujets à bonne laine cent moutons à laine grossière. Investissement profitable : le revenu annuel du domaine s'éleva de neuf livres deux sous à dix livres [2]. Les troupeaux surtout grossirent considérablement. Seules les grandes seigneuries ont laissé des archives assez abondantes pour que cette croissance puisse être suivie de près. Un exemple : les domaines de l'évêque de Chichester nourrissaient trois mille cent cinquante bêtes en 1220, cinq mille neuf cents au XIVe siècle [3]. Toutefois, de multiples indications donnent la certitude que les bergeries des plus humbles paysans s'enrichirent dans les mêmes proportions, et que la plus grande part des moutons d'Angleterre (on estime leur nombre à huit millions au milieu du XIVe siècle) était nourrie par les villageois. En 1225, près de Salisbury, dans le manoir de Damerham et le hameau voisin de Martin, le seigneur abbé de Glastonbury élevait cinq cent soixante moutons sur le domaine, mais le troupeau des cent quatre-vingt-dix-huit villageois comptait trois mille sept cent soixante têtes [4].

Sur le continent, les recherches sont poussées beaucoup moins loin, mais il est probable qu'elles ne tarderont pas à mettre en évidence des phénomènes de même ampleur. On discerne déjà dans quelques contrées un essor rapide et prolongé des activités pastorales pendant le XIIIe siècle. Ce fut à cette époque, semble-

1. FINBERG, 176.
2. A. L. POOLE, *From Domesday book...*, p. 54.
3. *The Chartulary of the High Church of Chichester* (éd. PECKHAM) ; A. L. POOLE.
4. PELHAM, dans 33, p. 240 ; E. POWER, *The Medieval English Wool Trade*, Oxford, 1941, p. 30.

t-il, que s'organisa l'exploitation des « alpes » et de toutes les prairies de haute montagne. Dans le Tyrol et les Alpes bavaroises se fondèrent en grand nombre les *Schwaighöfe*. Sur les alpages jusqu'alors déserts et improductifs, les seigneurs installaient en altitude un troupeau de cinquante à cent bêtes, vaches et brebis, et le confiaient à une famille de pâtres ; celle-ci aménageait un jardin, dérobait quelques petits champs sur le pâturage, mais vivait surtout de lait, de produits de cueillette et d'un peu de blé que fournissait le maître. Elle lui livrait tous les ans en redevance plusieurs centaines de fromages et une vingtaine de kilos de beurre [1]. A la même époque, les communautés paysannes des vallées organisèrent en Béarn et en Auvergne la mise en valeur des grands herbages des sommets. Ce fut souvent l'occasion d'ententes avec des éleveurs de la plaine ou des contrées plus lointaines, à qui l'on ouvrait les pâturages à la belle saison. Tel cet accord conclu en 1295 à propos des pâtures voisines du lac d'Issarlès, dans le Velay, entre les cisterciens d'Aiguebelle et le prieur d'un petit établissement religieux local, qui traitait au nom des montagnards ; ceux-ci se réservaient la liberté d'établir dans les prairies des clôtures pour protéger des champs et des prés ; ils autorisaient les moines à monter chaque été cent vingt « trentains » de brebis ; mais ils exigeaient une redevance annuelle de neuf sous par an et d'un demi-quintal de fromage, et imposaient que, sauf par temps de pluie, les bêtes séjournassent toutes les nuits sur l'aire cultivée du terroir pour le fumer [2].

Dans les pays du Sud, les premiers règlements écrits de la transhumance apparaissent également dans les dernières années du XIIe siècle. Orienté, endigué par les autorisations de parcours, par les accords de passage conclus le long des itinéraires entre les conducteurs de troupeaux et les communautés agricoles, s'établit alors de façon régulière le grand balancement saisonnier qui transportait, à la recherche d'une herbe plus drue, des dizaines de milliers de bêtes entre les montagnes provençales et les grandes pâtures d'hiver du pays d'Arles. Dans les archives des comtes de Provence, un fragment de compte pour l'année 1300 révèle que, cet

1. HAUSMANN, 284.
2. *Chartes et documents de l'abbaye d'Aiguebelle*, n° 115.

hiver-là, sur le territoire des bailliages de Saint-Maxi-
min et de Barjols, plus de vingt mille bêtes étaient
descendues des seules vallées de l'Ubaye, de la Bléone
et de l'Asse. Le 12 juin 1345, le troupeau des hospitaliers de Manosque, prêt à partir pour les alpages,
comptait soixante-trois béliers, cinq cent trente-quatre
brebis, cent soixante-huit moutons, deux cent soixante-
quinze agneaux, trois cent quatre-vingt-un agnelets.
A ce moment-là, les hauts pâturages des Alpes méridionales apparaissent surchargés de bétail, et dévorés ;
les communautés villageoises cherchaient à en interdire
l'usage aux gens de l'extérieur ; ceux des montagnards
qui n'avaient pas émigré, ruinés par l'invasion des
transhumants, gémissaient contre les troupeaux des
seigneurs et des entrepreneurs d'élevage des bourgades
de la vallée. Beaucoup de bêtes qui sillonnaient, à
chaque retournement des saisons, les chemins de Provence, appartenaient, en effet, à des nobles ou à des professionnels ; seize éleveurs possédaient six mille cinq
cents des moutons recensés dans le compte de 1300, et
le seigneur de Digne en tenait à lui seul près de deux
mille. Cependant, beaucoup aussi sortaient de bergeries
paysannes, car les coutumes villageoises autorisaient
chaque chef de maison du village à nourrir huit « trentains » de bêtes sur la terre commune. Chèvres et brebis
formaient, au début du XIVᵉ siècle, la seule fortune de
bien des ménages dans les villages de haute Provence [1].

On peut penser enfin que les archives seigneuriales,
encore si mal exploitées, livreraient en France, en
Allemagne, en Italie, de quoi mesurer l'importance que
prit l'élevage, au XIIIᵉ siècle, dans l'exploitation domaniale. En 1229-1230, les administrateurs du domaine
que possédait l'abbaye de Saint-Denis à Maisoncelles,
en Brie, avaient vendu cinq cent seize bêtes à laine,
quarante porcs, trente vaches, sept bœufs, et ceux du
domaine de Tremblay, plus de quatre cents peaux de
moutons [2]. La bergerie des Templiers de la Cavalerie,
en Larzac, abritait, en 1308, cent soixante chèvres et
mille sept cent vingt-cinq moutons, et les hospitaliers
de Manosque nourrissaient, en 1300, outre mille cinq
cents ovins, trois cents porcs, soixante-dix-sept chèvres
et quatre-vingt-dix vaches [3]. Les comptes de gestion des

1. SCLAFERT, 76, p. 50.
2. FOURQUIN, 510 a.
3. HIGOUNET-NADAL, 421 ; REYNAUD, 436.

domaines qu'exploitait en Artois Thierry d'Hireçon
fournissent, pour le début du XIVe siècle, de très précieuses informations sur les achats et les ventes de bestiaux d'un gros exploitant, et sur les profits qu'il en
tirait. Il élevait des chevaux (vingt-quatre dans la seule
maison de Bonnières), les nourrissant l'hiver avec la
paille et les grains de trémois ; mais cet élevage était
uniquement destiné à l'équipement des charrues et au
travail des champs. Le maître, par conséquent, vendait
seulement des poulains et les bêtes « usées » ; il était surtout acheteur de sujets vigoureux. L'élevage des porcs
se trouvait davantage orienté vers les profits du négoce :
des trois cents que l'on tenait à Bonnières en 1328,
douze avaient été engraissés et tués pour la table du
maître, et trente-sept vendus au marché. La vente des
veaux et celle surtout des fromages et du lait rendaient
plus lucratif encore, et plus ouvert sur l'économie marchande, l'élevage des vaches. Toutefois, comme en
Angleterre, les transactions les plus fructueuses portaient sur les moutons. Entre l'exploitation de Roquetoire et les foires de Saint-Riquier, s'établissait un
mouvement incessant d'achats et de ventes à forts bénéfices. En 1320, par exemple, on avait acheté cent
soixante moutons à huit sous et demi chacun ; l'année
suivante, deux seulement avaient péri, et les survivants
étaient revendus dix sous et demi. Thierry d'Hireçon
avait investi dans l'affaire soixante-huit livres ; elle lui
en rapporta quatre-vingt-trois, mais en vendant la laine
de ces mêmes bêtes, il gagna encore cinquante-deux
livres, ce qui éleva finalement à 100 % le bénéfice total
de l'opération [1].

*
* *

Comme l'exploitation forestière et la viticulture, l'élevage était donc avant tout affaire d'argent et de commerce. Il approvisionnait en deniers la maison rurale ;
il la plaçait en rapports avec les maquignons, avec les
trafiquants de laine ; il la reliait surtout au petit bourg
voisin et à ses foires de fin de saison. Car, les affaires de
Thierry d'Hireçon en donnent l'exemple, l'activité pastorale supposait le passage continu des bêtes de main en
main. Ce roulement était singulièrement vif au

1. RICHARD, 437.

XIIIᵉ siècle, puisque, sauf en pays de transhumance, la plupart des exploitants ne disposaient pas de réserves de fourrage suffisantes pour garder chez eux l'hiver un grand nombre de bêtes. Les prés étaient rares, le foin cher. Le prix des glands atteignait parfois des niveaux étonnamment élevés [1]. Les hommes enfin étaient trop obsédés par la crainte de la famine pour puiser sans réticences, afin de nourrir le bétail, dans leurs petites provisions de grains. Restaient la paille, les feuilles cueillies dans la forêt ou sur la haie. Pendant les mauvais mois, le bétail devait donc jeûner ; il maigrissait, risquait la mort, perdait toute force et toute valeur. Les traités anglais d'agronomie estimaient à quarante-deux deniers la valeur du lait que pouvait produire une vache entre avril et octobre, pendant trente-quatre semaines ; mais pendant les vingt-huit semaines d'hiver, où pourtant le lait se vendait trois fois plus cher, ce rapport tombait à dix deniers seulement [2]. Aussi, chaque automne, sacrifiait-on les bêtes en très grandes quantités. Hécatombes de porcs d'abord ; leur viande se conservait dans le sel, ce qui faisait l'importance de cette denrée dans l'économie rurale : les achats de sel constituaient sans doute l'une des dépenses les plus régulières et les plus lourdes des ménages paysans. On se débarrassait aussi du gros bétail aux foires de septembre ou d'octobre : à celles d'Étampes, les paysans d'alentour conduisaient pour les revendre les chevaux et les ânes qu'ils avaient achetés l'année même pour la « saison [3] ». La nécessité de se défaire des bêtes au seuil de l'hiver offrait ainsi l'occasion de grosses spéculations dont profitaient largement quelques exploitants plus avisés ou mieux pourvus, qui savaient se procurer des nourritures hivernales, qui avaient accumulé le foin et les autres fourrages. Cette situation explique les énormes bénéfices que réalisait Thierry d'Hireçon, et comme lui tant de bouchers des villes. Il est permis de penser que l'espoir de ces profits contribua beaucoup à étendre dans les dernières années du XIIIᵉ siècle la place des légumineuses dans les cycles de culture : pois et vesces étaient donnés l'hiver aux brebis dans les bergeries de Roquetoire ou de Bonnières.

1. DUBY, 409 a.
2. Walter DE HENLEY, 77 ; BENNETT, 139, p. 91.
3. Archives Nationales, LL. 1351, fol. 82ʳ⁰.

On aperçoit ainsi que l'activité pastorale, étroitement liée aux transactions marchandes et à la monnaie, se trouvait dominée par les riches. Dans les exploitations modestes, elle était gouvernée par le capital des seigneurs, et plus encore par celui des gens de la ville. Au XIIIᵉ siècle, les bouchers des petites bourgades comme Digne ou Seyne-les-Alpes, ceux des gros marchés régionaux comme Metz ou Coventry, ainsi que bien des bourgeois de toute profession qui souhaitaient bien placer leur argent, ménageaient à l'élevage une part très importante dans leurs affaires. Ils avançaient des deniers à des paysans ; ils les aidaient à se constituer un troupeau ou à l'accroître, ils se réservaient une portion des profits, au terme de l'un de ces contrats aux formes juridiques très diverses, que l'on nommait bail à cheptel, « gasaille », ou, en Italie, *soccida*. Ces « sociétés » masquaient toutes, en fait, des prêts usuraires, et pourtant, dès 1226, le chapitre général de Cîteaux autorisait les maisons de l'ordre à les contracter. Parfois de tels contrats organisaient une sorte de demi-salariat, comme cet accord conclu en 1334 à Cipières en haute Provence, et portant sur cinq « trentains » de brebis : l'éleveur apportait dans l'affaire un tiers du cheptel ; après cinq ans, l'association devait se rompre et il garderait la moitié du troupeau ; mais dès la conclusion du contrat il recevait de son associé vingt-deux setiers de blé, vingt sous pour le « companage », et quatre livres en salaire. Plus souvent, et c'est ce que l'on appelait proprement la « gasaille » dans la France méridionale, le paysan recevait la totalité du troupeau, et devait le rendre tout entier après un, deux ou trois ans, en gardant seulement la moitié du croît ; tels ces deux paysans d'Auribeau à qui, en 1309, un bourgeois de Grasse confia une vache et son veau, estimés cinquante-cinq sous, « à moitié profit, commun péril et fortune [1] ». Prêt déguisé : en fin de bail, le pasteur, s'il possédait l'argent nécessaire, l'offrait et gardait les bêtes. Ces contrats se pliaient à de multiples combinaisons, permettaient à tel villageois de reprendre en gasaille le bétail qu'il avait dû vendre à un boucher pour se procurer un peu de numéraire, à tel autre de confier son troupeau à un berger pour la transhumance. Mais leur principale fonction fut d'établir des liaisons entre les réserves monétaires dont dis-

---

1. Archives des Bouches-du-Rhône, 396 E 17, fᵒ 80 ; AUBENAS, 313.

posaient les gens des villes et les plus humbles maisons
des campagnes.

Les sources montrent également que certains bourgeois créèrent pour eux-mêmes des domaines pastoraux
au voisinage des villes, exploités comme l'étaient les
vignobles par des intendants et des domestiques, mais
souvent aussi abandonnés à des métayers, car la nécessité de surveillance était ici moins pressante. On sait que
les « gagnages » bourgeois des environs de Metz pratiquaient davantage l'élevage que l'agriculture céréalière.
Les profits qu'ils attendaient de l'activité pastorale
suscitèrent, au XIIIᵉ siècle, parmi les riches, les ecclésiastiques, les nobles, les bourgeois et les plus fortunés
des paysans, un intérêt croissant pour les herbages.
Ceci les incita à aménager des exploitations isolées, fer-
mées par des haies, et qui se dégagèrent de la solidarité
villageoise, des contraintes collectives, qui cherchèrent à
échapper à l'obligation du troupeau commun et de la
vaine pâture. L'infiltration du capital dans les campagnes par les spéculations pastorales ne fut évidemment pas étrangère à l'expansion des nouvelles formes
de peuplement que révèlent, au XIIIᵉ siècle, les sources
écrites, la toponymie et l'observation des paysages ruraux. Les profits de l'élevage accélérèrent le progrès des
clôtures et de l'habitat dispersé. Ils contribuèrent à
l'édification du bocage.

6. L'ESSOR DU COMMERCE ET L'ÉVOLUTION SOCIALE

Le relevé précis de tous les indices épars, leur situation comparée dans le temps et dans l'espace permettraient seuls d'avancer, sur le rythme de pénétration de
l'économie d'échanges dans les milieux ruraux des différentes provinces d'Occident, des hypothèses qui ne
soient pas trop hasardeuses. Cette prospection est loin
d'être accomplie. Est-ce l'effet encore d'une illusion
communiquée par l'ampleur croissante de l'information
et le moindre laconisme des sources : il semble bien que
le mouvement se soit intensifié rapidement au long du
XIIIᵉ siècle qui, dans son ensemble, apparaît comme une
ère nouvelle de très large décontraction et de transactions multipliées. Le jeu des opérations marchandes
dans les campagnes atteignit en tout cas, au seuil du
XIVᵉ siècle, une vivacité et une extension qui peut sur-

prendre. Pour en donner la mesure, je citerai seulement trois témoignages. Le premier permettra de se représenter quel pouvait être parfois le débit des courants qui véhiculaient sur de longues distances certains produits de la terre : bon an, mal an, les navires exportaient par la Gironde, au début du XIVe siècle, quelque quatre-vingt mille tonneaux de vin gascon, c'est-à-dire environ sept cent mille hectolitres [1]. Un second exemple montrera la place qu'occupaient, dès la première moitié du XIIIe siècle, les achats et les ventes dans la gestion des seigneuries. On conserve, imparfaitement édités, les fragments d'un compte tenu par maître Richard de Toury qui, entre 1236 et 1242, exerçait la direction financière de l'abbaye cistercienne de Maubuisson, forestière et isolée comme toutes les maisons de cet ordre religieux. Parmi les recettes en numéraire venaient d'abord la vente du produit des dîmes, qui sans doute était négocié sur place ; puis celle de certaines productions du domaine sylvestre, porcs, fer, braises, charbon, écorces ; la vente enfin, soldée en trois termes, du droit de couper les bois et de paître les pourceaux. Tous les deniers ainsi recueillis étaient dépensés à la foire du Lendit pour acheter des chevaux avec leur harnais, la ferrure des chars, des chaudrons, du cuir pour les souliers, du parchemin, des draps et des toiles, du vin, de l'avoine ; ils servaient aussi à payer le salaire des charpentiers, des coupeurs de bois, des transporteurs [2]. Enfin, pour donner quelque idée de l'intensité de la circulation sur les pistes d'un pays pourtant fort cloisonné, voici les enseignements d'un registre tenu en 1307-1308 par les péageurs du comte de Provence à Valensole. Sur ce plateau qui domine la moyenne Durance, passait l'un des itinéraires que suivaient marchands et muletiers entre les montagnes de Gap, de Digne, de Barcelonnette, de Castellane et les bas pays d'Avignon, d'Aix, de Marseille et de Grasse. L'été, entre juin et août, des bêtes de somme descendaient les grosses pièces de bois vers les chantiers urbains d'Aix et vers les ateliers de Marseille ; c'était le principal trafic (on avait compté cette année-là sept cent quinze pas-

1. Y. RENOUARD, " Recherches complémentaires sur la capacité du tonneau bordelais ", dans *Annales du Midi*, 1956.

2. H. DE L'ÉPINOIS, " Comptes relatifs à la fondation de l'abbaye de Maubuisson ", dans *Bibliothèque de l'École des Chartes*, 1857-1858.

sages). Mais en même temps, depuis mars, et de plus en plus chargés jusqu'en juillet, montaient les convois de blé en direction des pays montagnards de vocation pastorale ou forestière, dont les greniers se vidaient vite. En septembre, commençait, pour trois mois, le passage des toiles que les trafiquants de la plaine allaient vendre dans les bourgades du haut pays, après les foires de fin d'été qui avaient muni d'argent les paysans de ces contrées. Au printemps, les convois transportaient du sel à la montée, de la laine et surtout des peaux brutes à la descente. Enfin, pendant tout l'hiver, avaient passé les gros « nourriguiers », les éleveurs de Digne ou de Seyne, de Marseille ou d'Aix, qui conduisaient des bœufs ici et là, selon des occasions du négoce [1].

**

Ce mouvement commercial, les possibilités qu'il offrait de compléter par de menus gains le rapport des exploitations agricoles, rendirent plus supportable dans les villages la surcharge démographique, dont tous les documents de la fin du XIIIᵉ siècle font sentir le poids très lourd. Pour les bordiers et les manouvriers, l'élevage pendant la bonne saison du petit bétail, des porcs, des moutons dont le seigneur ou les bouchers avaient avancé le prix, et qu'il était facile de nourrir sur les terres incultes, offrait le moyen de subsister presque sans terre. Les salaires constituaient une autre ressource d'appoint, et considérable [2]. Dans la mesure même où les grands domaines s'ouvraient eux aussi sur l'extérieur, les maîtres et leurs intendants, qui pouvaient renouveler à chaque foire, par la vente des excédents, leurs réserves de numéraire, hésitaient moins à embaucher des journaliers et à leur offrir, outre la pitance, des deniers. En 1338, les hospitaliers de Bras, en Provence, distribuaient en salaires de journée près de cinquante livres (c'est-à-dire plus du double de l'argent que leur procuraient les cens et les taxes seigneuriales,

1. SCLAFERT, 76, p. 74 et suiv.
2. Dès le milieu du XIᵉ siècle, l'histoire pieuse de saint Thibaut, ermite, montre que des hommes pouvaient « pourvoir à leur nourriture par de petits revenus » en se louant pour des travaux « très vils et agricoles », tels que le transport des pierres, le nettoyage des étables, la coupe du foin et des prés, *Vita S. Theobaldi*, *AA. SS.*, VII, 544.

et 20 % de ce que pouvait leur rapporter la vente du grain récolté) à des centaines de moissonneurs, de faucheurs, de femmes embauchées en avril pour sarcler les blés [1]. Ce fut l'une des fonctions majeures de la grande exploitation céréalière à la fin du XIIIe siècle que d'animer un ample mouvement de capitaux, d'introduire dans la circulation commerciale de larges quantités de denrées agricoles, et de redistribuer une part de leur valeur sous forme de gages parmi les paysans sans terre et sans attelages. Ajoutons enfin que le développement d'un secteur artisanal offrit des profits complémentaires à des populations rurales que l'agriculture ne parvenait pas à faire vivre. Il faut situer là, en premier lieu, la viticulture, métier de bras et de morte-saison. Des milliers d'hommes trouvèrent un gagne-pain dans l'artisanat vigneron.

Mais il conviendrait aussi d'examiner attentivement, en dépit des difficultés de l'entreprise et des énormes lacunes de l'information, comment peu à peu certains paysans se spécialisèrent dans la fabrication d'objets qu'ils destinaient à la vente. Dans le haut Moyen Age, tout campagnard était par force un artisan qui devait confectionner de ses mains les ustensiles de son ménage, sa demeure d'abord et son vêtement, les pots, les outils agricoles ; il travaillait aussi pour la maison de son seigneur, puisqu'il devait livrer périodiquement certains objets façonnés, des bardeaux, des échalas, des voliges — travail d'homme — et des pièces de laine ou de toile — travail des épouses et des filles. Les redevances de cette sorte continuèrent pendant longtemps de peser sur les tenures paysannes. Elles se maintinrent très durablement en Allemagne. En 1031, les manses dépendant de l'abbaye de Saint-Emeram de Ratisbonne demeuraient pour la plupart astreints à fournir des draps que fabriquaient les femmes de la maison avec la laine seigneuriale, et qui servaient soit à l'usage des moines, soit aux aumônes. Un polyptyque établi à Fulda vers 1150 fait état des redevances en outils forgés, en couvertures de laine, en fil de lin. Et, dans certaines « cours » alsaciennes, on habillait encore au XIIIe siècle les domestiques avec les tissus fort grossiers confectionnés chez eux par quelques tenanciers. Une semblable permanence s'observe en certains points de la campagne

anglaise. Dans le *Livre Noir* de l'abbaye de Peterborough
rédigé au début du XIIe siècle, sont dénombrées les
aunes de drap que les villages dépendants du monastère
devaient livrer le jour de la fête du saint patron. En
France enfin, parmi les divers engagements que les chanoines de Notre-Dame de Chartres exigèrent vers 1130
des maires qui les représentaient dans leurs domaines,
figurait celui de ne point réclamer aux paysannes des
corvées de laine[1]. Très longtemps donc, la maison
rurale fut un atelier dont le seigneur se réservait d'utiliser les services.

Un moment vint pourtant où celui-ci renonça à de
telles prestations en objets fabriqués. Plus précoce en
Italie, où elles ont tout à fait disparu des inventaires
seigneuriaux avant 1100, beaucoup plus tardif en Allemagne, cet abandon peut, dans l'état actuel des
recherches, être situé en France pendant la première
moitié du XIIe siècle. Il résulta principalement de l'établissement sur le marché des villes d'échoppes où l'on
pouvait se procurer à bon compte des objets de meilleure
qualité. Précisément, l'une des fonctions des quartiers
neufs des cités, et aussi de ces petites bourgades qui
grossissaient autour des foires et d'un marché hebdomadaire, fut de répondre à la demande d'une clientèle,
que la hausse continue du niveau de civilisation rendait
plus exigeante sur la qualité, et plus nombreuse. Clientèle de seigneurs d'abord, clientèle de paysans bientôt,
dès que ceux-ci, moins dépourvus de deniers, n'hési-
tèrent plus à les utiliser pour acquérir un soc de charrue
plus efficace ou des chaussures moins primitives. On
aimerait pouvoir distinguer, dans « l'outillement » des
maisons paysannes, celles des pièces d'équipement qui
sortaient des ateliers d'artisans ; mais les inventaires qui
décrivent le mobilier des ménages de condition modeste
sont malheureusement, même au XIIIe siècle, d'une dé-
solante rareté[2].

En tout cas parmi les premiers artisans que l'on aperçoit dans les petits bourgs ruraux de la fin du XIIe siècle
et du XIIIe, figurent en effet les forgerons et les cordonniers. Dans la villefranche, dont les moines de Mar-

---

1. HEIMPEL, *Das Gewerbe im Stadt Regensburg*, p. 35 ; MAITLAND,
158 ; *Cartulaire de Notre-Dame de Chartres* (éd. LEPINOIS et MERLET),
I, n° 58.
2. Voir p. 530.

moutier, associés à un seigneur du pays de Blois, se préoccupaient vers 1100 d'assurer le peuplement, il était prévu d'installer, outre deux boulangers et deux bouchers, deux ouvriers de forge et un cordonnier[1]. Si, dans le cours du XII° siècle, les cisterciens de la Ferté en Bourgogne payèrent nombre de leurs achats avec les souliers que fabriquaient les convers dans l'atelier domestique, les artisans du cuir étaient nombreux à Ferrières-en-Gâtinais en 1185, lorsque cette petite agglomération marchande reçut ses franchises. Parmi les éléments très divers qui, dans la première moitié du XIII° siècle, assuraient la prospérité du prévôt d'une châtellenie des bords de la Saône, figurait la vente des souliers sur l'étal qu'il possédait à la porte du château[2]. A cette époque, des gens de métier se rencontraient dans les plus petits villages. A Ouges en Bourgogne, au début du XIV° siècle, prospéraient des boulangers, des cordonniers, des charrons[3], et il vaudrait sans doute la peine d'observer dans les listes de paysans que livrent les archives seigneuriales l'apparition des surnoms qui évoquent une spécialisation professionnelle, de suivre la multiplication rapide au XIII° siècle des Sabatier ou des *Schuhmacher*.

Les premiers artisans villageois furent, jusqu'au XII° siècle au moins, des esclaves, les stricts dépendants des seigneurs, employés d'abord pour les besoins du domaine, mais qui peu à peu reçurent l'autorisation de travailler aussi contre rétribution pour autrui. Vers 1300, le forgeron, le bourrelier (ajoutons le meunier, lui aussi spécialiste et partiellement nourri par ceux qui avaient recours à ses services) restaient encore à demi des ministériaux, et demeuraient étroitement attachés à la grosse exploitation seigneuriale qui constituait leur meilleure clientèle et qui souvent les pensionnait ; ils tenaient presque toujours du seigneur, à cens ou à ferme, l'atelier, le moulin, la forge et son outillage.

1. *Cartulaire de l'abbaye de Marmoutier pour le Dunois*, XLIV, p. 56.
2. *Recueil des Pancartes de l'abbaye de la Ferté-sur-Grosne* (éd. DUBY, n°ˢ 46, 57, 115, 127) ; PERROY, 255, p. 87 ; DUBY, 247, p. 525. La charte de franchises du bourg bressan de Louhans énumère au milieu du XIII° siècle « drapiers, fripiers, pelletiers de cuir, merciers, cordonniers, bouchers, ferratiers, épiciers, saulniers, panneliers et changeurs », M. PACAUT et F. GAUTHIER, « Louhans au Moyen Age », dans *Cahiers d'Histoire*, 1960.
3. MARTIN-LORBER, 497.

Toutefois c'était leur spécialité qui les faisait vivre. L'introduction dans le milieu rural de ces petites équipes artisanales ouvrit donc encore des emplois dans les villages et permit à quelques-uns de ceux qui étouffaient dans la maison agricole aux ressources trop restreintes de s'occuper et de subsister [1].

Toutefois, pour les familles de cultivateurs, il était plus facile de se procurer quelques ressources d'appoint en exerçant, sans abandonner le travail de la terre, un artisanat à temps partiel, pendant les mortes saisons du calendrier agricole, en fabriquant à la maison quelques objets, semblables à ceux que jadis réclamaient les seigneurs, mais cette fois pour les vendre. Les draps, les toiles que le métier domestique avait pendant des générations fabriqués pour les redevances, furent portés aux marchés ou offerts aux courtiers du bourg dès que la « cour » du maître cessa de les exiger. D'une grande importance économique, cette conversion est aussi très obscure. D'Angleterre encore viennent quelques lueurs. On a reconnu là que les villes où s'était jusqu'alors concentrée l'industrie lainière de qualité déclinèrent au XIIIe siècle et que la fabrication du drap se dispersa dans les campagnes. Le fait se trouve lié à l'expansion du moulin à fouler la laine. Beaucoup de seigneurs en construisirent le long des ruisseaux campagnards à partir de la fin du XIIe siècle. Des foulons s'installèrent au village, où se développa le tissage. Travail d'hiver, il fit, avec la filature, rentrer un peu d'argent dans les ménages de manouvriers [2]. L'enquête est tout entière à entreprendre dans les autres pays d'Occident, mais quelques indices recueillis ici et là font supposer que l'artisanat textile offrait partout au XIIIe siècle un complément de subsistance à bien des ruraux. En France, dans certaines provinces du moins, les moulins à foulons n'étaient peut-être pas moins nombreux que dans les campagnes anglaises ; on peut repérer beaucoup de ces « parois » à laine dans les Alpes du Sud, terre pastorale aux sols ingrats et trop peuplés. Le travail de la futaine se répandait alors autour des villes de

---

1. Notons cette allusion, dans un registre de notaire du début du XIVe siècle, au prêtre d'un village de la montagne provençale qui place son frère en apprentissage dans la ville voisine pour y apprendre le métier de savetier, Archives des Bouches-du-Rhône, 396 E. 18, f° 292.

2. CARUS-WILSON, 644.

l'Italie du Nord ; dans la deuxième moitié du XIIIᵉ siècle, un atelier d'*Umiliati* fonctionnait dans le petit village d'Origgio en Milanais [1]. On sait que dans les contrées méridionales de la chrétienté, les hérésies trouvèrent un terrain d'élection dans les milieux d'artisans, à tel point que le mot « tisserand » en vint à désigner les adeptes des mouvements de pauvreté, hétérodoxes ou non. On sait aussi que, traqués dans les villes, les hérétiques se répandirent au XIIIᵉ siècle dans les villages. L'étude des documents d'inquisition pourrait être, en Languedoc comme en Lombardie, l'un des points de départ de ces recherches sur l'artisanat rural, sans lesquelles certains mécanismes économiques fondamentaux continueront d'échapper à l'historien des campagnes.

Mais d'ores et déjà il ne fait aucun doute que beaucoup de villageois pratiquaient alors un métier complémentaire. Cette activité se reliait, comme la forge ou la meunerie, au perfectionnement des techniques agricoles, ou bien comme le charroi ou le transport muletier, à l'essor commercial, ou bien encore, comme le tissage, à l'élevage des bêtes à laine, ou bien enfin, comme la fabrication des échalas ou de ces tonneaux dont l'entretien et le remplacement coûtaient si cher aux producteurs de vin, à l'exploitation forestière ou à la viticulture. De même que l'essor du vignoble et l'extension des troupeaux, la diffusion de ces artisanats détendit singulièrement les relations sociales dans le milieu rural. Fille de la prospérité et de l'ouverture du pouvoir d'achat aux niveaux supérieurs de la hiérarchie des fortunes, la spécialisation progressive de certains paysans dans la production de denrées marchandes rendit possible l'extraordinaire entassement de population sur les tenures pulvérisées, que révèlent à la fin du XIIIᵉ siècle certains inventaires seigneuriaux et qui, sans supposer l'appoint de ressources extérieures au travail agricole, resterait tout à fait inexplicable [2].

1. SCLAFERT, 76, p. 61 et suiv. ; ROMEO, 444 ; BORLANDI, 641, p. 261
2. En 1267, dans le district d'Elloe voisin des *Fens* d'Angleterre, les habitants se pressaient si nombreux sur des terroirs pourtant notablement élargis par l'effort de défrichement, que chaque habitant n'avait guère à sa disposition plus d'un demi-hectare de terrain aménagé. Comment ces hommes auraient-ils subsisté sans tirer du marécage proche, par l'élevage extensif, par la pêche, par l'extraction du sel, non seulement des nourritures complémentaires, mais des quantités considérables de produits négociables ? HALLAM, 282 *a*.

7. La communauté de village et les entrepreneurs

L'essor des opérations commerciales sur le bétail et sur les produits forestiers avait considérablement élevé le prix des terres non cultivées. Au XIIIᵉ siècle, il dépassait parfois de beaucoup celui des champs. Dans les environs de Paris, l'arpent de pré valait alors en moyenne deux fois plus cher que celui de labour [1] ; en 1297, un bonnier de futaie se louait cinq sous par an en pays liégeois, c'est-à-dire deux fois plus que le bonnier de terre. Cet enrichissement incitait les maîtres des herbages et des taillis à faire obstacle à leur dégradation, et à contrecarrer notamment les entreprises des essarteurs. Le ralentissement du mouvement de défrichement dans le second quart du XIIIᵉ siècle eut sans doute, dans bien des cas, pour cause principale la revalorisation des friches. Celle-ci, un peu plus tard, engagea même à délaisser les essarts aventurés sur les sols les moins fertiles : il s'avérait plus avantageux d'exploiter leur végétation naturelle que de les ensemencer. Et pourtant, la population était toujours plus nombreuse, la crainte de la faim plus anxieuse.

Le XIIIᵉ siècle ne paraît pas avoir connu la rivalité entre laboureurs et vignerons. Produire du vin pour le vendre (il s'agissait alors exclusivement d'un vin de qualité, vin de coteaux donc ou de banlieues, et non point encore de plaine) relevait du jardinage, et les vignobles avaient peu mordu sur les espaces céréaliers. En revanche forestiers et pasteurs commencèrent à disputer la terre, et de plus en plus âprement, à tous ceux qui désiraient y semer du grain. Dans le haut Moyen Age, labourage et pâturage étaient paisiblement associés, parce que le parcours des bestiaux sur les jachères enrichissait le sol et parce que l'espace se trouvait en telle abondance que les deux activités étaient plutôt juxtaposées et pouvaient se développer dans l'aisance. Le progrès des défrichements d'une part, et d'autre part le souci nouveau de protéger le foin et les arbres, imposèrent de les combiner plus étroitement et d'organiser, de manière plus rationnelle et plus complexe, une aire nourricière devenue beaucoup plus

---

1. Fontetie, 322.

restreinte. Or, pour décider des formes que revêtirait cet aménagement, se heurtaient des intérêts concurrents. Le XIIIᵉ siècle devint pour cela le temps des longs procès, dont les pièces remplissent les dépôts d'archives.

* *
*

D'un côté se dressait la communauté villageoise. Elle réunissait, solidaires, tous les habitants des anciens manses qui pratiquaient en premier lieu l'agriculture, mais qui souhaitaient aussi bénéficier des profits complémentaires de l'élevage ; ce souci animait davantage ceux d'entre eux qui se sentaient moins bien pourvus de terre arable. L'enjeu pour ces hommes consistait donc à sauvegarder leurs droits collectifs de parcours et de dépaissance sur l'ensemble du terroir (les jardins enclos proches du village seuls mis à part), et notamment sur la portion de bois et de pâturages que les défrichements avaient laissée subsister. Ils luttèrent contre toutes tentatives pour réduire davantage l'espace ouvert au troupeau commun, contre ceux qui entreprenaient de construire de nouvelles cabanes sur les communaux ou d'y labourer de nouveaux champs. Ils luttèrent contre les clôtures permanentes, à la fois symboles d'appropriation individuelle et obstacles opposés au libre parcours du bétail. Voici, choisis comme exemples d'une telle résistance, parmi tant d'autres conflits dont le souvenir est conservé dans les rouleaux des cours royales, les procès qui firent se dresser la même année 1221 deux collectivités villageoises anglaises contre l'un de leur membre : le coupable ici avait dressé une clôture au milieu des pâtis ; là, il s'était permis de labourer huit acres sur les communaux. Exactement à la même époque, tout le village de Brétencourt, au sud de la forêt de Rambouillet, uni derrière son prévôt, partait en expédition vengeresse détruire les haies et les maisons que venaient d'élever sur les pâtures collectives les hommes d'une autre communauté [1].

Les villages se défendirent aussi contre ceux de leurs habitants plus entreprenants qui cherchaient à développer outre mesure leur propre élevage ou qui, par contrat de gasaille ou autrement, introduisaient sur les herbages les bêtes d'autrui. Contre leurs entreprises, le corps des

1. DARBY, dans 33 ; Archives nationales, S 206, nᵒ 29 (1224).

habitants fixa le nombre de moutons et de vaches que chaque maison avait le droit d'envoyer sur les communaux, et des taxes furent levées sur le bétail étranger. A la fin du XIIIᵉ siècle, dans les villages des Alpes du Sud, de la Lombardie et de l'Apennin, les assemblées se mirent à élaborer les premiers statuts forestiers destinés à contenir dans des limites précises l'utilisation des bois par les habitants et à surveiller de plus près le troupeau des bouchers. Les villages protestèrent enfin contre les seigneurs qui interdisaient aux usagers paysans les « forêts », ces réserves de chasse dont les cerfs, les daims ou les sangliers venaient gâter les récoltes [1].

La nécessité de lutter et de se défendre renforça donc alors la solidarité paysanne. Partout en Occident, la communauté villageoise, cette association de tous les chefs de famille née des relations de voisinage et soudée plus étroitement par la nécessité de régler les rapports entre la possession privée des champs et la possession collective des terres incultes, se serra davantage ; l'agglomération devint un gros noyau plus dur au centre du terroir. Il fut plus strictement interdit de bâtir hors de son aire : mesure de discipline contre les francs-tireurs du défrichement et contre les planteurs de barrière. Il est permis de supposer que les gros villages que l'on voit aujourd'hui encore installés au milieu de plaines largement ouvertes ont revêtu toute leur cohésion au cours du XIIIᵉ siècle. Ce rassemblement s'opéra d'ordinaire d'accord avec le seigneur, qui y trouvait lui aussi son intérêt, car il pouvait plus aisément exploiter ses sujets réunis ; les autorités religieuses encouragèrent aussi ce groupement qui facilitait l'instauration de la discipline ; il permettait de mieux dépister les hérétiques ou ceux qui s'efforçaient de se dérober aux obligations paroissiales.

*
* *

Cependant, face au village, s'aiguisaient en même temps les appétits des seigneurs. Ceux-ci tenaient en leur domaine une bonne partie des terres encore in-

---

1. En 1211, Philippe Auguste promet de ne pas introduire de cerfs dans le bois de Boulogne, *Recueil des Actes...*, nᵒ 1279. Dans tel village de Picardie, selon une enquête menée en 1317, « les gainages sont mengiés et desgastés par les bêtes du bois de Piquigny », Archives Nationales, J. 737, nᵒ 23.

cultes. Détenteurs de la justice publique et de la police des champs, ils protégeaient les communaux. Sous prétexte de les mieux défendre, ils voulurent s'arroger le droit d'en réglementer l'usage à leur guise et, bien sûr, à leur profit. Le renforcement de la puissance seigneuriale sur le terroir et sur les coutumes champêtres, son appesantissement surtout sur les terrains de parcours commun s'observent au cours du XIIIe siècle dans tous les pays d'Europe. Cette transformation coïncide avec le resserrement de la communauté villageoise. Comme celui-ci, elle fut certainement précipitée par les nouvelles conditions économiques, par l'appât des bénéfices escomptés de l'exploitation forestière et de l'élevage, ainsi que par l'amenuisement des terres vaines. Fait significatif : les communautés paysannes qui, dans les pays germaniques, purent alors maintenir contre les prétentions seigneuriales leurs droits sur des pacages étendus, sont situées dans les seules régions où les défrichements laissaient encore subsister de vastes solitudes [1].

En effet, les nobles ou les religieux qui exerçaient le pouvoir dans le village tentèrent de l'utiliser pour s'approprier les droits de pâture et pour en exclure la communauté. Ainsi, en 1322, dans le village provençal de Sénas, les seigneurs prétendaient se réserver le privilège exclusif d'envoyer paître leur troupeau sur les chaumes [2]. D'autres fois, plus simplement, les maîtres réunirent une portion des communaux à leur réserve. Enfin, ils fermèrent entièrement celle-ci, ils la mirent, comme on disait, « en défens ». Des coutumes, de toute ancienneté, reconnaissaient aux voisins le droit d'y pénétrer et de participer à la libre exploitation de ses portions incultes. Or, dès la fin du XIIe siècle, les seigneurs et leurs intendants s'efforcèrent de restreindre ces usages. Les taxes que devaient payer les usagers, jadis fort légères et de simple reconnaissance, furent alourdies, prirent peu à peu l'allure d'un prélèvement seigneurial sur les bénéfices de la vente des bois et des produits de l'élevage. Les forestiers du maître commencèrent à devenir les ennemis les plus redoutés des paysans. Puis certaines portions des friches furent déclarées « forêts » ou « haies » ou « garennes ». Interdiction

1. TIMM, 528.
2. Archives des Bouches-du-Rhône, B. 3343, f° 429ro.

d'y essarter, interdiction d'y paître : les infractions mé-
ritaient de lourdes amendes. Dès 1160, les hôtes de la
villeneuve de Bonneville en Beauce ne pouvaient mener
leur troupeau au bois dans les trois années qui suivaient
les coupes, et selon les *Établissements de saint Louis*,
« l'homme coutumier, s'il garde bœufs ou vaches en le
bois du seigneur qui n'ait pas trois ans, ou chèvre, il en
paie soixante sous d'amende... » Au XIIIᵉ siècle, cette
protection du jeune bois s'étendit généralement jusqu'à
la « cinquième feuille », ou la septième, c'est-à-dire que
le délai d'exclusion qui plaçait les pousses à l'abri des
troupeaux s'allongea jusqu'à cinq ou sept ans [1].

A ces bornes dressées par l'autorité du seigneur, à ces
limitations qui refoulaient progressivement le troupeau
des paysans vers le centre du terroir et sur la zone des
cultures, vinrent encore s'en ajouter d'autres, celles que
tentèrent d'imposer les possesseurs de domaines périphériques nouvellement créés en lisière des communaux. A commencer par le seigneur qui choisit alors
d'établir sa demeure hors de l'agglomération, au centre
d'un domaine qui de plus en plus s'enfermait derrière
des protections coutumières. Ces exploitations concur-
rentes, qui lésaient les droits de la communauté villageoise, s'étaient parfois constituées aux dépens des
terrains de parcours collectifs, et avec l'accord du
maître. En Provence, au début du XIVᵉ siècle, dans
de nombreux villages, les seigneurs concédèrent en tenure de larges quartiers de la « terre gaste » à de gros
paysans, qui parfois s'associaient entre eux pour exploiter ces grands pacages, en dehors de la communauté et
contre elle [2]. Toutes ces terres, isolées en gros blocs aux
frontières du finage, tendaient à s'entourer de haies permanentes pour réserver toute l'herbe au troupeau particulier de leur possesseur. A propos de ces clôtures, de
toutes ces tentatives d'exploitation individuelle, naquirent de nouveaux conflits, de nouveaux procès.

---

1. *Établissements de saint Louis*, I, CLVIII ; OLIM, III, p. 59. Des
villageois de Champagne obtinrent le droit d'envoyer dans les bois
d'un chevalier « vaccas ad quintum folium, equos post duos annos
completos a tempore scissionis dicti nemoris, et communiter omnes
bestias, absque etiam garda, tempore quo terra in tota patria et territo-
ria cooperta est niva, et omni anno in die veniris in Passione Domini
ac in die Resurrectionis ejusdem », OLIM, III, p. 56, nᵘ XXII.

2. SCLAFERT, 76, p. 29.

* * *

L'issue en fut très diverse ici et là, car le rapport des forces affrontées variait beaucoup d'un lieu à l'autre. Du moins contribuèrent-ils tous à mettre en place, et pour des siècles, une nouvelle organisation du terroir. Ils aboutirent d'abord au partage des très vastes terrains de parcours qui demeuraient communs à plusieurs groupes villageois ; ils mirent un terme aux accords tacites de compascuité, si fréquents entre communautés voisines pendant le haut Moyen Age, alors que la terre se trouvait en grande partie vide. A l'intérieur même du finage, les traités qui terminèrent ces querelles établirent un « cantonnement », la délimitation stricte de secteurs, « défens » ou « garennes », qui demeureraient désormais, et légitimement, soustraits à l'exploitation collective. En 1224, le monastère de Montmartre consentit à ce que son bois de Rouvray fût divisé en deux parts ; l'une restait entièrement ouverte à l'usage paysan ; mais dans l'autre, « mise en défens contre les bêtes », l'abbaye gardait seule le droit de pâture. De la même manière, le doyen du chapitre de Meaux renonçait en 1228, en faveur du comte de Champagne, au droit d'usage que détenaient dans telle forêt de Brie cinq communautés villageoises riveraines qui dépendaient de sa seigneurie ; il reçut en échange l'entière disposition d'une portion de la zone forestière [1]. Dans le centre du Bassin Parisien, il semble bien que le mouvement de cantonnement des bois ait débuté au moment précis où les seigneurs cessèrent de créer des villeneuves. La charnière entre ces deux étapes successives de l'aména-

---

1. *Recueil des chartes de l'abbaye royale de Montmartre* (éd. de BARTHÉLÉMY), nᵒ 122 ; Bibliothèque nationale, ms. lat. 5993, A, fᵒ 483ᵛᵒ. Autre exemple de partage, plus complexe. En 1276, les moniales de la Trinité de Nouaillé en Poitou s'entendirent de la manière suivante avec les hommes du village. Le bois serait divisé en deux parties égales. Dans l'une, les moniales se réservaient de couper les arbres pour les vendre, et pendant les trois années suivantes, d'exclure le troupeau paysan. Celui-ci pourrait ensuite paître librement, mais l'autre part du bois serait alors coupée et mise en défens pour trois ans. Les moniales maintenaient leur droit à transformer tout le bois en culture ; mais dans ce cas, elles s'engageaient à laisser jouir les paysans de la vaine pâture sur les champs moissonnés (M. S. LA PU, *Chartes et documents poitevins du XIIIᵉ siècle en langue vulgaire*, dans *Archives historiques du Poitou*, LVII, 1960, p. 66-68).

gement du paysage rural situerait dans les années vingt du XIIIe siècle le moment où la haute aristocratie de cette région changea d'attitude à l'égard des profits de la forêt, et trouva plus avantageux de vendre le bois que d'exploiter par l'impôt de nouvelles communautés paysannes. À des époques voisines, — le nord-ouest de l'Allemagne accuse ici un retard d'un bon siècle, — des dispositions très semblables furent édictées partout en Europe Occidentale. En bloquant l'expansion agraire aussi fermement qu'avaient pu le faire les conditions techniques au IXe siècle, elles contribuèrent à renforcer la tension démographique dans les villages. Les mesures, en même temps, accusèrent l'opposition entre le bocage et la « plaine ».

***

Elles visaient toutes en effet à établir une nette ségrégation entre l'élevage paysan et l'élevage seigneurial. En 1255, tel arbitrage autorisait les seigneurs d'un village provençal à mettre en défens certains bois, mais les privait, en échange, du droit de prendre du foin et de mener paître leurs bœufs sur le terroir cultivé ; la vaine pâture appartiendrait là aux seuls paysans [1]. Souvent, ces accords légalisèrent donc l'érection de certaines clôtures permanentes, qui réservaient à l'exploitation individuelle des enclaves sur certains espaces. Les seigneurs furent généralement les instigateurs et les bénéficiaires de ces « enclosures ». On sait comment, en Angleterre, le statut de Merton en 1236 leur permit d'abord de dresser des haies sur les terres vaines du manoir, à condition de laisser à leurs tenanciers des pâtures suffisantes ; puis comment le statut de Westminster, en 1285, étendit leur faculté de clore les communaux [2]. Ces barrières permanentes renforcèrent autour des défens la protection qu'assuraient déjà les coutumes et la menace des amendes. Elles s'élevèrent pour la plupart autour de portions du « domaine », que celles-ci fussent cultivées par des domestiques ou baillées à ferme. Mais l'autorisation d'élever des clôtures permanentes fut souvent aussi

1. F. Allemand, « Histoire de Jarjayes », dans *Bulletin de la Société d'études des Hautes-Alpes*, 1895.
2. Darby, 33, p. 189.

conquise par d'autres gros exploitants, gens de la ville qui avaient acheté de la terre et des herbages dans le finage, ou paysans plus aisés que leurs voisins. Les uns comme les autres souhaitaient échapper aux contraintes communautaires qui n'étaient pas pour eux, comme pour les plus pauvres, bénéfiques mais gênantes.

Toutes ces clôtures se dressèrent soit sur les anciennes terres communes, soit sur leurs lisières. Tel censier établi au XIV⁰ siècle dans le nord du Warwickshire permet de repérer l'emplacement des enclos ; on les voit presque tous situés à la place d'anciens bois, à la périphérie de l'*open field;* mais quelques-uns mordent sur le terroir anciennement cultivé, autour de parcelles remembrées ; on discerne aussi que la plupart de ces haies avaient été aménagées par des villageois plus entreprenants, qui entretenaient des rapports plus étroits avec les négociants en laines, et qui les premiers avaient délaissé l'agriculture pour l'élevage. De la sorte, ici et là, au milieu des grandes plaines, un paysage bocager commença de se construire peu à peu dans la seconde moitié du XIII⁰ siècle sur les points du terroir où les droits de la collectivité paysanne, moins bien défendus, fléchirent. Mais le bocage s'étendit plus largement dans les régions d'occupation moins dense, où les communautés villageoises se trouvaient plus lâches et moins résistantes, et où les formes les plus récentes du défrichement, plus individuelles, plus nettement orientées surtout vers l'élevage, le firent alors, on l'a vu, progresser.

* **

Dans l'ancien terroir, la nouvelle disposition des coutumes agraires vint donc interdire au troupeau paysan de pénétrer dans une large partie des bois et des pâtures, et des barrières permanentes lui fermèrent même certains quartiers arables. Comment les petites gens purent-ils assurer dès lors la subsistance de leurs bêtes ? Beaucoup sans doute durent alors réduire leur cheptel. La croissance de l'économie pastorale, toute dominée par l'argent, contribua, autant au moins que les perfectionnements de l'équipement agricole, à dresser entre riches et pauvres ces fortes oppositions que connurent les sociétés villageoises de la fin du XIII⁰ siècle. Mais les petits exploitants s'efforcèrent de

ne point perdre complètement les ressources si nécessaires qu'ils tiraient de l'élevage : les riches réservant
à leurs spéculations les meilleures prairies et les pâtis
les plus vastes, les pauvres cherchèrent donc, sur l'espace agricole qui leur était abandonné, des substituts
de l'herbage. L'archéologie de l'outillage apprend que,
dans l'Allemagne du XIVe siècle, on substitua pour la
moisson la faux à la faucille, qui jadis laissait sur le
champ la tige des blés. Ce changement manifeste
l'intérêt nouveau que les petits exploitants se mirent à
porter à la paille. Celle-ci fournissait une litière au
bétail, puisque le rétrécissement des terrains de parcours
rendait plus difficile de récolter fougères ou feuilles.
Elle procurait surtout un fourrage de remplacement.
On traita les champs comme des prairies ; on les faucha.
C'était un premier expédient [1]. En outre et surtout,
le droit collectif de vaine pâture fut renforcé sur la
portion du finage qui échappait encore aux clôtures. Les
seigneurs se prêtèrent à cet aménagement, car ils
voyaient dans l'établissement d'une réglementation
plus sévère des occasions de réprimer plus fréquemment
les contraventions, et d'encaisser les amendes. On
institua donc un calendrier très strict, qui protégeait à
partir de certaines dates l'herbe et le jeune blé sur les
parcelles individuelles ; on aggrava les peines qui
réprimaient les dégâts des troupeaux ; on autorisa les
cultivateurs à marquer par des « signes » les pièces qui
devaient porter moisson, et qui se trouvaient temporairement défendues. Mais on fit la chasse à toute
clôture illégale. Dans les documents lorrains du
XIIIe siècle, au moment même où apparaissent les premières mentions du berger commun, celles des haies
se raréfient. Au cœur de l'ancien finage, abandonné
aux exploitations paysannes, ces mesures rendirent
plus homogène le paysage de champs ouverts. Il
contrasta désormais de manière beaucoup plus vigoureuse avec le paysage d'enclos [2].

La cherté nouvelle du bois interdisait en effet,
maintenant, d'y multiplier les barrières temporaires,
tandis que des partages successoraux répétés, désormais autorisés par le seigneur, divisaient à l'infini
les parcelles et les éparpillaient en lopins minuscules.

1. TIMM, 126.
2. PLANHOL, 72.

Le moyen le plus sûr d'éviter aux cultures le voisinage périlleux des troupeaux était bien, dans ces conditions, de réunir, quartier par quartier, les terres qui devaient être labourées et moissonnées au même moment. Il importait du même coup d'imposer à tous les habitants du village (à tous ceux du moins qui n'avaient pas conquis le droit d'enclore tout leur bien) une discipline commune des rotations culturales, et de constituer ainsi des soles compactes, les unes pour les blés d'hiver et de printemps, dont le troupeau commun venait, dès la moisson, pâturer les chaumes ; les autres pour la jachère, ouvertes pendant une ou plusieurs années entières à la libre dépaissance. Il apparaît que les contraintes d'assolement s'établirent, en certains terroirs, au moment où l'intensification de la culture céréalière et l'amenuisement des terres vaines obligeaient à réaliser plus strictement l'imbrication du labourage et du pâturage. L'institution de l'assolement forcé fut favorisée par le renforcement de l'autorité seigneuriale et par la consolidation conjointe de la communauté d'habitants. Dans l'Allemagne rhénane, seule région où, jusqu'à présent, l'étude ait été menée en profondeur, on ne peut repérer la trace évidente de cette pratique avant l'extrême fin du XIIIe siècle [1]. C'était l'époque même où les défrichements achevaient de réduire l'étendue de la ceinture d'herbage et de pâtures, où, par conséquent, il devint très urgent de disposer, pour l'usage du troupeau trop nombreux, de l'étendue libre des sols en jachère. Mais les contraintes d'assolement ne pénétrèrent pas dans les pays méridionaux. Là, en effet, sur des sols beaucoup moins homogènes, subsistaient, à proximité de chaque « campagne », des aires suffisantes de « pays au bois », de *saltus*, de garrigues ; souvent, en outre, par la transhumance, on pouvait envoyer le bétail chercher au loin sa nourriture. On peut considérer l'assolement réglé, avec l'ultime aménagement des rotations de cultures, comme l'un des remèdes que chercha, pour s'évader de la pénurie alimentaire, une population dont le progrès agricole et l'essor des échanges avaient permis la libre expansion pendant trois longs siècles, mais qui, à l'approche de 1300, se trouvait de nouveau trop nombreuse dans presque tout l'Occident.

1. JUILLARD, 60 ; SCHRÖDER-LEMBKE, 121.

Un cheminement aussi difficile à travers les étapes de l'expansion économique et les aspects multiples qu'elle revêtit dans les campagnes médiévales peut-il aboutir à l'établissement d'une chronologie ? En vérité, les connaissances demeurent encore beaucoup trop lacunaires et trop inégalement réparties, on s'en est bien rendu compte, pour autoriser des constructions trop ambitieuses. En outre, le milieu se révèle trop divers : comment ne pas supposer d'énormes désaccords dans les rythmes de l'évolution entre l'Italie, déjà couverte avant l'an mil de villes fort actives, et la Saxe, demeurée, au seuil du XIIIᵉ siècle, comme en pleine préhistoire germanique, toute forestière et pastorale ? La seule intention de cet exposé étant cependant d'inciter à poursuivre les recherches, il lui convient de faire le point, de dresser un schéma directeur, dont le caractère provisoire peut faire excuser l'imprécision et la témérité. En réservant des marges assez larges où puissent trouver leur place les fortes discordances que l'on devine entre régions évoluées et régions arriérées, voici donc comment l'on peut situer, dans l'état actuel du travail historique, les phases majeures de l'évolution économique.

1. Le départ de l'expansion est perdu dans l'obscurité du Xᵉ siècle.

2. L'essor du peuplement ainsi que des perfectionnements techniques indiscernables, mais qui élevèrent

le rendement des semailles, poussèrent en avant le progrès agricole. Dans la seconde moitié du XIe siècle, un premier développement des échanges commençait d'assouplir les relations économiques, d'aviver dans les campagnes la cirulation des monnaies, de stimuler le développement des activités artisanales. Peu à peu, l'élargissement de l'aire cultivée s'accéléra, à la faveur peut-être d'une diffusion de l'outillage en fer. On est tenté de placer vers le milieu du XIIe siècle le point où la conquête agraire connut sa plus grande intensité.

3. Les quatre ou cinq décennies qui encadrent l'an 1200 marquent un tournant dans l'expansion. La croissance agricole se poursuivait très vivement, entraînée par une hausse rapide du prix des grains que l'on peut repérer en certaines régions. Mais les difficultés dont souffraient alors les finances de nombreux hauts seigneurs, et qui se propageaient au sein de l'aristocratie moyenne, témoignent d'une brusque croissance commerciale et de l'ouverture du marché de produits divers, dont beaucoup venaient directement de la terre ; elles paraissent ainsi l'un des signes d'une mutation économique. Celle-ci se manifeste en particulier par l'institution des cycles de foires, l'organisation des marchés régionaux, par une très forte poussée urbaine. Les succès rapides de la viticulture dans les pays français en offrent une autre expression.

4. Après le premier quart du XIIIe siècle, l'élévation continue du niveau de la civilisation matérielle, qui se traduisit notamment par certains enrichissements du régime alimentaire et par la vulgarisation progressive des modes aristocratiques, vint élargir encore et gonfler tous les circuits commerciaux. On sent croître la demande de denrées non agricoles, dont s'élevait constamment la valeur. En même temps, se mutlipliaient, parmi les responsables de la production rurale, des hommes mieux formés aux méthodes rationnelles de gestion, plus attentifs aux fluctuations du marché comme aux réflexions des agronomes.

5. Une période que l'on peut inscrire entre 1275 et 1330 connut l'arrêt de l'expansion céréalière. Dans la plupart des régions, dans celles qui avaient le plus largement bénéficié du progrès, les champs cessèrent de gagner sur les friches et commencèrent même en certains points à reculer ; la production des blés fléchit. Ceci n'empêche pas l'économie rurale de présenter à ce

moment dans son ensemble les apparences d'une solide prospérité. Du moins peut-on remarquer que l'antagonisme s'accentuait alors entre les petites gens des campagnes et un groupe d'entrepreneurs, qui se renforçait. La condition des premiers se détériorait ; ils devenaient trop nombreux et avaient peine à se nourrir ; lorsqu'ils ne se trouvaient pas disséminés et isolés les uns des autres dans les zones où la colonisation se poursuivait en ordre dispersé, ils se groupaient dans le village en robustes communautés de défense, étroitement liées par les solidarités nouvelles de l'assolement. Les seconds achevaient de bâtir, à l'écart, des exploitations tout ouvertes sur le commerce ; ils ne cessaient d'améliorer leur équipement, de perfectionner les techniques ; pour intensifier la production des céréales, ils appliquaient en particulier des formules de rotation plus complexes, ils embauchaient davantage d'ouvriers pour mieux travailler le sol. Toutefois, leur intérêt s'attachait surtout à la vigne, au bois, à l'herbe, à la conduite des troupeaux, qui leur procuraient les meilleurs de leurs profits.

TABLE DES MATIÈRES

TOME I

DÉJA PARUS

ABELLIO Raymond
△△△ Assomption de l'Europe.
ADOUT Jacques
△△△ Les raisons de la folie.
ALQUIÉ Ferdinand
△ Philosophie du surréalisme.
ARAGON Louis
△△△ Je n'ai jamais appris à écrire ou les *Incipit*.
ARNAULD Antoine NICOLE Pierre
△△△ La Logique ou l'art de penser.
AXLINE Dr. Virginia
△△ Dibs.
BADINTER Elisabeth
△△△△ L'amour en plus.
BARRACLOUGH Geoffrey
△△△△ Tendances actuelles de l'histoire.
BARTHES Roland
△△△ L'empire des signes.
BASTIDE Roger
△△△ Sociologie des maladies mentales.
BECCARIA Cesare
△△ Des délits et des peines. Préf. de Casamayor.
BIARDEAU Madeleine
△△ L'Hindouisme. Anthropologie d'une civilisation.
BINET Alfred
△△ Les idées modernes sur les enfants. Préf. de Jean Piaget.
BOIS Paul
△△△ Paysans de l'Ouest.
BRAUDEL Fernand
△△ Écrits sur l'histoire.
BROUÉ Pierre
△ La révolution espagnole (1931-1939).
BURGUIÈRE André
△△△ Bretons de Plozévet. Préf. de Robert Gessain.
BUTOR Michel
△△△ Les mots dans la peinture.
CAILLOIS Roger
△△△ L'écriture des pierres.
CARRÈRE D'ENCAUSSE Hélène
△△△ Lénine, la révolution et le pouvoir.
△△△ Staline, l'ordre par la terreur.
CASTEL Robert
△△△ Le psychanalysme.
CHASTEL André
△△△ Éditoriaux de la *Revue de l'art*.
CHEVÈNEMENT Jean-Pierre
△△△ Le vieux, la crise, le neuf.
CHOMSKY Noam
Réflexions sur le langage.

CLAVEL Maurice
△△△ Qui est aliéné ?
COHEN Jean
△△ Structure du langage poétique
DAVY Marie-Madeleine
△△△ Initiation à la symbolique romane.
DERRIDA Jacques
△ Éperons. Les styles de Nietzsche.
△△△ La vérité en peinture.
DETIENNE Marcel et VERNANT Jean-Pierre
△△ Les ruses de l'intelligence. La mètis des Grecs.
DODDS E.R.
△△△ Les Grecs et l'irrationnel.
DUBY Georges
L'Économie rurale et la vie des campagnes dans l'Occident médiéval.
△△ Tome I.
△△ Tome II.
△ Saint Bernard. L'art cistercien.
ÉLIADE Mircéa
△ Forgerons et alchimistes.
ERIKSON E.
△△△ Adolescence et crise.
ESCARPIT Robert
△△ Le Littéraire et le social.
ÉTATS GÉNÉRAUX DE LA PHILOSOPHIE △△
FABRA Paul
△△△ L'Anticapitalisme.
FERRO Marc
△ La révolution russe de 1917.
FINLEY Moses I.
△ Les premiers temps de la Grèce.
FONTANIER Pierre
△△△△ Les figures du discours.
GOUBERT Pierre
△△△ 100 000 provinciaux au XVIIᵉ siècle.
GREPH (Groupe de recherches sur l'enseignement philosophique)
△△ Qui a peur de la philosophie ?
GRIMAL Pierre
△△△△ La civilisation romaine.
GUILLAUME Paul
△△ La psychologie de la forme.
GURVITCH Georges
△△ Dialectique et sociologie.
HEGEL G.W.F.
△△△ Esthétique. Tome I. Introduction à l'Esthétique.
△△△ Esthétique. Tome II. L'Art symbolique. L'Art classique.

10426 — 1982 — IMPRIMERIE TARDY QUERCY S.A. - Bourges
Nº d'édition 11163 - 4e trimestre 1977. PRINTED IN FRANCE